직업기초능력평가

고시넷 NCS

주요출제대행사 ②

사람인형

(주)사람인HR

기출예상모의고사

| 직업기초능력평가 |

6회분

[주요출제기관] 한국중부발전, 한국전력거래소, 한국가스공사, 한국남부발전, 한전KPS, 국민연금공단, 경기도·부산·경상북도·전라남도 공공기관 통합채용 등

2쇄

www.gosinet.co.kr

최고 강사진의
동영상 강의

03:47 / 10:00

| 수강생 만족도 1위 | 고시넷 취업강의 수강 인원 1위 | 학습량을 줄여줄 구세주 | 공부의 神 |

류준상 선생님

- 서울대학교 졸업
- 응용수리, 자료해석 대표강사
- 정답이 보이는 문제풀이 스킬 최다 보유
- 수포자도 만족하는 친절하고 상세한 설명

김지영 선생님

- 성균관대학교 졸업
- 의사소통능력, 언어 영역 대표 강사
- 빠른 지문 분석 능력을 길러 주는 강의
- 초단기 언어 영역 완성

유지훈 선생님

- 동국대학교 졸업
- NCS 모듈형 대표강사
- 시험에 나올 문제만 콕콕 짚어 주는 강의
- 점수로 증명하는 강의력

양광현 선생님

- 서울대학교 졸업
- 초심자부터 심화 과정까지 완벽한 이해를 돕는 쉬운 설명
- 칭화대학교 의사소통 대회 우승
- 공신닷컴 멘토

정오표 및 학습 질의 안내

정오표 확인 방법

고시넷은 오류 없는 책을 만들기 위해 최선을 다합니다. 그러나 편집에서 미처 잡지 못한 실수가 뒤늦게 나오는 경우가 있습니다. 고시넷은 이런 잘못을 바로잡기 위해 정오표를 실시간으로 제공합니다. 감사하는 마음으로 끝까지 책임을 다하겠습니다.

고시넷 홈페이지 접속	〉	고시넷 출판-커뮤니티	〉	정오표

🌐 www.gosinet.co.kr

모바일폰에서 QR코드로 실시간 정오표를 확인할 수 있습니다.

학습 질의 안내

학습과 교재선택 관련 문의를 받습니다. 적절한 교재선택에 관한 조언이나 고시넷 교재 학습 중 의문 사항은 아래 주소로 메일을 주시면 성실히 답변드리겠습니다.

이메일주소 ✉ qna@gosinet.co.kr

차례

1 '모듈형', '피셋형', '피듈형', '휴노형', '행과연형', '사람인형'이 뭐야?

NCS 정통인 '모듈형'을 비롯한 '피셋형', '피듈형', '휴노형', 'ORP형', '행과연형', '사람인형'의 특징을 설명하고 그에 따른 효율적인 학습방향을 제시하였습니다.

2 사람인형 모의고사 6회분

사람인형 문제들로 구성된 모의고사 6회분으로 효율적인 대비가 가능하도록 하였습니다.

모의고사 1~6회	의사소통, 수리, 문제해결, 자원관리, 정보, 조직이해, 기술, 직업윤리, 자기개발 ⇨ 각 회별 50~60문항

3 상세한 해설과 오답풀이가 수록된 정답과 해설

기출예상문제의 상세한 해설을 수록하였고 오답풀이 및 보충 사항을 수록하여 문제풀이 과정에서의 학습효과가 극대화될 수 있도록 구성하였습니다.

NCS '블라인드채용' 알아보기

NCS(국가직무능력표준 ; National Competency Standards)란?

　국가가 체계화한 산업현장에서의 직무를 수행하기 위해 요구되는 지식 · 기술 · 태도 등 능력 있는 인재 개발로 핵심인프라를 구축하고 나아가 국가경쟁력 향상을 위해서 필요함.

직무능력(직업기초능력+직무수행능력)이란?

⊕ 직업기초능력 : 직업인으로서 기본적으로 갖추어야 할 공통 능력

⊕ 직무수행능력 : 해당 직무를 수행하는데 필요한 역량(지식, 기술, 태도)

NCS기반 블라인드채용이란?

⊕ 의의 : 채용과정에서 차별적인 평가요소(지연, 혈연, 학연, 외모)를 제거하고, 지원자의 실력(직무능력)을 중심으로 평가하는 인재채용

⊕ 특징 : 직무능력중심 평가(차별요소 제외), 직무수행에 필요한 직무능력이 평가기준

⊕ 평가요소

　• 직무에 필요한 직무능력을 토대로 차별적 요소를 제외한 평가요소 도출 · 정의

　• NCS에 제시된 직무별 능력단위 세부내용, 능력단위 요소의 K · S · A를 기반으로 평가요소 도출

　• 기업의 인재상 · 채용직무에 대한 내부자료(직무기술서, 직무명세서로 응시자에게 사전 안내)

NCS기반 블라인드채용 과정은?

⊕ 모집공고 : 채용직무의 직무내용 및 직무능력 구체화 후 사전 공개

⊕ 서류전형 : 편견 · 차별적 인적사항 요구 금지, 지원서는 직무관련 교육 · 훈련, 자격 경험(경력) 중심 항목 구성

⊕ 필기전형 : 직무수행에 반드시 필요한 지식 · 기술 · 능력 · 인성 등, 필기평가 과목 공개(공정성 확보)

⊕ 면접전형 : 면접에 지원자 인적사항 제공 금지, 체계화된 면접으로 공정하게 평가 실시

NCS 문제유형이란

정부는 능력중심 인재 개발과 스펙중심 탈피, 사교육 시장으로부터 해방, 편견과 차별에서 벗어난 인재 채용을 목적으로 NCS 블라인드채용을 도입하였다.

NCS기반 채용이 초반의 준비 부족으로 미흡이 없지 않았지만 해를 거듭하면서 안정을 찾아가고, 필기시험을 어찌 대비할지 몰라 했던 취업준비생들도 문제유형들이 드러나면서 무난하게 적응해 가고 있다.

취업준비생들은 누구나 NCS 채용시험 출제대행사에 대해 관심을 갖는다. 문제 유형과 내용이 출제대행사에 따라 다르기 때문이다. 그래서 '휴노형', '오알피형', '행과연형', '인크루트형', '한사능형', '사람인형' 등 대행사 이름을 붙인 유형명이 등장하고 NCS 교과서인 "워크북" 중심이냐 여부로 '모듈형', '피셋형', '피듈형', '응용모듈형'이란 유형명이 나타나기도 했다.

대행사별 유형 구분은 소수의 출제대행사가 대형시험들을 독과점하던 시기에는 큰 도움이 되었으나 대행사가 같아도 채용기업에 따라 유형이 다른 경우도 있고 대행사를 모르는 경우, 유형이 드러나지 않은 대행사들도 다수 등장하게 되면서 대행사별 유형뿐만 아니라 '모듈형', '피셋형', '피듈형', '응용모듈형'의 구분이 더 도움이 되고 있다.

'모듈형(Module形)' 이란

'모듈형'은 '피셋(PSAT)형'에 대립한다. 'NCS가 제공하는 직업기초능력평가의 학습모듈' 교과서인 "워크북"과 "NCS 필기평가 샘플문항"을 바탕으로 출제되는 유형을 '모듈형'이라 부른다. 정부가 제공한 학습자료와 샘플문항을 통해 직업기초능력을 기르고 이를 평가하는 문제유형이므로 NCS 취지에 가장 적합한 정통 유형이다.

직무능력 학습에 필요한 이론과 동영상 강의, 그리고 직무별, 영역별 예시문제들은 NCS 국가직무능력표준 홈페이지(www.ncs.go.kr)에서 제공하고 있다.

'피셋형(PSAT形)' 이란

NCS '피셋형'이란 5급 공무원(행정고시, 외무고시, 민간경력자 특채)과 7급 공무원(2021년 도입) 시험과목인 'PSAT(Public Service Aptitude Test)'에서 따온 말이다. PSAT는 정부 내 관리자로서 필요한 기본적 지식, 소양, 자질 등 공직자로서의 적격성을 종합적으로 평가한다.

PSAT는 1) 언어논리, 2) 자료해석, 3) 상황판단의 3가지 평가영역으로 구성되어 있는데 NCS의 의사소통능력, 수리능력, 문제해결능력 평가의 문제유형과 일부 유사하다. 그래서 NCS 문제집이 없었던 초기에는 PSAT 문제집으로 공부하는 이들이 많았다. PSAT 출제영역·내용과 난이도 차이를 감안하여 기출문제를 다루면 도움이 되지만 NCS는 문항 당 주어지는 풀이시간이 1분 내외로 짧고, 채용기관이나 직급에 따라 난이도가 상이하며, 채용기관이 사규ㅏ 보노사료, 사업을 위주로 한 문제들이 나오기 때문에 이를 무시하면 고생을 많이 하게 된다. 뒤에 싣는 PSAT 안내를 참고해 주기 바란다.

'피듈형(Pdule形)', '응용모듈형' 이란?

'피듈형'은 NCS의 학습모듈을 잘못 이해한 데서 나온 말이다. 일부에서 NCS '워크북'의 이론을 묻는 문제 유형만 '모듈형'이라 하고 이론문제가 아니면 '피셋형'이라고 부르는 분위기가 있다. 「이론형」과 「비(非)이론형」이 섞여 나오면 '피듈형'이라 부르고 있으니 부적절한 조어이다. 실례를 들면, '한국수자원공사'는 시험에서 기초인지능력모듈과 응용업무능력모듈을 구분하고 산인공 학습모듈 샘플문항과 동일 혹은 유사한 문제를 출제해왔고, '국민건강보험공단'은 채용공고문의 필기시험(직업기초능력평가)을 "응용모듈 출제"라고 명시하여 공고하였는데도 수험커뮤니티에 "피셋형"으로 나왔다고 하는 응시자들이 적지 않다.

'모듈형', '피셋형', '피듈형', '응용모듈형'이 뭐야!?

NCS 직업기초능력 학습모듈은 기본이론 및 제반모듈로 구성되고 이를 실제에 응용하는 응용모듈로 발전시켜 직무 상황과 연계되는 학습을 요구하는 것이다. NCS 필기평가 샘플문항도 직무별, 기업별 응용업무능력을 평가하는 문제 이므로 이론이 아닌 문제유형도 '모듈형'이라고 하는 것이 옳다.

이론문제가 아니면 모두 'PSAT형'이라고 한다면 어휘, 맞춤법, 한자, 어법 등의 유형, 기초연산, 수열, 거리·속도· 시간, 약·배수, 함수, 방정식, 도형넓이 구하기 등 응용수리 유형, 명제, 논증, 논리오류, 참·거짓 유형, 엑셀, 컴퓨터 언어, 컴퓨터 범죄 등 PSAT시험에는 나오지도 않는 유형이 PSAT형이 되는 것이니 혼란스럽다.

모순이 있는 유형 구분에서 탈피하고 NCS 필기유형을 정확하게 파악하는 것이 시험 준비에 있어서 절대적으로 필요하다.

어떻게 준비할 것인가!!

행간을 채워라

위에서 말한 바처럼 '모듈형'과 '피셋형', '피듈형', '응용모듈형'으로 NCS 유형을 나누면 출제(학습)범위에서 놓치는 부분이 다수 나온다. 'PSAT형'은 '의사소통능력, 수리능력, 문제해결능력' 중심의 시험에서 의사소통능력은 어휘, 한 자, 맞춤법 등과 NCS이론을 제외한 독해문제가 유사하고, 수리능력의 응용수리 문제를 제외한 자료해석이 유사하고, 문제해결은 'PSAT' 상황판단영역 중 문제해결 유형이 비슷하다.

대개 의사소통능력, 수리능력, 문제해결능력이 주요영역인 시험에서는 모듈이론이 나오는 경우는 없다. 자원관리, 조직이해, 정보, 기술, 자기개발, 대인관계, 직업윤리 영역을 내는 시험에서는 모듈이론, 사례 등과 응용모듈 문제가 나올 수밖에 없다. PSAT에는 없는 유형이고 NCS에만 있는 특유한 영역이다.

'모듈형'도 한국산업인력공단 학습모듈 워크북과 필기평가 예시유형에서만 나오지 않는다. 워크북 이론에 바탕을 두면서도 경영학, 행정학, 교육학, 심리학 등의 전공 관련 이론들이 나오고 있는 추세이다(교과서밖 출제). 또 4차 산 업혁명의 이해 및 핵심기술, 컴퓨터 프로그래밍(코딩) 등도 자주 나온다. 그뿐 아니라, 어휘관계, 한글 맞춤법, 외래어 표기법, 유의어, 다의어, 동음이의어 등 어휘, 방정식, 집합, 수열, 함수, 거·속·시, 도형넓이 구하기 등 응용수리, 명 제, 논증, 참·거짓, 추론, 논리오류 찾기 등은 워크북에서 다루지 않은 유형들이 나온다.

교과서 밖에서 나오는 문제에 대비하라

최근 공기업 채용대행 용역을 가장 많이 수주하는 업체가 '사람인HR'과 '인크루트'로 나타나고 있다. 이 업체들을 비 롯해서 다수 대행사들이 한국산업인력공단의 NCS모듈형 학습자료(교과서)에 없는 이론과 자료를 항상 출제하고 있 다. 즉, 명실상부한 응용모듈형의 문제를 출제하고 있는 것이다.

고시넷 초록이 모듈형 교재에는 NCS직업기초능력평가 시험 도입 이래 실제 시험에 출제된 교과서 밖 이론과 자료, 문제를 함께 정리하여 수록하고 있다. 단순히 한국산업인력공단의 워크북을 요약한 다른 교재들에서는 볼 수 없는 이 론과 문제유형을 통해 교과서 밖 학습사항과 방향을 제시하고 있다.

NCS워크북, 지침서, 교수자용 개정 전, 후 모두 학습하라

최근 한국산업인력공단 NCS 학습자료(워크북, 지침서, 교수자용, 학습자용 등)가 개정되었다. 허나 개정 후 시행된 필기시험에는 개정 전 모듈이론과 학습자료, 예제문제가 여전히 출제되고 있다.

이에 대비하여 개정 전·후를 비교하여 정리하여야 빠뜨리지 않는 완벽한 NCS 학습이 된다.

고시넷 초록이 모듈형① 통합기본서는 개정 전·후 자료를 모두 싣고 있으며 개정 전 자료는 '구 워크북'으로 표기 를 하여 참고하면서 학습할 수 있도록 하였고, 고시넷 초록이 모듈형② 통합문제집에는 'NCS 학습모듈' 10개 영역 학 습내용에서 출제하는 문제유형만을 연습할 수 있도록 구성하였다.

'휴노형', 'ORP형', '행과연형', '사람인형'은?

'휴노형'은

휴노가 대행하는 필기시험의 대부분이 의사소통능력, 수리능력, 문제해결능력 3개 영역에서 출제되고 있는 만큼 심도 있는 학습을 필요로 한다. 세 영역의 문제들은 비교적 쉽게 해결할 수 있는 문제부터 긴 자료를 읽고 해결하는 묶음 문제까지 다양하게 출제된다. 의사소통능력에서는 주로 내용 일치, 중심 내용 파악, 정보 이해 등의 독해 문제가 출제되며 이외에도 유의어, 반의어, 어휘 관계, 맞춤법을 묻는 어휘·어법 문제가 출제된다. 수리능력에서는 자료해석이 가장 높은 비중으로 출제되며 방정식, 통계(평균, 경우의 수, 확률), 거리·속력·시간 등의 기초연산 문제도 출제된다. 문제해결능력은 대부분 명제와 참·거짓 추론, 자료를 바탕으로 해결방안을 모색하는 문제 등이 출제된다. 특히 문제해결능력은 의사소통, 수리, 자원관리, 조직이해 등과 섞인 복합 문제도 나온다. 휴노형 문제는 전반적으로 실용문, 비문학으로 출제되고 있으며, 문제 유형이 대체로 비슷하기 때문에 반복학습을 통해 시간 단축 및 고득점이 가능하다.

'오알피형'은

ORP형 문제는 NCS기본 이론을 바탕으로 직업인으로서의 기초적인 인지능력을 갖추었는지 평가하는 유형의 기초인지능력과 실제 산업현장에서 일어나는 상황을 사례로 들어 실무의 적용능력과 업무 해결능력을 평가하는 응용 업무능력 문제가 출제되고 있다. 의사소통능력에서는 주로 중심내용이나 주제 파악, 빈칸 넣기, 내용일치, 내용 이해 문제에서부터 문단 배열, 자료 분석, 필자의 의도 파악 및 자신의 견해를 제시하는 문제가 출제된다. 수리능력에서는 숫자의 배열 규칙을 찾는 문제에서부터 업무 관련 소재를 바탕으로 자료 분석하는 문제가 주로 출제된다. 문제해결능력은 다른 영역에 비해 다양한 소재가 많이 출제되는 영역으로 기본적인 명제문제에서부터 자료를 바탕으로 문제를 찾아 해결하는 유형이 출제된다. 자원관리능력에서는 수익체계, 고객사 매출정보 등의 자료를 분석하는 문제, 정보능력에서는 시스템 오류, 코드 생성 체계를 이해하는지를 묻고, 정보 자료를 분석하는 문제가 출제된다. 기술능력에서는 제품 사용 설명서, 산업 재해 관련 문제, 명령어를 실행하는 내용의 문제가 출제되고 마지막으로 조직이해능력에서는 SWOT, 결재서류, 조직도 등을 파악하는지를 묻는 문제가 출제된다. 나오는 문제들이 패턴화 되어 있어 문제 유형을 익혀 둔다면 보다 쉽게 필요한 득점이 가능하다.

'행과연형'은

행과연형 출제 영역은 3개(의사소통, 수리, 문제해결), 또는 6개(+자원관리, 조직이해, 기술 등)로 모듈형, 지식형, 응용수리, 어휘, 문법, 명제 등 간단한 유형은 출제되지 않고 있다. 명확한 답을 고르기 어려운 고난도 추론, 단순계산보다는 전반적인 자료 파악 및 추론을 묻거나 지문, 표, 그래프 등 문제 상황들에 대한 적절한 대처능력을 평가하는 문제가 출제되고 있다. 대부분의 문제가 여러 영역이 복합된 융합 유형의 특징을 갖고 있고 실무와 관련된 업무 상황에서 과제가 주어졌을 때 어떻게 해결을 하는지를 묻는 영역 연계형이 행과연의 대표적 출제 유형이다. 시험에 출제되는 유형이 난도가 높은 편이므로 쉬운 문제보다는 어려운 문제를 풀어 보는 것이 고득점에 유리하다.

'사람인형'은

'사람인형'은 NCS 직업기초능력의 전 영역에 걸쳐 NCS '워크북'에 수록된 이론과 관련된 자료를 제시하고 이를 해석하는 '응용모듈'의 방식을 따른다. 다만 '워크북'에 수록된 이론에 국한되지 않고, 이에 파생되는 개념과 이론들을 적극적으로 질문하는 문제와 계산 문제라는 두 가지 축으로 출제한다. '워크북' 이론과 그 파생이라는 기준으로 출제된 다수의 문제를 풀면서 형성될 출제영역의 감각을 기초로 풀이시간이 극히 한정되어 있는 환경에서 '워크북' 밖의 이론을 제시하는 다양한 자료를 해석하는 문제풀이의 기술, 그리고 계산문제를 능숙하게 풀 수 있는 기술을 숙지하는 것이 필요하다.

PSAT 알아보기

PSAT를 NCS 직업기초능력평가 준비에 활용하기 위해 필요한 정확한 이해를 돕기 위한 안내입니다. PSAT 의 평가영역은 언어논리, 자료해석, 상황판단의 3개 영역으로 구성되어 있습니다. NCS와 유사한 부분을 정확 히 알고 공부하는 것이 효율적이겠습니다.

– 정부 발간 "공직적격성테스트(PSAT) 예제집"을 인용하여 재정리하였습니다.

PSAT(Public Service Aptitude Test)란

정부 내 관리자로서 필요한 기본적 지식, 소양, 자질 등 공직자로서의 적격성을 종합적으로 평가하는 제도이다.

[1] 언어논리영역

언어논리 영역에서는 일반적인 학습능력의 하나인 언어능력을 측정한다. 언어논리능력은 모든 직무 영역에 공통적으 로 요구되는 능력으로 대인관계, 보고서 작성 등의 직무수행에 필수적인 능력이다. 언어논리 영역은 대부분의 적성검사 와 학업 수행능력을 평가하는 시험에서 사용되고 있는 영역으로 의사소통능력(타 영역 사업에 대한 이해와 자기의 사 업에 대한 설명력)과 자신이 알고 있는 지식을 종합·통합할 수 있는 능력을 요구한다. 특히 PSAT의 언어논리 영역에 서는 어휘력이나 문법적 지식과 같은 문장 수준의 처리능력보다는 텍스트의 처리와 관련된 능력을 측정하고자 한다.

[출제 영역]

- 인문과학 : 고전문학, 인류학, 현대문학 등
- 사회과학 : 경제, 국제, 통일, 사회, 정치 등
- 자연과학 : 공학, 과학, 환경 등
- 문화 : 예술, 스포츠 등
- 기타 : 교육, 국사, 서양사 등

[문제유형]

- 이해 : 추론이나 요약, 또는 새로운 글의 생성 등이 요구되지 않고, 단순히 주어진 지문에 대한 이해만으로 해결할 수 있는 문제이다. 세부유형은 글의 이해, 관련 단락, 비관련 단락 등이 있다.
- 추론 : 주어진 지문을 충분히 이해하고, 이를 바탕으로 논리적 추론을 해야만 해결할 수 있는 문제이다. 세부유형은 반론, 비판, 전제 추론, 추론되는 내용 등이 있다.
- 주제 찾기 : 주어진 지문을 충분히 이해하고 지문이 어떤 주장이나 논지를 전하고자 하는지를 파악할 수 있어야만 해 결할 수 있는 문제이다. 세부유형은 제목 찾기, 주제 찾기 등이 있다.
- 문장 구성 : 주어진 지문에 대한 단순한 이해를 넘어서, 언어를 산출하는 능력, 즉 텍스트를 구성하는 능력을 묻는 문 제이다. 세부유형은 다음 주제, 문단 구조 파악, 문단 배열, 앞 문단 누락, 중간단락 누락, 후속 등이 있다.

[2] 자료해석영역

자료해석 영역은 숫자로 된 자료를 정리할 수 있는 기초 통계 능력, 수 처리 능력, 응용 계산 능력, 수학적 추리력 등을 측정하는 영역이며 측정하는 능력들은 특히 수치 자료의 정리 및 분석 등의 업무수행에 필수적인 능력이다. 자료해석력 은 논리, 수학적 능력과 관련되는 영역으로서 언어 능력과 더불어 일반적성의 주요 영역으로 대부분의 학업적성검사와 직무적성검사에 포함되고 있다. 특히 PSAT의 자료해석 영역은 통계 등 수치정보에서 추출하는 자료 및 정보분석 능력, 그리고 수많이 제시되는 자료 중 필요한 자료를 추출하는 능력 등을 측정한다.

[출제 영역]

■ 일반 행정 ■ 법률/사건 ■ 재무/경제 ■ 국제통상 ■ 정치/외교 ■ 보건/사회복지 ■ 노동/문화 ■ 기술/과학
■ 환경/농림수산 ■ 기타

[문제유형]

- 자료 읽기 : 계산과 추론 등이 요구되지 않은 단순한 자료 읽기 문제이다. 문제에 대한 이해를 토대로 계산이 필요 없이 자료로부터 정답을 도출한다.

- 단순 계산 : 문제의 요구에 따라 주어진 자료를 단순한 계산을 통해 정답을 도출하는 문제이다. 문제에서 요구하는 계산을 통해 정답을 도출한다.

- 응용 계산 : 문제의 요구에 따라 주어진 자료를 응용 계산함으로써 정답을 도출하는 문제이다. 문제에 대한 이해를 토대로 필요한 계산공식과 과정을 도출하여 정답을 계산한다.

- 자료 이해 : 문제의 요구에 따라 주어진 자료를 단순 또는 응용계산하고, 그 결과를 해석함으로써 정답을 도출하는 문제이다. 문제에서 요구하는 계산이나 또는 필요한 계산 공식과 과정을 스스로 도출하여 계산결과를 해석해야만 정답이 도출된다.

- 자료 추리 : 문제의 요구에 따라 주어진 자료를 단순 또는 응용계산하고, 그 결과를 토대로 새로운 사실이나 미래의 상황을 추론함으로써 정답을 도출하는 문제이다. 문제에서 요구하는 계산공식/과정을 스스로 도출하여 도출된 결과를 토대로 관련 사실이나 미래에 대한 추론을 통해 정답을 도출한다.

[3] 상황판단영역

상황판단력은 제시된 자료에서 원리를 추리하고 자료와 정보를 올바르게 확장, 해석하는 능력과 논리적 추론을 하는 능력으로 기획, 분석, 평가 등의 업무수행에 필수적인 능력이다. 이 영역은 연역추리력, 문제해결, 판단 및 의사결정 능력을 측정한다. 문제해결의 경우 먼저 가능한 모든 방안을 머리 속에서 나열하고 각각의 방안에 대하여 문제해결에 도움이 되는지를 평가하고 최종적으로 문제해결책을 찾아내는 과정으로 구성되어 있다. 연역추리력과 판단 및 의사결정 과정도 여러 단계의 인지조작을 거쳐야만 문제를 해결할 수 있다. 모든 업무가 문제해결이나 판단·의사결정 등으로 구성되어 있으므로 이는 실제 과제를 수행하는 데 기본적인 능력이 있는지를 측정하는 영역이다. 자료해석력이 주로 귀납적 추리력을 측정하는 데 반해 이 영역은 연역추리와 종합추리 능력을 측정한다.

[출제 영역]

- 문제 출제를 위한 특정 영역이 존재하지는 않으나, 가능한 현실적인 상황을 가지고 문항을 구성한다.

[문제유형]

- 연역추리 : 주어진 사실(전제)들에서 논리적으로 정당한 결론을 도출해 낼 수 있는 능력을 측정하는 문제이다. 세부유형으로 결론유도, 논리구조, 논리적 인과, 논리적 타당성, 논증, 해석 등이 있다.

- 문제해결 : 문제에 대한 적절한 표상을 형성하고, 목표달성에 도달하게 하는 적절한 조작자를 찾아내는 능력을 측정하는 문제이다. 세부유형으로 기획력, 여러 가능성 중 합리적 가능성을 묻는 문제, 문제에 대한 올바른 표상을 묻는 문제, 가능한 많은 문제해결 방식의 생성을 묻는 문제 등이 있다.

- 판단 및 의사결정 : 주어진 정보와, 이 정보에서 유도된 정보들을 정확하게 판단하고, 그 판단에 근거하여 가장 합리적인 의사결정을 하는 능력을 측정하는 문제이다. 세부유형으로 판단과정에서 논리적 구조의 이해, Game 이론, 판단오류, 합리적 선택과정 등이 있다.

NCS **10개 영역** 소개

주요 5개 영역

인지적 능력

의사소통능력	상대방과 의견을 교환할 때 의미를 정확하게 전달하는 능력
수리능력	복잡한 연산 및 도표 분석으로 정보를 이해하고 처리하는 능력
문제해결능력	논리적 · 창의적인 사고로 문제를 바르게 인식하고 해결하는 능력
자원관리능력	주어진 자원을 효율적으로 활용하고 관리하는 능력
조직이해능력	조직의 체제와 경영, 국제 감각을 이해하는 능력

주요 영역 출제 키워드

의사소통능력
의사소통 스타일, 한류 현상, 승용차 TV 광고, 회의방법, 토론방법, 속담, 금기어, 완곡어, 유의어, 반의어, 에너지바우처, 건강보험, '괜찮다'의 의미, 사자성어, 보고서 작성, 미세먼지, 나눔도서관, 설의법, 영탄법, 점층법, 4차 산업혁명, 문서작성요령

자원관리능력
자원관리의 중요성, 효과적인 자원관리 방법, 직접비와 간접비, 시간낭비의 요인, 책정비용과 개발비용의 관계, 예산 집행의 원칙, 물적자원 활용의 방해요인, 물품 보관의 원칙, 인사관리의 원칙, 인력 배치의 3가지 원칙

조직이해능력
조직의 유형, 조직변화의 유형, 경영의 구성요소, 경영자의 역할, 집단의사 결정의 과정, SWOT 분석, 경영참가제도의 목적과 문제점, 조직목표의 기능과 특징, 조직구조의 형태, 조직문화의 구성요소, 업무의 특성, 업무수행 시트의 파악, 업무의 방해 요인, 국제동향 파악

수리능력
연간 임대수익률, 예금 상품의 원리금, 건물의 건설 자재비용, 잔업일수, 기술사 시험의 수험현황, 국가별 선박등록 현황, 기업 매출현황표, 연도별 선박 입항 현황, PB 제품에 대한 소비자 인식 평가

문제해결능력
창의적 · 논리적 · 비판적 사고 개발, 브레인스토밍, 체크리스트, SCAMPER, 사고방식의 기능, MECE, 문제해결절차, 3C 분석, SWOT 분석, 가중치를 반영한 만족도 조사, 보고서 추가 항목, 규칙에 따른 결과 추론, Framework, 과제 선정, 실행 및 평가 이해

NCS
주요 영역

25% 15% 10% 25% 25%

하위 5개 영역

인지적 능력

정보능력	컴퓨터를 활용하여 필요한 정보를 수집 · 분석 · 활용하는 능력
기술능력	직장 생활에 필요한 기술을 이해하고 선택하며 적용하는 능력

인성적 능력

대인관계능력	좋은 인간관계를 유지하고 갈등을 원만하게 해결하는 능력
자기개발능력	자신의 능력과 적성을 이해하여 목표를 수립하고 관리를 통해 성취해 나가는 능력
직업윤리	직업을 가진 사람이라면 반드시 지켜야 할 윤리 규범

하위 영역 출제 키워드

자기개발능력
매슬로우 욕구계층이론, 자기 브랜드 유형, 성인학습자 샐러던트, 자기개발 방해요인, 장단기 목표 수립, 조해리의 창, 성찰, 홀랜드 직업선호도 검사, 중장년 직업역량검사, 경력개발 방법, 일의 우선순위 결정

정보능력
네티켓, 개인정보, 정보화 사회, 소상공인 정보 수집 사이트, 상환금 계산 함수, Windows 10 계산기, 유틸리티 프로그램, 매크로 기능, 기본 프린터, 정보 검색 시 유의사항, 정보통신망, 인텔리전스, 클라우드 컴퓨팅

대인관계능력
팀워크 발전방법, 리더십의 유형, 시례에 필요한 리디의 행동, 멘토링, 갈등의 진행과정, 갈등 상황에 따른 갈등해결 방법, 협상전략 적용, 고객설문조사 방법

기술능력
기술능력이 뛰어난 사람의 특징, 기술능력 향상방법, 지속가능한 기술, 산업재해의 원인파악, 사물인터넷, 기술시스템 발전 단계, 기술혁신의 특성, 산업재산권 분류

직업윤리
직장 괴롭힘, 갑질 근절 가이드라인, 직장 성희롱 관련 규정, 윤리적 의사결정의 원칙, 채용비리 근절, 기업윤리 실천, 근면의 요소, 정직의 예, 윤리경영과 관련된 사내 교육 자료, 공동체 윤리, 직업윤리의 중요성

NCS
하위 영역

30%

15%

15%

10%

30%

대행사 수주현황

출제대행사별 수주 채용기업

출제대행사		채용기업
(주)사람인에이치알	2022년	한국전력거래소, 한국중부발전, 주택도시보증공사, 한국주택금융공사, 전라남도 공공기관 통합채용, 경상북도 공공기관 통합채용
	2021년	한국가스공사, 한국중부발전, 한국남부발전, 한전KPS, 국민연금공단, 서울주택도시공사(체험형), 주택도시보증공사, 강원도일자리재단, 경기도 공공기관 통합채용, 부산광역시 공공기관 통합채용, 전라남도 공공기관 통합채용, 경상북도 공공기관 통합채용, 대구환경공단, 한국주택금융공사, 예금보험공사, 한국산업단지공단, 대전광역시 시설관리공단 등
	2020년	국민연금공단, 대구환경공단, 부산교통공사, 인천교통공사, 한국가스공사, 한국주택금융공사, 한국가스기술공사, 한국해양진흥공사, 한국벤처투자, 한국산업은행(청년인턴), 광주시 공공기관(광주광역시), 한국산업단지공단, 부산도시공사, 한국중부발전 등
인크루트(주)	2022년	건강보험심사평가원, 대한적십자사, 충청남도개발공사, 한국양성평등교육진흥원, 경남테크노파크, 세종테크노파크, 강원도관광재단
	2021년	서울교통공사, 국민건강보험공단, 건강보험심사평가원, 한국산업은행, 한국자산관리공사, 한국예탁결제원, 기술보증기금, 항만공사 통합채용, 한국관광공사, (재)강원도관광재단, 부산도시공사(공무직), (재)화성시 여성가족청소년재단, 제주도 공공기관 통합채용, 인천문화재단, 과천도시공사, 안산도시공사, 충청남도개발공사 등
	2020년	건강보험심사평가원, 국민건강보험공단, 서울교통공사, 코레일테크, 한국무역보험공사, 항만공사, 한국산업은행(5급), 한국예탁결제원, 한국수출입은행(하), 한국산업은행(2021), 충남신용보증재단, 울주군시설관리공단 등
(주)커리어케어	2021년	국가철도공단, 에스알(SR), 코레일유통, 한전KDN, 한국지역난방공사, 한국환경공단, 국립공원공단, 한국수산자원공단, 한전원자력연료, 한국에너지공단, 한국양성평등교육진흥원 등
	2020년	국립공원공단, 서울시설공단, 인천관광공사, 인천시설공단, 한국철도시설공단, 한전KPS, 한전원자력연료, 한전KDN, 한국보건산업진흥원, 중소기업기술정보진흥원, 주택도시보증공사, 한국에너지공단, 방송통신심의위원회 등
(주)스카우트	2022년	도로교통공단, 한국부동산원, 서울주택도시공사(전문직), 한국가스안전공사(공무직)
	2021년	근로복지공단, 한국농어촌공사, 도로교통공단, 인천교통공사, 대구도시철도공사, 공무원연금공단, 한국임업진흥원, 한국보훈복지의료공단 등
	2020년	대구도시철도공사, 공무원연금공단, 중소벤처기업진흥공단, 사립학교교직원연금공단, 대한지방행정공제회, 한국전력기술, 서울주택도시공사, 신용보증기금, 공무원연금공단, 한국해외인프라도시개발지원공사(하), 인천교통공사(2회) 등
(주)휴노	2022년	한국철도공사, 한국전력공사
	2021년	한국수자원공사, 한국철도공사, 한국전력공사, LH한국토지주택공사 등
	2020년	LH한국토지주택공사, 한국지역난방공사, 한국조폐공사, 한국전력공사, 한국동서발전 등
(주)ORP연구소	2022년	근로복지공단, 한국승강기안전공단
	2021년	한국남동발전, 한국수목원관리원, 한국원자력환경공단, 금융감독원, 강원대학교병원, 국방기술품질원, 안양도시공사, 아동권리보장원, 한국국방연구원, 한국잡월드 등
	2020년	근로복지공단, 한국남동발전, 한국전력거래소, 우리은행, 신한은행 등
(사)한국행동과학연구소	2021년	한국수력원자력, 인천국제공항공사, 한국공항공사, 농협중앙회, 농협은행 등
	2020년	인천국제공항공사, 한국공항공사, 한국전력공사, 농협은행 등
(주)한국사회능력개발원	2022년	대구도시철도공사, 서울교통공사 9호선운영부문
	2021년	한국가스안전공사, 한국국토정보공사, 지방공기업평가원, 대구도시공사 등
	2020년	한국철도공사, 한국수자원공사, 한국국토정보공사 등

출제대행사별 수주 채용기업

출제대행사		채용기업
(주)엑스퍼트컨설팅	2022년	한국서부발전, 한국환경산업기술원, 경기도 성남시 공공기관 통합채용, 서울특별시농수산식품공사, 한국수자원조사기술원
	2021년	한국수자원조사기술원, 한국재정정보원, 서울시설공단, 한국승강기안전공단, 김포도시관리공사, 서울물재생시설공단, 한국조폐공사, 한국연구재단, 경기도 성남시 공공기관 통합채용, 서울특별시농수산식품공사 등
	2020년	한국가스안전공사, 한국서부발전, 한국소방산업기술원, 중소벤처기업진흥공단(하), 서울올림픽기념국민체육진흥공단 등
(주)나인스텝컨설팅	2022년	한국에너지기술평가원, 소프트웨어정책연구소
	2021년	인천도시공사, 중소기업기술정보진흥원, 인천교통공사(업무직), 용인도시공사, 구미시설공단, 인천시설공단, 한국해양조사협회, 의왕도시공사 등
	2020년	도로교통공단, 새만금개발공사, 소상공인시장진흥공단, 인천교통공사, 인천도시공사, 인천시설공단, 한국감정원, 한국해양조사협회, 정보통신산업진흥원 부설 소프트웨어정책연구소, 한국사회보장정보원
(주)휴스테이션	2022년	서울시설공단, 한국장애인개발원, 한국항공우주연구원, 국가평생교육진흥원, 서울디자인재단, 서울시여성가족재단, 한국체육산업개발
	2021년	경기교통공사, 국립호남권생물자원관(공무직), 한국장애인개발원, 서울시설공단, 한국해외인프라도시개발지원공사, 한국항공우주연구원, 축산물품질평가원, 북한이탈주민지원재단, 서울신용보증재단, 한국생산기술연구원, 코레일네트웍스, 코레일유통 등
	2020년	한국임업진흥원, 해양수산과학기술진흥원, 한국환경산업기술원, 한국교육학술정보원, 한국감정원, 한국장애인개발원, 중소기업유통센터, 서울신용보증재단(하), 한국재정정보원(운영직/체험형인턴), 한국발명진흥회, 국립호남권생물자원관 등
(주)태드솔루션 (TADSolutions Co., Ltd.)	2021년	중소기업기술정보진흥원, 한국산업기술시험원, (재)서울특별시 사회서비스원, 경기도 수원시 공공기관 통합채용, 서울교통공사 9호선 운영부문, 화성시 공공기관 통합채용, 한국산업안전보건공단, 경기도 고양시 공공기관 통합채용, 대한무역투자진흥공사
	2020년	(재)서울특별시 사회서비스원, 한국국제협력단, 한국농어촌공사, 한국산업안전보건공단, 한국산업기술시험원
(주)트리피	2021년	한국전기안전공사, 한국어촌어항공단, 한국데이터산업진흥원, 인천도시공사, 한국기상산업기술원, 새만금개발공사, 한국과학창의재단, 한국교육시설안전원, 인천관광공사, 국립해양박물관, 한국노인인력개발원, (재)서울특별시 50플러스재단
	2020년	한국에너지기술평가원
(주)비에스씨	2021년	한국환경공단(체험형), 이천시시설관리공단, 한국체육산업개발
	2020년	(재)서울특별시 50플러스재단
(유)잡코리아	2021년	한국어촌어항공단, 세종테크노파크, 대전신용보증재단, 춘천지혜의숲, 서울주택도시공사(공무직 외), 대전광역시사회서비스원
	2020년	경기평택항만공사, 서울주택도시공사(개방형직위 外), 안산도시공사, (재)서울특별시120다산콜재단, 한국원자력안전재단
(주)잡플러스	2021년	국립생태원, 장애인기업종합지원센터, 한국과학기술원, 서울올림픽기념국민체육진흥공단(체험형), 광주광역시 장애인종합지원센터 등
	2020년	한국환경공단, 서울디자인재단, 한국산업기술진흥원(하), 한국가스안전공사 등
(주)커리어넷	2021년	시흥도시공사, 한국가스기술공사, 국토안전관리원, 가축위생방역지원본부 등
	2020년	한국시설안전공단, 인천국제공항공사 방재직 등
(주)한국취업역량센터	2021년	천안시시설관리공단, 전북개발공사, 대구광역시체육회, 안동시시설관리공단, 대구관광재단, 경기도 파주시 청소년재단, 강원도사회서비스원, 서울특별시서대문구도시관리공단, 광주광역시 서구 시설관리공단, 세종도시교통공사
	2020년	한국저작권보호원

대행사 수주현황

출제대행사별 수주 채용기업

출제대행사		채용기업
(사)한국능률협회	2021년	한국법무보호복지공단, 한국원자력안전기술원, 한국해양진흥공사, 경상남도 김해시 산하기관 통합채용, 한국원자력안전기술원
	2020년	도로교통공단 등
(주)한국인재개발진흥원	2021년	화성시문화재단, 화성산업진흥원, 기장군도시관리공단, 충청남도교육청(교육공무직원), 울산광역시교육청(교육공무직원), 대전광역시교육청(교육공무직원), 경상북도교육청(교육공무직원)
(주)매일경제신문사	2022년	한국도로공사
	2021년	한국도로공사, 한국동서발전
	2020년	한국도로공사
(주)엔잡얼라이언스	2021년	우체국시설관리단
	2020년	대구도시공사
(주)테오스	2021년	한국수목원관리원, 한국석유관리원, 과학기술일자리진흥원, 충남테크노파크, 한국에너지재단
	2020년	한국에너지재단, 전남대학교병원
(주)한경디스코	2021년	한국산업은행, 충주시시설관리공단
	2020년	충주시시설관리공단, 한국보건의료연구원
(주)한국에이치알진단평가센터	2021년	한국디자인진흥원, 대한적십자사
	2020년	경남신용보증재단, 한국디자인진흥원
굿파트너스(주)	2021년	광주도시관리공사
	2020년	강원도 화천군, 하남도시공사
(주)더좋은생각	2021년	광주도시관리공사, 한국에너지기술평가원, 구리농수산물공사, 충남신용보증재단
	2020년	대한체육회, 한국광해관리공단, 한국전기안전공사, 해양환경공단
(주)스카우트에이치알	2021년	농림식품기술기획평가원
	2020년	국립낙동강생물자원관, 국립항공박물관, 한국원자력연구원
(주)스펙터로스	2021년	한국장애인고용공단
	2020년	한국장애인고용공단
(주)시너지인사이트	2021년	한국소비자원, 창원시설공단, 한국산림복지진흥원
	2020년	세종도시교통공사, 아동권리보장원
(주)엔에이치알커뮤니케이션즈	2021년	(재)서울시복지재단, (재)서울문화재단
	2020년	(재)서울시복지재단, (재)서울문화재단, (사)서울특별시자원봉사센터
(주)인사바른	2021년	한국농어촌공사(7급), 한국해외인프라도시개발지원공사, 한국농수산식품유통공사(체험형)
	2020년	국립생태원, 원주시 시설관리공단, 한국보훈복지의료공단
인트로맨(주)	2021년	충청남도개발공사, 남양주도시공사, 한국식품산업클러스터진흥원, 인천환경공단, 한국교통안전공단, 한국해양과학기술원, (재)서울산업진흥원, (재)경기문화재단(운영직), 한국물기술인증원, 국립항공박물관
(주)잡앤피플연구소	2021년	한국항로표지기술원, 천안시시설관리공단(공무직), 아산시시설관리공단, 세종특별자치시시설관리공단, (재)서울시복지재단, (재)세종시문화재단, 대전도시공사(공무직), 서울특별시자원봉사센터, 한국문화재재단, 전주시시설관리공단, 원주시 시설관리공단, 세종특별자치시시설관리공단, 한국특허전략개발원
	2020년	광주과학기술원, 세종특별자치시 시설관리공단, 울산시설공단, 전주시 시설관리공단, 코레일유통(시설관리직), 한국석유관리원, 강남구 도시관리공단

출제대행사별 수주 채용기업

출제대행사		채용기업
(주)잡에이전트	2021년	전라북도 공공기관 통합채용, 대전도시공사, 서울특별시공공보건의료재단
	2020년	(재)강릉과학산업진흥원, 대전도시공사, 서울특별시공공보건의료재단
(주)한국표준협회 미디어	2021년	(재)여주세종문화재단
	2020년	(주)중소기업유통센터, 중소기업기술정보진흥원
(주)휴먼메트릭스	2022년	IBK기업은행
	2021년	한국데이터산업진흥원, 인천도시공사(공무직), 국립낙동강생물자원관
	2020년	한국데이터산업진흥원
(주)한국고용연구원	2021년	한국로봇산업진흥원, 예술의전당, (재)장애인기업종합지원센터, 한국기술교육대학교
	2020년	대전광역시교육청, 한국생명공학연구원, 한국인터넷진흥원
(주)한국취업역량센터	2021년	천안시시설관리공단, 전북개발공사, 대구광역시체육회, 안동시시설관리공단, (재)대구관광재단, 경기도 파주시 청소년재단, (재)강원도사회서비스원, 서울특별시서대문구도시관리공단, 광주광역시 서구 시설관리공단, 세종도시교통공사
	2020년	(재)세종시문화재단, (재)한국저작권보호원, 부여군시설관리공단, 서울특별시서대문구도시관리공단, 안동시시설관리공단, 전북개발공사, 충북 청주시시설관리공단
한국직업적성교육 연구원	2021년	강원신용보증재단, 대한체육회, 포항시시설관리공단
	2020년	(재)장애인기업종합지원센터
갓피플(주)	2021년	광주도시관리공사
(주)마이클컴퍼니	2021년	성남시의료원
(주)미래융합연구원	2021년	한국승강기안전공단, 서울에너지공사
(주)비엠더코리아인	2021년	해양환경공단, 한국전기안전공사, 경북테크노파크
(주)누리마이스	2020년	한국생명공학연구원, 한국인터넷진흥원
(주)디자인스튜디오에이	2020년	경기도시공사
(주)디자인오아시스	2020년	해양환경공단
리크루트잡	2020년	광주도시관리공사, 한국물기술인증원
(주)리크루트존	2020년	(재)전라북도문화콘텐츠산업진흥원, 가축위생방역지원본부
(주)시너지컨설팅	2021년	코레일테크
	2020년	국방과학연구소, 한국환경공단(하)
(주)시너지랩	2020년	서울신용보증재단, 시청자미디어재단
(주)제이엠커리어	2020년	(재)인천복지재단
(주)연구소 헤인	2020년	한국기상산업기술원, 한국원자력안전재단
(주)한국인적자원관리원	2020년	(재)우체국시설관리단, 아산시시설관리공단

※ 취업준비생들의 관심이 높은 채용기업을 중심으로 나라장터와 시험 후기 중심 자료입니다. 입찰 결과가 공개되지 않거나 수의계약의 경우가 있고 정보 접근과 검증에 한계로 일부 부정확한 내용이 있을 수 있습니다. 이외의 출제대행사도 많다는 점도 참고하시기 바랍니다.

고시넷 NCS 사람인형 기출예상모의고사 >>>>>>>>>>>>>>>>>>>>>>>

유형분석 >>>

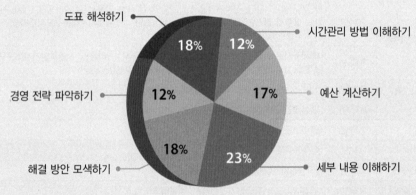

도표 해석하기 ●— 18%   12%   —● 시간관리 방법 이해하기

경영 전략 파악하기 ●— 12%   17%   —● 예산 계산하기

해결 방안 모색하기 ●— 18%   23%   —● 세부 내용 이해하기

분석 >>>
사람인형 자원관리능력에서는 시간을 관리하는 방법에 대해 묻는 문제, 제시된 정보를 토대로 관세금액을 산출하는 문제 등이 출제되었다. 의사소통능력에서는 직장에서 작성하는 문서에 대해 이해하고 있는지를 확인하는 문제, 보고서를 구성하는 방법에 대해 묻는 문제, 제시된 글을 읽고 적절한 내용을 추론하는 문제 등이 출제되었다. 문제해결능력에서는 논리적 오류를 찾아내는 문제, 문제에 대해 분석하고 그에 따른 적절한 해결 방안을 모색하는 문제, 조건을 모두 충족하는 시간을 찾아내는 문제 등이 출제되었다. 조직이해능력에서는 경영에 필요한 사업전략을 이해하고 있는지 확인하는 문제, 경영자의 역할에 대해 묻는 문제, 조직문화에 대해서 묻는 문제 등이 출제되었다. 수리능력에서는 연산기호를 적용해 적절한 계산을 하는 문제, 지불해야 하는 금액을 계산하는 문제, 도표를 분석하여 적절한 식을 사용하는 문제 등이 출제되었다.

사람인형

1회 기출예상모의고사

영역	총 문항 수
자원관리능력	
의사소통능력	
문제해결능력	50문항
조직이해능력	
수리능력	

- 수험번호 | _____
- 성   명 | _____

NCS란? 산업 현장에서 직무를 수행하기 위해 요구되는 각종 지식, 기술, 태도 등의 내용을 국가가 체계화한 것을 의미한다.

1회 기출예상문제

01. 공사 홍보팀에서 사보 제작 업무를 담당하는 김 대리는 매번 마감일에 쫓겨 일을 처리하곤 한다. 이에 대해 이 팀장이 다음과 같이 조언하였을 때 김 대리가 해야 할 행동으로 적절한 것은?

> 저는 매일 출근하기 2시간 전에 일어나서 30분 정도 명상과 요가를 합니다. 헬스장에서 하는 운동과 다르게 명상과 요가를 통한 적절한 수준의 운동을 함과 동시에 스트레칭을 통해 몸의 근육을 풀어 주면 육체적으로 안정적인 리듬을 찾을 수가 있어요. 그리고 노트북을 열고 30분 정도 이번 달 사보 주제에 대한 주요 이슈와 당사 관련 금일 이슈를 정리하여 회사 메일로 송부해요. 모든 일은 닥쳐서 하는 것보다 자신의 생활리듬 속에서 꾸준히 하는 것이 중요해요.
>
> 출근 준비가 끝나면 자기개발을 위해 매월 최신 트렌드에 맞는 책을 읽어요. 책을 읽다 보면 사보와 관련한 새로운 아이디어를 창출할 수 있습니다. 또한, 저는 업무시간의 스케줄을 10분 단위로 정하고 온라인 스케줄러를 통해 팀원들과 공유하죠. 사보를 만드는 일은 협업이 중요한 일입니다. 서로가 맡은 일에 대한 진도를 매일 확인하고 진행이 잘 되지 않는 경우 도움을 요청하거나 도움을 자연스럽게 줄 수 있어요. 시간에 대한 집중을 최우선으로 하고, 그 다음으로는 주별로 자신의 목표를 정해 놓고 진도를 스스로 관리해야 합니다.

① 시간 관리를 통해 하나의 업무를 꾸준히 해나간다.

② 하루간의 일정은 사정에 따라 수시로 변경한다.

③ 아침에 일찍 일어나 그날그날의 일정을 정리한다.

④ 팀원과의 일정 공유를 통해 업무를 적절히 분배한다.

⑤ 지속적인 팀원과의 소통과 협업을 통해 업무 완성도를 높인다.

02. 다음 〈사례〉에서 김 과장에게 해줄 수 있는 시간관리 방법에 대한 조언으로 적절한 것은?

> **사례**
>
> 김 과장은 일을 할 때 의미 없는 활동에 계속 시간을 사용하고 있다. 전화가 오면 잘못 걸린 전화인데도 끝까지 대답을 하며 계속 전화를 하고 있다. 이메일에 답장을 보낼 때도 제목에서 이미 질문에 대한 대답을 하고서도 안부 인사부터 시작해서 끝인사까지 길고 긴 이메일을 쓴다. 그리고 프로젝트가 종결되었음에도 여전히 그 일과 관련된 작업을 하고 있다.

① A : 시간 관리에 있어 불필요하게 낭비되는 시간을 줄이는 것이 중요해.

② B : 여러 일 중에서 가장 우선적으로 처리해야 할 일을 결정해야 해.

③ C : 시간계획을 정기적으로 체크하고 일관성 있게 일이 끝나도록 마감시간을 설정하도록 해.

④ D : 불의의 방문객, 예상치 못한 전화 등의 상황이 발생할 것을 대비하여 여유시간을 설정하는 것도 중요해.

⑤ E : 꼭 해야 하는데 완료하지 못한 일은 현재의 업무에 집중하기 위해 잠시 중단해야 해.

03. 다음은 ○○사에서 도입하고자 하는 시스템을 도식화한 자료이다. 이에 대한 설명으로 옳지 않은 것은?

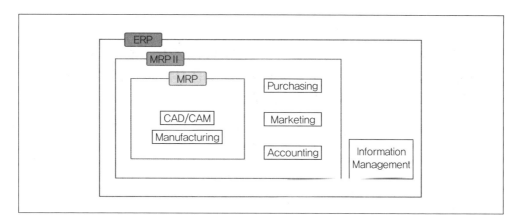

① 각 업무의 연계 시스템으로 인해 절차가 간소화되고 신속한 업무진행이 가능하다.

② 구축하는 시간과 비용이 적게 들고, 구축한 이후에 시간 단축을 통해 비용을 절감할 수 있다.

③ 지속적이고 정확한 데이터의 업데이트가 이루어져 정보접근이 용이한 통합 데이터베이스 관리 시스템이다.

④ 축적된 데이터를 통계로 활용하여 기업의 생산성 향상에 기여할 수 있다.

⑤ 기업 전반의 정보를 실시간으로 파악·공유함으로써 투명한 업무처리를 실현할 수 있다.

04. 다음은 조직의 수명주기를 나타낸 도식이다. 이 중 '(A) 성숙기'의 인적자원관리에 대한 설명으로 적절한 것은?

① 인력을 감축하고 남은 인력은 능력에 맞춰 재배치해야 한다.

② 양적인 수요와 질적인 수요를 모두 고려하여 인력을 공급해야 한다.

③ 파격적인 유인책을 제공하여 우수한 인력과 전문가를 적극 영입한다.

④ 인력의 효율적인 운용을 위해 배치전환과 이직을 관리하는 게 중요하다.

⑤ 소규모 조직으로의 개편을 통해 조직 혁신과 내부합리화를 실시한다.

05. 스마트폰 부품을 생산하는 □□기업은 최근 완공된 자동생산라인에서 부품 25,600개를 생산하여 영국의 A사에 납품하기로 계약을 체결하였다. 다음 〈생산조건〉을 고려할 때, 계약한 모든 부품을 생산하는 데 최소 며칠이 필요한가?

〈생산조건〉
• 자동생산라인에서는 2시간에 120개의 부품을 생산하고 20%의 불량품이 발생된다.
• 일일 자동생산라인 가동시간은 8시간이고, 생산 중 2시간의 라인정비시간을 필수적으로 가진다.
• 불량품은 폐기한다.

① 65일　　　　　　　② 71일　　　　　　　③ 77일
④ 83일　　　　　　　⑤ 89일

06. 총무팀 A 사원과 B 대리는 해외 직구를 통해 업무 및 행사 비품을 구매하였다. 구매품목과 관세율 표를 참고하여 구매자와 관세금액을 바르게 연결한 것을 고르면?

〈구매품목〉

A 사원	품목	노트북	무선 마이크	등산용 신발	모니터 스탠드	외장 하드
	가격	120만 원	120만 원	80만 원	12만 원	13만 원
B 대리	품목	빔 프로젝터	단체 체육복	LED TV	카메라	문서 세단기
	가격	200만 원	100만 원	90만 원	40만 원	30만 원

〈품목별 관세율〉

제품	관세율(%)	제품	관세율(%)
노트북	7	무선 마이크	12
카메라	11	등산용 신발	9
빔 프로젝터	8	모니터 스탠드	13
LED TV	9	문서 세단기	10
단체 체육복	8	외장 하드	8

	구매자	관세		구매자	관세
①	A 사원	315,000원	②	B 대리	370,000원
③	A 사원	325,000원	④	B 대리	395,000원
⑤	A 사원	336,000원			

1회 기출예상문제
2회 기출예상문제
3회 기출예상문제
4회 기출예상문제
5회 기출예상문제
6회 기출예상문제

07. 다음은 ○○기업의 제품 X에 대한 공장별 생산과 수요 및 공급에 관한 자료이다. 이를 바탕으로 〈보기〉에서 옳지 않은 내용을 모두 고르면?

〈제품 X에 대한 공장별 일일 최대생산량과 생산비〉

공장	생산량(개/1일)	생산비(원/1개)
1	20	200
2	20	180
3	30	160
4	20	140
5	20	120
6	20	100
7	40	80
8	100	60

〈공급원칙〉

• 공장은 1일 단위로 가동되며, 다음 날의 예측수요량만큼만 생산한다.

• 공장은 개당 생산비가 저렴한 순서대로 가동된다.

• 제품 X의 시장가격은 가동되는 공장 중 생산비가 가장 비싼 공장의 생산비와 같다.

〈제품 X에 대한 요일별 예측수요량 변화〉

www.gosinet.co.kr gosinet

1회 기출예상문제

2회 기출예상문제

3회 기출예상문제

4회 기출예상문제

5회 기출예상문제

6회 기출예상문제

> **보기**
>
> ㉠ 화요일 제품 X의 시장 가격은 개당 80원이다.
>
> ㉡ 목요일에 가동되지 않는 공장은 3개이다.
>
> ㉢ 토요일에 6번 공장에서 생산하는 제품 X의 순이익은 개당 20원이다.
>
> ㉣ 7번 공장에서 생산하는 제품 X 순이익의 최댓값은 개당 80원이다.

① ㉢, ㉣   ② ㉠, ㉡, ㉢   ③ ㉠, ㉡, ㉣

④ ㉡, ㉢, ㉣   ⑤ ㉠, ㉡, ㉢, ㉣

08. B 공사 재무팀에서는 공사 산하 빙상장 건립 예산계획을 다음과 같이 수립하려 한다. 직접비의 총액이 1,200만 원이라고 할 때, 인건비 예산은 얼마인가?

〈빙상장 건립 예산계획〉

항목	예산 금액
인건비	
건물관리비	100만 원
광고비	700만 원
출장비	150만 원
통신비	70만 원
PC구입비	500만 원
건물임대료	200만 원

① 150만 원   ② 200만 원   ③ 250만 원

④ 300만 원   ⑤ 350만 원

09. 갑 공단은 주민들의 체육시설 만족도 향상을 위해 추가적인 체육시설 건립을 추진하고자 한다. 갑 공단이 보유하고 있는 체육시설과 가용예산이 다음과 같을 때, 이에 대한 설명으로 옳지 않은 것은?

〈○○공단 보유 체육시설 및 예산 현황〉

1. 체육시설 현황

(단위 : 개소)

구분	스포츠센터	야구장	축구장	풋살장	수영장
○○공단 보유 현황	1	1	2	1	0
문체부 권고 기준	1	2	1	2	1
시설당 건립비용	100억 원	30억 원	80억 원	20억 원	60억 원

※ 주민들이 가장 원하는 체육시설은 수영장이다.

2. 갑 공단 예산 현황
- 갑 공단에서 확보한 올해 체육시설 건립 예산은 50억 원이다.
- 갑 공단은 목적이 지정되지 않은 예비비가 70억 원이 있다.
- 내년도 예산은 현재 100억 원으로 구의회에서 심의 중이다.

① 예비비 예산 적용 시 문체부 권고 기준을 충족할 수 있다.

② 올해 확보된 예산만으로 주민들이 가장 원하는 체육시설을 건립할 수 있다.

③ 올해 확보된 예산으로는 문체부 권고 기준의 체육시설을 건립할 수 없다.

④ 올해 확보된 예산으로는 야구장, 풋살장을 각 1개소씩 건립할 수 있다.

⑤ 문체부 권고 기준으로 체육시설을 확보하려면 110억 원의 예산이 필요하다.

www.gosinet.co.kr gosinet

1회 기출예상문제

2회 기출예상문제

3회 기출예상문제

4회 기출예상문제

5회 기출예상문제

6회 기출예상문제

10. 갑 공사 총무팀에 근무하는 수민 씨는 사내 체육대회에서 제공할 간식으로 왕만두를 준비하고자 한다. 다음 〈조건〉에 근거하여 필요한 왕만두를 최소 양으로 주문할 때, 지불해야 할 비용은?

조건

- 한 사람당 2개씩은 먹을 수 있도록 한다.
- 왕만두는 한 상자에 8개씩 포장되어 있고, 상자 단위로 팀에 전달한다.
- 왕만두 20상자당 한 상자를 덤으로 받을 수 있다.
- 왕만두 가격은 한 상자에 5,000원이다.

팀명	인원수(명)	팀명	인원수(명)
경영기획팀	8	경영지원팀	10
인사기획팀	6	IR팀	5
회계팀	11	홍보팀	5
재무팀	8	구매팀	5
총무팀	6	영업1팀	10
법무팀	7	영업2팀	12

① 60,000원   ② 90,000원   ③ 135,000원
④ 140,000원   ⑤ 155,000원

11. 직장에서의 문서작성은 일반 글에 비해 형식이 중요시된다. 다음 중 직장에서 문서를 작성할 때의 기본원칙에 대한 설명이 잘못된 것은?

① 문서의 의미를 전달하는 데 오류가 없다면 가능한 문장은 짧고 간결하게 작성한다.
② 문서를 읽는 사람이 글을 순서대로 파악할 수 있도록 결론을 가장 나중에 쓴다.
③ 부정문, 의문문의 형식은 되도록 피하고 긍정문의 형식으로 쓴다.
④ 문서의 의미를 전달하는 데 그다지 중요하지 않다면 한자나 영어 등의 사용은 삼간다.
⑤ 문서를 전달받는 이를 고려하여 상대방이 이해하기 쉽게 작성한다.

[12 ~ 13] 다음은 스놉 효과에 대한 글이다. 이어지는 질문에 답하시오.

부자들은 일반 대중들이 자신의 소비 행태를 따라 하는 것을 싫어한다. 이를 '스놉 효과(Snob Effect)'라고 한다. 스놉 효과는 물건을 살 때 남과 다르게 나만의 개성을 추구하는 의사 결정 현상을 말한다. 스놉이란 잘난 척하는 사람을 비꼬는 말인데, 자신이 줄곧 사용하던 물건이라 하더라도 그것이 대중화가 되면 사람들이 잘 모르는 상품으로 소비 대상을 바꾸는 것이다. 우리나라 말로는 왜가릿과에 속하는 새 이름을 따서 '백로 효과'라고 한다. 마치 까마귀들이 몰려들면 백로가 멀리 떨어지려 하는 것과 같아 보여서 이러한 이름을 얻게 되었다.

1950년 미국 경제학자 하비 레이번슈타인(Harvey Leibenstein)은 타인의 사용 여부에 따라 구매 의도가 증가하는 효과인 '밴드왜건 효과(Bandwagon Effect)'와 함께 타인의 사용 여부에 따라 구매 의도가 감소하는 효과인 스놉 효과도 같이 발표했다. 어떤 상품이 인기 있는 상품이라고 알려지면 사람들이 너도나도 사려고 하는데 이런 현상을 밴드왜건 효과라고 한다. 밴드왜건은 길거리 행사 대열에서 앞서서 행렬을 주도하는 악대차를 말하는데 보통 길거리에서 사람들은 밴드왜건을 보면 무슨 재미있는 일이 있는 줄 알고 무작정 따라가 보는 데서 유래한 용어이다. 즉, 무작정 남을 따라 하는 소비 행태를 말한다. 스놉 효과는 이러한 밴드왜건 효과와 반대 현상이다.

그러나 스놉 효과의 진정한 의미는 대중적으로 소비하는 제품을 사지 않는다는 것에 그치지 않는다. 스놉 효과는 비대중적인 제품에 대한 구매 효과로도 해석되기 때문이다. 간단히 말해 스놉 효과는 고급 지향적 개성 추구 경향이라고 할 수 있다.

스놉 효과는 두 가지 상황에서 발생한다. 첫째, 무언가 고급스러운 제품이 시장에 처음 나왔을 때 그 제품을 신속하게 구매하는 형식으로 나타난다. 그 순간에는 해당 제품을 소비하는 '영광'을 아무나 누릴 수 없기 때문이다. 둘째, 아무리 열광적으로 '찬양'하던 제품이라도 그 제품의 시장점유율이 어느 수준 이상으로 늘어나서 일반 대중이 아무나 다 사용하는 제품이 돼 버리면 그 제품을 더 이상 구매하지 않는 모습으로 나타난다. '아무나 다' 사용할 수 있는 제품을 사용하는 것은 영광스럽지도, 고급스럽지도 않게 느껴지기 때문이다.

12. 윗글의 스놉 효과로 설명할 수 있는 현상으로 적절하지 않은 것은?

① 개성적일수록 잘 팔린다.

② 신제품일수록 잘 팔린다.

③ 대중적이지 않을수록 잘 팔린다.

④ 한정 수량일수록 잘 팔린다.

⑤ 시장점유율이 낮을수록 잘 팔린다.

13. 윗글을 바탕으로 스놉 효과를 활용한 마케팅 전략을 세우고자 할 때, 그 내용으로 적절하지 않은 것은?

① 제품을 고급화, 차별화시키고 다품종을 소량 생산한다.

② 고객 수의 확대보다는 기존 고객의 유지에 초점을 맞춘다.

③ 가격을 낮추는 것은 그 제품의 희소성을 낮추어 기존의 소비자를 잃을 수 있으므로 절대 피한다.

④ 한 제품의 판매량을 늘려 무리한 매출 증대를 꾀하기보다 다양한 상품을 준비한다.

⑤ 고급스러운 이미지의 유명 연예인을 모델로 하여 제품을 적극 홍보한다.

14. 다음은 보고를 받는 입장에서 본 보고서의 논리 구성이다. ㉠ ～ ㉢에 들어갈 구성항목으로 적절한 것은?

내용		논리 패턴	구성항목
시작	설득	왜 이 사업을 하는가? (왜 보고를 하는가?)	㉠
	WHY	왜 이런 과제가 주어졌을까?	
중간	설명	어떻게 이 사업을 할 것인가? (어떤 내용을 보고할 것인가?)	㉡
	HOW	어떻게 해결할 것인가?	
마무리	결정	무엇을 결정해야 하는가? (무엇을 판단해야 하는가?)	㉢
	WHAT	무엇을 결정하고 판단할 것인가?	

① ㉠-제목, 개요, 추진 배경

② ㉡-개요, 문제점과 원인, 기대효과

③ ㉡-문제점과 원인, 기대효과, 조치 사항

④ ㉢-해결방안, 기대효과, 조치 사항

⑤ ㉢-조치 사항, 해결방안

15. 다음 글의 빈칸 ㉠ ~ ㉣에 들어갈 말을 〈보기〉에서 골라 바르게 연결한 것은?

가상현실 속에서 나만의 콘텐츠를 꾸준히 쌓아 나가는 것은 현대 개인 미디어 시대에서의 성공 조건이다. 퍼스널브랜드 구축 프로세스는 4단계로 정리할 수 있다.

1단계. (㉠)

브랜드란 내가 남들에게 보여 주고 싶은 모습과 남들이 나를 봤을 때 느껴지는 모습이 일치해야 제대로 만들어졌다고 할 수 있다. 그래서 가장 먼저 내가 어필하고 싶은 모습, 재능, 전문분야 등이 어떤 것인지를 확정해야 할 것이다. 그러기 위해서는 자신의 과거를 글로 써 봐야 한다. 사람들은 바쁘게 살다 보니 과거의 성과, 스토리 등을 기록해 두지 않는데 자신의 과거를 돌아보고 흐름을 보지 못하면 진정 본인이 가지고 있는 강점을 발견하기가 쉽지 않다.

2단계. (㉡)

첫 단계에서 자신의 강점을 발견했다면 다음은 강점이 잘 드러날 수 있도록 약간의 포장도 필요하고 남들이 봤을 때도 강점이 잘 보이도록 만들어야 한다. 과거에는 오프라인에서 자신의 이미지를 관리하는 것이 중요했지만 이제 사람들이 온라인과 모바일에서 활동하는 시간이 길어짐에 따라 가상현실 속에서 자신의 이미지를 관리하는 것이 매우 중요해지고 있다. 그래서 활용할 수 있는 도구가 바로 SNS(Social Network Service)이다. 즉, 가상현실 속에서 자신을 이미징하기 위해 중요한 것은 나를 표현할 수 있는 콘텐츠를 가공 생산하는 공장이 필요하고 이러한 공장에서 생산된 콘텐츠를 널리 유통시키기 위해 채널이 필요한 것이다.

3단계. (㉢)

현실에서는 나를 직접 보여 줄 수 있지만 그렇지 못한 가상현실에서는 간접적으로 나를 표현하는 방법밖에는 없다. 이를 위한 방법이 바로 글쓰기다. 물론 여기서 글쓰기는 텍스트만을 이야기하는 것은 아니다. 텍스트부터 사진, 동영상 등을 올리는 글쓰기도 모두 포함된다. 이처럼 다양한 나만의 콘텐츠를 가상현실에서 가공해서 생산하고 퍼트리는 작업을 통해 가상현실 속에서 본인의 컬러를 만들어 가는 작업이 반드시 필요하다. 흔히 파워블로거라고 하는 사람들이 좋은 사례라고 할 수 있다.

4단계. (㉣)

네트워크 효과는 쉽게 말하면 흔히 우리가 알고 있는 복리 효과와 동일하다. 초기에는 그 효과가 미약하지만 시간이 지나고 네트워크가 연결되면 될수록 기하급수적으로 효과가 증가하는 것을 말한다. 경제학에서는 수확체증의 법칙이라고도 한다. 내가 생산한 스토리 콘텐츠를 다양한 네트워크를 통해 공유하게 되면 다른 이들에 의해서 링크되기도 하고, 콘텐츠에 공감을 하면 상대방의 네트워크에도 공유가 됨으로써 하나의 스토리 콘텐츠를 생산해 많은 이들에게 제공해 줄 수 있는 것이다. 그리고 콘텐츠를 통해 궁금증을 유발하게 되면 나의 블로그나 SNS로 방문하게 함으로써 나를 알리고 내가 하는 일, 제공하는 서비스 등을 자연스럽게 알릴 수 있는 것이다.

---

www.gosinet.co.kr **gosi**net

1회 기출예상문제
2회 기출예상문제
3회 기출예상문제
4회 기출예상문제
5회 기출예상문제
6회 기출예상문제

보기

a. 네트워크 효과 활용하기		b. 자기 강점 찾기
c. 스토리 콘텐츠 개발하기		d. 이미징하기

	㉠	㉡	㉢	㉣
①	a	b	c	d
②	a	d	b	c
③	b	c	d	a
④	b	d	c	a
⑤	c	b	d	a

16. 평소 동료들의 말을 경청하지 않는다는 평가를 받는 김 주임은 경청에 대한 강의를 듣고 내용을 정리하였다. 다음 ㉠ ~ ㉢에서 설명하는 경청 후 반응의 규칙을 바르게 짝지은 것은?

〈경청을 위한 세 가지 규칙 정리〉

㉠ 시간을 낭비하지 않는 것이다. 다시 말하기를 통해 상대방의 말을 이해했다고 생각하자마자 명료화하여 바로 당신의 피드백을 주는 것이 좋다.

㉡ 당신이 진정하게 느낀 반응뿐만 아니라 조정하고자 하는 마음 또는 보이고 싶지 않은 부정적인 느낌까지 보여 주어야 함을 의미한다.

㉢ 상대방에게 잔인한 태도를 갖춰서는 안 된다. 부정적인 의견을 표현할 때도 상대방의 자존심을 상하게 하거나 약점을 이용하거나 위협적인 표현방법을 택하는 대신에 부드럽게 표현하는 방법을 발견할 필요가 있다.

	㉠	㉡	㉢
①	지지함	즉각적	정직함
②	즉각적	지지함	정직함
③	즉각적	정직함	지지함
④	정직함	즉각적	지지함
⑤	정직함	지지함	즉각적

17. 다음 글을 읽고 맹그로브 나무가 사라질 경우 발생할 수 있는 상황에 대한 추론으로 적절하지 않은 것을 고르면?

◎ 맹그로브 나무란?

　맹그로브는 꽃이 피는 육상식물로서 동남아시아와 열대, 아열대 해안가와 갯벌에서 자라는 식물입니다. 넓은 의미로 열대 해안의 맹그로브 식물 군락을 일컬을 때 사용하기도 합니다.

　맹그로브 나무는 뿌리가 밖으로 노출되어 있는 것이 특징이며 물고기의 산란장소, 은신처가 되어 줍니다. 또한, 해안 지반을 지지하고 수질을 맑게 유지해 주어 멸종위기종의 서식지가 되고, 태풍이 왔을 때 바람을 막아 주는 역할을 하는 유용한 식물입니다.

◎ 이산화탄소를 흡수하는 맹그로브

　우리나라 나무 중 소나무, 상수리나무, 잣나무는 이산화탄소 흡수량이 높은 나무로 알려져 있습니다. 맹그로브 나무는 소나무에 비해 3배 정도 높은 이산화탄소 흡수량을 가지고 있습니다. 전 세계에 있는 맹그로브 숲은 연간 약 2,280만 톤의 이산화탄소를 흡수합니다.

◎ 점차 사라지고 있는 맹그로브

　다양한 역할을 하는 고마운 식물 맹그로브! 그런데 맹그로브 군락지가 점점 사라지고 있다고 합니다. 특히 동남아 지역에서 맹그로브 숲이 빠르게 파괴되고 있는데요. 그 원인으로 무분별한 새우 양식이 꼽히고 있습니다. 맹그로브 숲은 천연 영양분이 많아 새우를 양식하는 데 적합한 장소입니다. 이 때문에 동남아 지역에서는 저렴한 가격으로 수출용 새우를 양식하기 위해 맹그로브 숲을 벌목하고 그 자리에 양식장을 세우고 있습니다.

　또한, 지구온난화로 해수면이 높아짐에 따라 맹그로브 나무가 살기 어려워지고 있습니다. 맹그로브 나무가 살아남으려면 연간 해수면 상승이 5mm 미만이어야 하는데, 지금과 같은 수준으로 지구온난화가 계속될 경우 해수면 상승 속도는 연간 약 7mm가 되어 맹그로브 나무가 살기 어려워지게 됩니다.

　맹그로브는 해양생태계에서 중요한 역할을 하고 있을 뿐 아니라 많은 양의 이산화탄소 흡수에 도움을 주기 때문에 지구 환경에 중요한 식물입니다. 이에 유네스코는 맹그로브 숲 복원을 위해 매년 7월 26일을 국제 맹그로브 생태계 보전의 날로 지정하고 있습니다. 더 이상 맹그로브 숲이 파괴되지 않도록 지속적인 관심과 보전이 필요한 시점입니다.

① 멸종되는 생물이 늘어날 수 있다.
② 태풍이 왔을 때 큰 피해를 입을 수 있다.
③ 해안가 주변에 모래가 퇴적되어 사막화가 진행될 수 있다.
④ 맹그로브 나무가 있던 지역의 어업이 피해를 입을 수 있다.
⑤ 이산화탄소 흡수량이 저조해진다.

18. 다음 보도 자료를 읽고 보인 반응으로 적절한 것은?

> □ P시는 반려견의 유실·유기 예방에 효과적인 내장형 동물등록을 1만 원에 지원한다. 지원 사업에 참여하는 P시 내 600여 개 동물병원에 반려견과 함께 방문하여 1만 원을 지불하면 마이크로칩을 통한 내장형 동물등록을 할 수 있다. P시 시민이 기르는 모든 반려견이 지원 대상이며, 한 해 3만 2천 마리에 대해 선착순으로 지원한다.
>
> □ 내장형 동물등록 지원사업은 내장형 동물등록제 활성화를 위하여 P시와 손해보험 사회공헌협의회, P시 수의사회가 함께 추진하는 사업이다. P시 소재 800여 개 동물병원 중 600여 개가 P시 내장형 동물등록 지원사업에 참여하고 있으며, 사업참여 동물병원은 'P시 수의사회 내장형 동물등록 지원 콜센터(070-8633-○○○○)'로 문의하면 안내받을 수 있다.
>
> □ 「동물보호법」에 따라 주택·준주택에서 기르거나, 반려 목적으로 기르는 월령 2개월 이상의 개는 등록대상동물로 동물등록 의무대상이다. 「동물보호법」 제47조에 따라 등록대상동물의 동물등록을 하지 않을 경우 60만 원 이하의 과태료가 부과된다.
>
> □ '내장형 동물등록'은 쌀알 크기의 무선식별장치(마이크로칩)를 동물의 어깨뼈 사이 피하에 삽입하는 방식으로, 칩이 체내에 있어 체외에 무선식별장치를 장착하는 외장형 등록방식에 비해 훼손, 분실, 파기 위험이 적기 때문에 반려견이 주인을 잃어버린 경우 칩을 통해 쉽게 소유자 확인이 가능하여 빠르게 주인을 찾는 데 효과적이다.
>
> □ 또한 2월 12일부터 동물판매업소(펫숍)에서 소비한 반려견 구매(입양) 시 판매업소가 구매자 명의로 동물등록 신청을 한 후 판매(분양)하도록 의무화되었다. 이 경우에도 P시 내장형 동물등록 지원사업에 따라 1만 원으로 내장형 동물등록이 가능하므로 동물판매업소에서 반려견을 구매(입양)하고자 하는 시민은 내장형 방식으로 동물등록할 것을 권장한다.

① 내장형 동물등록이 외장형보다 유기견을 찾는 데 더 효과적이겠군.
② 내장형 동물등록이 의무이니 외장 인식표는 이제 사용할 수 없겠군.
③ P시에 있는 동물병원이라면 어디든 가까운 곳으로 가면 되겠군.
④ 펫숍에서 반려견을 구매(입양)할 경우 구매(입양)자의 내장 인식표 등록이 의무화되었군.
⑤ Q시에서 반려견을 키우며 살고 계신 부모님께도 알려 드려 등록할 수 있게 해야겠어.

[19 ~ 20] 다음 글을 읽고 이어지는 질문에 답하시오.

> 2018년 여름에는 기록적인 폭염이 한반도를 덮쳤다. 지구온난화로 티베트 고원에서 달아오른 공기가 북태평양 고기압과 합세해 한반도를 비롯한 지구 북반구에 고온다습한 '열돔'을 형성했다. 이는 2018년에만 일어난 이상현상은 아니다. 미국 국립해양대기국(NOAA)의 2016년 기후현황보고서에 따르면 2016년이 기상관측 이래 가장 더운 해로 기록됐다. 해수면 높이는 6년 연속 최고치를 경신했다. 폭염은 폭염만으로 끝나지 않았다. 겨울에는 혹독한 한파와 여름의 폭염이 번갈아 반복되면서 2018년의 경우 서울의 연교차는 57.4도를 기록했다. 기상청 자료에 의하면 한반도를 둘러싼 해수면 온도 역시 상승하고 있다. 매년 0.34도씩 상승했고, 해수면 온도 상승은 포획 어종까지 바꿔 놓고 있어 생태계의 변화를 실감할 수 있다.
>
> 그렇다면 지구온난화 대책으로 무엇이 있을까? 인류는 1992년 리우회의에서 유엔기후변화협약, 1997년 교토의정서 이후 많은 논의를 통해 2015년 파리협약을 체결했다. 2020년 만료된 교토의정서를 대체한 이 협약은 2020년 이후의 기후변화 대응을 담았다. 한국은 2050년 온실가스 배출 전망치 대비 37%를 감축하기로 했다. 정부나 지자체의 정책적 규제나 노력이 반드시 선행되어야 하겠지만, 우리 각자의 자발적인 고민 역시 필수적이다.

19. 다음 중 글쓴이가 윗글을 작성할 때 고려한 사항이 아닌 것은?

① 근거 내용의 출처를 제시해야겠군.
② 질문을 던져 주의를 환기시켜야겠군.
③ 2018년 폭염이 나타난 원인을 제시해야겠군.
④ 정부에서 추진하는 구체적인 규제방법을 제시해야겠군.
⑤ 지구온난화에 대응하기 위한 국제적 협약을 제시해야겠군.

20. 윗글을 회의 자료로 사용할 수 있는 기관으로 적절한 것은?

① 화력발전량의 일정비율을 신재생에너지로 공급하는 기관
② 담배사업의 내수 안정화와 해외 수출에 앞장서는 기관
③ 국민이 믿고 탈 수 있는, 안전한 철도를 만드는 기관
④ 국민주거생활의 향상 및 국토의 효율적인 이용을 도모하는 기관
⑤ 국민의 먹을거리 생산 기반을 확충하고 농어촌 생활환경 개선에 앞장서는 기관

21. 업무수행 과정 중 발생한 문제의 유형 중에서 다음 〈보기〉의 유형과 가장 거리가 먼 것은?

보기

    탐색형 문제(찾는 문제)는 현재의 상황을 개선하거나 효율을 높이기 위한 문제이다. 또한 탐색형 문제는 눈에 보이지 않는 문제로, 별도의 조치 없이 방치하면 뒤에 큰 손실이 따르거나 결국 해결할 수 없는 문제로 나타나게 된다.

---

① 재고 감축   ② 신규 사업 창출   ③ 생산성 향상
④ 영업이익 향상   ⑤ 조직 제도 개선

22. 다음은 A 기업의 시장 분석과정 중 문제 해결 방안을 도출한 것이다. 대응 방안을 충족시킬 수 있는 내용을 〈보기〉에서 모두 고른 것은?

상황 분석	• 모든 시장을 상대할 수 없기에 본사 제품을 투입할 시장을 찾아야 함. • 본사의 제품을 원하는 소비자를 찾아 집중적으로 공략해야 함.

↓

조건 모색	• 소비자들이 유사한 구매행동을 가지고 있어야 하며, 소득수준이나 주거지역 등이 비슷해야 함. • 다른 소비자들과 차이를 가지는 집단이어야 함.

↓

채용 방안	시장의 규모나 구성원 등에 대하여 측정할 수 있어야 하며, 경제성을 가진 시장을 모색하기로 함.

보기

ㄱ. 만성피로에 지친 소비자들의 시장 규모를 찾아본다.
ㄴ. 거동이 불편한 사람을 위한 버튼형 자가운전 자동차를 생산한다.
ㄷ. 모든 고객의 원하는 바를 충족시키기 위해 첨단 연구진을 대거 투입한다.

---

① ㄱ   ② ㄴ   ③ ㄷ
④ ㄱ, ㄴ   ⑤ ㄱ, ㄴ, ㄷ

23. 다음 〈예시 1 ~ 4〉는 인터넷에서 볼 수 있는 댓글들이다. 이들이 공통적으로 범하고 있는 논리적 오류는 어느 것인가?

〈예시 1〉

A : 나는 …라고 주장해.

B : 쟤는 평소에도 말이 안 되는 주장을 많이 하잖아. 방금 A가 한 주장은 안 봐도 분명 틀렸을 거야!

〈예시 2〉

A : 어떤 사람이 같은 성별을 사랑한다는 이유만으로 차별하는 것은 옳지 않아.

B : 그런 말을 하다니, 너 동성애자냐?

〈예시 3〉

A : … 이유 때문에 히딩크가 한국으로 다시 오는 걸 반대해.

B : 우리나라 축구의 영웅인 히딩크가 오는 걸 반대해? 너는 분명히 축구를 싫어하는구나.

〈예시 4〉

A : MSG라고 무조건 다 몸에 해로운 건 아니야!

B : MSG가 몸에 해롭지 않다고? 알겠으니까 너나 먹어.

---

① 무지에 호소하는 오류　　　　　② 애매성의 오류

③ 허수아비 공격의 오류　　　　　④ 원천봉쇄의 오류

⑤ 인신공격의 오류

24. 장미아파트 관리소장은 아파트 입주민들에게 승강기 안전사고와 관련하여 주의사항을 공지하려고 한다. 목적에 부합한 내용 조직방법으로 적절한 것은?

① 서로 협력하며 살아가는 동물을 예로 들며 흥미를 유발하고 이를 바탕으로 입주민들이 협력의 필요성을 자연스럽게 인식하도록 한다.

② 기존 승강기보다 현재 이용하고 있는 승강기의 품질이 더 우수하다는 것을 보여 주기 위해 구체적인 통계자료와 사진을 활용한다.

③ 승강기 회사의 경영 방침, 인재관 등에 대한 안내 자료를 배부하고 관련된 질의를 입주민에게 받았을 때 당황하지 않도록 준비한다.

④ 먼저 승강기 안전사고의 실험 목적을 밝힌 후, 실험 과정을 일목요연하게 정리한 표와 실험 사진을 보여 주어 입주민들이 이해하기 쉽도록 한다.

⑤ 최근 승강기 사고가 많이 발생한다는 사실을 알려 누구에게나 일어날 수 있는 일임을 환기시키고 사고를 예방하기 위한 행동 요령을 항목별로 제시한다.

25. A 공사는 내년도 사업계획 수립을 위해 해외지사들과 화상회의를 진행하려고 한다. 업무시간 중 1시간 동안만 회의를 진행하려고 할 때, 다음 조건을 참고하여 모든 지사가 가능한 회의 시간을 구하면? (단, 모든 지사의 업무시간은 오전 9시 ~ 오후 7시이고, 회의시간은 서울시간을 기준으로 정한다)

- 호주는 서울보다 1시간 빠르다(매일 자체 회의시간이 오후 2시 ~ 오후 3시에 있음).
- 마드리드는 서울보다 2시간 빠르다.
- 마닐라는 서울보다 3시간 느리다.
- 두바이는 서울보다 4시간 느리다.
- 호주, 두바이는 서머타임이 적용된다(서머타임으로 인해 기존시간보다 1시간이 느려짐).
- 서울 포함 모든 시사의 짐심시간은 오전 11시 ~ 오후 12시이다.

① 오전 09시 ~ 오전 10시 ② 오전 10시 ~ 오전 11시

③ 오전 11시 ~ 오후 12시 ④ 오후 12시 ~ 오후 01시

⑤ 오후 01시 ~ 오후 02시

26. □□공사 총무팀에서는 겨울철 건조한 실내 근무환경을 개선하기 위해 매년 겨울에 팀 내 공용 가습기를 가동한다. 다음의 〈조건〉에 따라 당번제로 가습기 관리를 한다고 할 때, 11월 29일부터 12월 3일까지 당번을 맡을 사람은 누구인가?

조건

- 팀내 공용 가습기 가동 시작일은 매년 11월 첫째 주 월요일이다.
- 당번제에 따라 정해진 당번이 월요일부터 금요일까지 5일간 가습기를 관리한다.
- 당번 순서는 이름 가나다 순으로 한다.
- 당번을 맡은 주에 개인 휴가가 예정되어 있다면, 다음 당번과 당번 맡는 주의 순서를 맞바꾼다(단, 휴가가 두 주에 걸쳐 있는 경우, 다다음 당번과 순서를 맞바꾼다).
- 인턴은 당번에서 제외된다.

〈달력〉

11월						
일	월	화	수	목	금	토
	1	2	3	4	5	6
7	8	9	10	11	12	13
14	15	16	17	18	19	20
21	22	23	24	25	26	27
28	29	30				

12월						
일	월	화	수	목	금	토
			1	2	3	4
5	6	7	8	9	10	11
12	13	14	15	16	17	18
19	20	21	22	23	24	25
26	27	28	29	30	31	

〈총무팀 팀원 현황〉

이름	김○○	이○○	박○○	최○○	송○○
직급	부장	과장	과장	대리	인턴
휴가예정일	–	11/19, 11/22	–	–	11/15

① 김 부장　　　　　② 이 과장　　　　　③ 박 과장
④ 최 대리　　　　　⑤ 송 인턴

27. 다음 그림자료를 보고 제기한 의문 사항에 대한 답변으로 적절하지 않은 것은?

투명 페트병,
어떻게 분리배출해야 하나요?

내용물은
싸~악 비우기!

라벨은 척!
제거하기

찌그러트리고
꽈~악 뚜껑 닫기

투명 페트병
전용배출함에
배출하기

기타 플라스틱

투명 페트병

페트병과 페트 용기류는
플라스틱과 함께 배출해 주세요

왜 투명 페트병에 대한 분리배출을 강조하나요?

① 투명 페트병으로 생산된 고품질 재활용 원료는 다른 제품으로 재생산이 가능합니다.

② 일반 플라스틱은 불순물이 많아 고품질 재생원료 확보에 제약이 있습니다.

③ 투명 페트병을 유색 페트병과 혼합 배출하면 고품질 재활용 원료 확보에 어려움이 있습니다.

④ 폐플라스틱을 회수하면 판매자가 이를 재사용하여 제품의 가격을 낮출 수 있습니다.

⑤ 투명 페트병 분리배출로 연 2.9만 톤에서 10만 톤의 고품질 재활용 원료를 확보할 수 있습니다.

1회 기출예상문제
2회 기출예상문제
3회 기출예상문제
4회 기출예상문제
5회 기출예상문제
6회 기출예상문제

28. 다음 A 공사 출장비 지급 기준을 참고할 때, 기획팀에 지급해야 할 총 출장비는?

〈A 공사 출장비 지급 기준〉

• A 공사의 출장비는 식비, 숙박비, 교통비로 구분된다.
• 식비는 영수증에 나온 실비를 지급하나, 영수증을 제출하지 않은 경우 1일당 5만 원으로 책정한다.
• 숙박비는 지역에 따라 1박당 다음과 같이 지급한다.

지역	부산	대전	광주
금액	90,000원	70,000원	80,000원

• 다음은 왕복 교통비이며, 출장지역 및 교통수단에 따라 차등 지급한다.

구분	부산	대전	광주
고속철도	150,000원	120,000원	130,000원
고속버스	70,000원	50,000원	60,000원
개인차량	120,000원	100,000원	110,000원

〈기획팀 출장내역〉

구분	갑 대리	을 대리	병 차장
출장기간	2박 3일	3박 4일	1박 2일
출장지역	부산	대전	광주
식비내역	1일-50,000원 2일-100,000원 3일-60,000원	1일-60,000원 2일-120,000원 3일-100,000원 4일-50,000원	1일-100,000원 2일-120,000원
교통수단(왕복)	고속버스	개인차량	고속철도
비고	1, 2일 식비 영수증 제출 3일 식비 영수증 미제출	1, 2일 식비 영수증 제출 3, 4일 식비 영수증 미제출	식비 영수증 모두 제출

① 1,270,000원   ② 1,370,000원   ③ 1,470,000원
④ 1,550,000원   ⑤ 1,670,000원

www.gosinet.co.kr **gosi**net

1회 기출예상문제

2회 기출예상문제

3회 기출예상문제

4회 기출예상문제

5회 기출예상문제

6회 기출예상문제

[29 ~ 30] 다음은 갑 공사의 기록물관리규정 중 일부이다. 이어지는 질문에 답하시오.

제15조(기록물의 보존) ① 처리부서로부터 인수한 기록물은 기록물의 형태, 처리부서, 보존기간 및 생산연도 등으로 구분하여 보존서고에 배치하여야 한다.

② 기록관의 장은 기록물의 안전한 보존을 위하여 서고별로 관리책임자를 지정하여야 하며, 기록물의 정수점검, 상태점검 실시, 항온항습 환경 구축 등을 위하여 필요한 조치를 취할 수 있다.

제16조(보존기간) ① 기록물의 보존기간은 영구, 준영구, 30년, 10년, 5년, 3년, 1년의 7종으로 구분하며, 보존기간별 책정 기준은 [별표 2]와 같다.

② 기록물의 보존기간은 기록물분류기준표에 정한 보존기간을 기준으로 처리부서의 장이 기록물의 정리 시에 기록물질단위로 정한다. 다만, 특별히 보존할 필요가 있다고 인정되는 기록물에는 기록관장이 보존기간을 직접 정할 수 있다.

③ 보존기간의 기산일은 해당 기록물의 처리가 완결된 날이 속하는 다음 연도의 1월 1일로 한다. 다만, 여러 해에 걸쳐서 진행되는 경우에는 해당 과제가 종결된 날이 속하는 다음 연도의 1월 1일부터 보존기간을 기산한다.

제17조(기록의 평가 및 폐기) ① 기록관에서의 기록물의 평가 및 폐기는 「공공기록물법」 제27조 제1항, 동법 시행령 제43조, 동법 시행규칙 제35조의 규정에 따라 시행하되, 기록물평가심의회의 구성 및 운영에 관하여는 본 운영규정 제4장 「기록물평가심의회」로 정한다.

② 처리부서에서는 모든 문서를 일체 폐기할 수 없으며, 폐기 대상 문서는 기록관으로 이관하여 폐기하여야 한다.

③ 처리부서의 장은 보존기간이 경과한 기록물에 대하여 별지 제4호 서식의 기록물평가심의서를 작성하고 담당자의 의견을 기재하여 기록물관리부서의 장에게 제출하여야 하며, 전문요원은 자체 심사 후 기록물평가심의회의 심의를 거쳐 보존기간 재책정, 폐기 또는 보류로 구분하여야 한다.

④ 폐기보류로 구분된 기록물은 5년마다 보존가치를 재평가하여야 한다.

[별표 2] 기록물의 보존기간별 책정 기준(제16조 관련)

보존기간	대상기록물
영구	1. 공사의 핵심적인 업무수행을 증명하거나 설명하는 기록물 중 영구 보존이 필요한 기록물 2. 공사 및 소속 임직원, 퇴직자 등의 지위, 신분, 재산, 권리, 의무를 증명하는 기록물 중 영구보존이 필요한 기록물 3. 공사의 역사경험을 증명할 수 있는 기록물 중 영구보존이 필요한 기록물 4. 공사의 수행 업무 중 국민의 건강증진, 환경보호 등과 관련한 기록물 중 영구보존이 필요한 기록물 5. 공사에 중대한 영향을 미치는 주요한 정책, 제도의 결정이나 변경과 관련된 기록물 중 영구보존이 필요한 기록물 6. 인문·사회·자연 과학의 중요한 연구성과와 문화예술분야의 성과물로 국민이나 기관 및 단체, 조직에 중대한 영향을 미치는 사항 중 영구보존이 필요한 기록물

영구	7. 공사의 조직구조 및 기능의 변화, 권한 및 책무의 변화, 사장 등 주요 직위자의 임면 등과 관련된 기록물 중 영구보존이 필요한 기록물 8. 일정 규모 이상의 국토의 형질이나 자연환경에 영향을 미치는 사업·공사 등과 관련된 기록물 중 영구보존이 필요한 기록물 9. 조사·연구서 또는 검토서 중 영구보존이 필요한 기록물 10. 회의록 중 영구보존이 필요한 기록물 11. 시청각기록물 중 영구보존이 필요한 기록물 12. 공사의 연도별 업무계획과 이에 대한 추진과정, 결과 및 심사분석 관련 기록물, 외부기관의 공사에 대한 평가에 관한 기록물 13. 공사 및 주요 직위자의 지시사항과 관련된 기록물 중 영구보존이 필요한 기록물 14. 정책자료집, 백서, 그 밖에 공사의 연혁과 변천사를 규명하는 데 유용한 중요 기록물 15. 공사 사장, 주요 직위자 관련 기록물 및 외국의 공사 관련 기록물 16. 공사 사장 및 주요직위자의 공식적인 연설문, 기고문, 인터뷰 자료 및 공사의 공식적인 브리핑 자료 17. 공사 소관 업무분야의 통계·결산·전망 등 대외 발표 혹은 대외 보고를 위하여 작성한 기록물 18. 사장이 정하는 사항에 관한 기록물 19. 다른 법령, 내규에 따라 영구 보존하도록 규정된 기록물
준영구	1. 공사 및 소속 임직원, 퇴직자의 신분, 재산, 권리, 의무를 증빙하는 기록물 중 관리대상 자체가 사망, 폐지, 그 밖의 사유로 소멸되기 때문에 영구보존할 필요성이 없는 기록물 2. 비치기록물로서 30년 이상 장기보존이 필요하나, 일정기간이 경과하면 관리대상 자체가 사망, 폐지, 그 밖의 사유로 소멸되기 때문에 영구보존의 필요성이 없는 기록물 3. 관계 법령에 따라 30년 이상의 기간 동안 민·형사상 책임 또는 시효가 지속되거나, 증명자료로서의 가치가 지속되는 사항에 관한 기록물
30년	1. 영구·준영구적으로 보존할 필요는 없으나 공사의 설치목적을 구현하기 위한 주요업무와 관련된 기록물 2. 공사의 사장, 본부장 등의 결재를 필요로 하는 일반적인 사항에 관한 기록물 3. 관계 법령에 따라 10년 이상 30년 미만의 기간 동안 민·형사상 또는 행정상의 책임 또는 시효가 지속되거나, 증명자료로서의 가치가 지속되는 사항에 관한 기록물 4. 다른 법령에 따라 10년 이상 30년 미만의 기간 동안 보존하도록 규정한 기록물 5. 그 밖에 10년 이상의 기간 동안 보존할 필요가 있다고 인정되는 기록물

www.gosinet.co.kr gosinet

1회 기출예상문제

2회 기출예상문제

3회 기출예상문제

4회 기출예상문제

5회 기출예상문제

6회 기출예상문제

29. 위 규정을 바르게 이해한 것은?

① 모든 기록물의 보존기간은 기록관장이 결정하되, 필요 시 처리부서장에게 의견을 구한다.

② 담당 부서장이 필요없다고 판단하는 문서는 문서분쇄기 등을 활용하여 파쇄하여 정리한다.

③ 폐기보류로 구분된 기록물은 5년이 지날 때마다 그 보존가치를 다시금 평가해야 한다.

④ 보존기간이 경과된 문서는 기록물관리부서의 장이 기록물평가심의서를 작성해야 한다.

⑤ 상반기에 완료된 사업 관련 문서는 정리하여 7월부터 보존기간을 책정하고 기록물 관리 부서로 이관한다.

30. 위 규정을 참고할 때, 기록물에 따른 보존기간을 바르게 연결한 것은?

① 전임 사장의 퇴임사-준영구

② 담당 본부장의 결재 서류-준영구

③ 외부기관의 공사에 대한 평가-30년

④ 공사의 조직구조 및 기능의 변화에 관한 기록물-영구

⑤ 공사의 정책자료집 및 백서-30년

31. 회사의 신규 프로젝트 책임을 맡게 된 김 이사는 새로운 팀을 구성하여 팀원들과 함께 회의를 진행하였다. 다음 중 회의에서 적절하지 않은 발언을 한 팀원은?

① A 과장 : B 대리는 운전면허가 없으니, 타 지역에 있는 협력업체 현장점검은 제가 하겠습니다.

② B 대리 : A 과장님께서 현장점검을 맡아 주신다고 하니 감사합니다. 그러면 저는 점검 결과를 책임지고 문서로 정리하겠습니다.

③ C 차장 : 프로젝트 일정이 촉박하고 이해관계가 복잡해 보입니다. 납기 내에 일을 마치려면 힘들더라도 서로 도와서 잘해 봅시다.

④ D 차장 : 저는 매주 목요일 일과 후에 개인 일정이 있어서 목요일 주간 업무 회의 참석이 어렵습니다. 대신 제 업무 내용은 정리해서 이사님께 메일로 보고하겠습니다.

⑤ E 차장 : 프로젝트를 위해 각자 맡은 일을 진행하면서 의사소통을 잘 해야 할 것 같습니다. 성공적으로 일을 마치려면 정보 공유가 중요하겠네요.

32. A 기업의 외부 시장환경을 분석하였을 때, 〈보기〉와 같은 특징을 도출할 수 있었다. 향후 자사의 제품을 서비스하기 위해 갖춰야 할 본원적 경쟁전략으로 적절한 것은?

> **보기**
>
> • 자사 제품이 판매될 시장 내에선 이미 기존 제품 간 경쟁이 치열하다.
> • 제품의 수요보다 공급되는 서비스와 제품이 더 많기 때문에 기존 수요를 적극적으로 활용할 것이 요구된다.
> • 일부 제품은 기술 등에서 차별화를 시도하였으나 기존 판매 제품에 비해 수익성이 현저하게 떨어져 결국 시장에서 사라졌다.
> • 자사의 경우 특정 소비자 집단과 지역을 바탕으로 제품을 서비스하기 위해서는 소비자 조사를 선행적으로 시행해야 하는 물리적 어려움이 존재한다.

① 경쟁 서비스 업체보다 뛰어난 제품 디자인을 통해 경쟁우위를 확보해야 한다.

② 시장세분화를 통해 특정 소비자의 욕구를 발굴하여 그 욕구에 맞춰 제품을 판매해야 한다.

③ 제조과정의 원가절감을 통해 다른 업체보다 저렴한 가격으로 경쟁우위를 확보해야 한다.

④ 고객의 소득 수준 등을 분석하여 소득 수준이 높은 고객을 대상으로 경쟁우위를 확보해야 한다.

⑤ 브랜드의 인지도 향상이 필요하므로 차별화된 이미지를 발굴하여 광고 등을 통해 경쟁우위를 확보해야 한다.

www.gosinet.co.kr **gosi**net

1회 기출예상문제

2회 기출예상문제

3회 기출예상문제

4회 기출예상문제

5회 기출예상문제

6회 기출예상문제

33. 다음 표는 민츠버그의 경영자 역할을 회사의 경영 상황에 맞게 작성한 내용이다. A ~ C에 들어갈 내용을 바르게 나열한 것은?

A	B	C
• 회사를 대표해서 공식적 역할을 수행한다. • 종업원에게 동기를 부여하며, 갈등을 조정한다. • 종업원을 채용하고 교육한다.	• 기업 내·외부 정보를 수집한다. • 투자를 유치하고 홍보한다. • 내부의 객관적 강점을 외부에 알린다.	• 조직 내 혁신적 문화를 구축한다. • 외부의 환경변화에 대응한다. • 외부 협상에서 자사의 유리한 결과를 위해 노력한다.

	A	B	C
①	대인관계역할	정보전달역할	의사결정역할
②	의사결정역할	정보전달역할	대인관계역할
③	정보전달역할	대인관계역할	의사결정역할
④	정보전달역할	의사결정역할	대인관계역할
⑤	대인관계역할	의사결정역할	정보전달역할

34. 다음은 '도요타의 성공사례'에 대한 내용이다. 다음 중 (가)에 들어갈 조직설계의 핵심요소로 가장 적합한 것은?

> 도요타는 수만 개의 사내 규정, 명확한 업무구성표, 체계적인 문서관리로 인해 세계적인 기업이 될 수 있었다. 다음 그림은 도요타의 문서화된 업무 절차이다.
>
>
>
> 1918년 '문서취급규정'이 마련된 이래 매년 개정을 거쳐 현재는 수만 개의 규정이 존재한다. 도요타의 관리자는 600쪽 이상의 문서를 읽지 않으면 업무가 불가능하다고 한다. 이를 통해 사무관리의 효율화, 데이터 관리의 표준화 등의 효과를 거두고 있다.
> 이러한 (가)가 있었기 때문에 도요타는 바람직한 경영사상의 연속성을 확보하고, 끊임없는 개선(카이젠)을 통해 세계적 자동차 제조업체가 될 수 있었던 것이다.

① 공식화   ② 집권화   ③ 부서화

④ 분권화   ⑤ 모듈화

35. 다음은 조직 관리에 대한 글이다. 밑줄 친 내용에 대응하는 현대의 법률로 가장 적절한 것은?

> 고대 바빌론의 제6대 왕 함무라비가 B.C. 1700년경에 제정해서 돌에 새겨 놓은 함무라비 법전은 1901년 페르시아의 옛 수도에서 발견되어 현재 프랑스 루브르 박물관에 원형 그대로 보존되어 있다. 높이 2.25m의 돌기둥에 쐐기문자로 새겨진 282항의 법조문 중에는 ㉠노동 생산성이 낮은 부녀자들에게도 최소한 8구르의 곡물을 하루 일당으로 지급하라는 내용이 명시되어 있고, ㉡집을 건축하다가 노동자가 사고로 죽으면 건축주에게 책임이 있는 만큼 그 주인도 죽여야 한다는 강력한 내용도 명시하고 있다.

	㉠	㉡
①	고용보험법	노사협의회법
②	최저임금법	산업재해보상보험법
③	근로기준법	노동조합 및 노동관계조정법
④	노동조합 및 노동관계조정법	국민건강보험법
⑤	산업안전보건법	건설산업기본법

36. 다음은 경영 전략에 관한 강연내용이다. 두 회사의 전략이 실패한 가장 큰 이유는?

> 한때 패스트푸드 업체 1위인 맥도날드는 버거킹과 치열한 경쟁을 벌였습니다. 버거킹이 99센트짜리 세트를 내놓으면 맥도날드는 1달러짜리 세트를 내놓아서 경쟁하는 식이었습니다. 또 맥도날드가 '고객의 주문에 언제나 대비하고 있다'고 광고를 하면 버거킹은 '어떤 주문도 즉시 소화할 수 있다'는 콘셉트로 광고를 했습니다.
>
> 그 후 웰빙에 대한 관심이 높아지면서 사람들이 패스트푸드를 멀리하기 시작했지만 맥도날드와 버거킹은 서로를 누른다는 생각으로 햄버거에만 집중하였고 이로 인해 두 회사는 갈수록 매출이 떨어졌습니다. 결국 맥도날드의 매장은 2011년 웰빙 샌드위치 전문점인 서브웨이에 밀렸고 버거킹은 웰빙 버거를 앞세운 웬디스에게 2위 자리를 내주었습니다.

① 두 기업이 비윤리적인 방법으로 담합을 했기 때문이다.

② 규모를 늘리는 데 치중하여 무리하게 사업을 확장했기 때문이다.

③ 전략적 성패는 고객만족에 있음을 간과했기 때문이다.

④ 단기 전략보다 장기 전략을 더 중시했기 때문이다.

⑤ 기업 간 네거티브 광고 경쟁이 과열되면서 부정적 이미지가 발생했기 때문이다.

37. 다음 지문을 통해 알 수 있는 이케아의 두 가지 성공 경영 전략은?

스웨덴의 가구 제조 기업 이케아(IKEA)가 세계적인 기업으로 성장할 수 있었던 이유는 그들이 경영을 하면서 고수했던 몇 가지 전략에서 찾아볼 수 있다.

이케아는 먼저 '가격 전략'을 고수했다. 이케아의 창립자 잉바르 캄프라드(Ingvar Kamprad)는 낮은 가격을 유지하기 위해 어떤 노력도 두려워해서는 안 된다고 말했을 정도로 경쟁자들과의 확실한 가격 격차를 강조했다. 이를 위해 새로운 제품을 만들기 전에 먼저 가격표를 디자인 하는 것이 이케아의 방침이다. 일반적으로 가구는 부피가 커서 운송에 많은 인력이 필요하지만 작게 포장을 하게 되면 지게차 한 대로도 많은 운반이 가능하게 된다. 따라서 이케아는 낮은 가격을 유지하기 위해 가구를 가능한 작고 납작하게 포장한다. 이러한 포장은 공간을 작게 차지하기 때문에 운송비와 노동비를 줄일 수 있었다.

다음으로 '육각렌치 전략'이다. 육각렌치는 이케아의 가구를 조립할 때 가장 기본이 되는 공구다. 이케아는 스스로를 서비스 업체라고 생각하지 않기 때문에 가구 판매에서 발생하는 작업량의 80%를 고객 부담으로 돌린다. 즉, 가구를 집까지 운송해 주고 집 안에 옮겨와 설치까지 해주는 여느 가구업체들과는 달리 고객이 가구를 구매하면 집에서 직접 조립하게 하는 방식을 취한다. 고객은 좀 불편할지 모르겠지만, 이전에는 느껴보지 못했던 성취감과 가구에 대한 애정을 자신의 가구를 조립하는 과정 속에서 느끼게 된다.

마지막은 '카탈로그 전략'이다. 매년 출간되는 카탈로그에 연간 마케팅 예산의 3분의 2를 사용할 정도로 카탈로그는 이케아가 마케팅에서 가장 공을 들이는 분야이다. 약 300쪽에 달하는 카탈로그는 만여 개에 달하는 제품을 수록하고 있으며 세계 각국의 언어로 번역되어 고객에게 무료로 배포된다. 소비자들은 카탈로그에서 제품을 미리 찾아보고 쇼핑리스트를 작성할 수 있다.

① 원가우위 전략과 차별화 전략
② 원가우위 전략과 집중화 전략
③ 차별화 전략과 다각화 전략
④ 집중화 전략과 모방 전략
⑤ 차별화 전략과 집중화 전략

38. 마트를 운영하는 A는 마이클 포터의 원가우위 전략을 사용하려 한다. ㄱ ~ ㄹ 중 원가우위 전략이 효과를 거둘 수 없는 상황을 모두 고른 것은?

> ㄱ. 마트의 선택 기준 중 브랜드를 가장 중요한 요소로 고려한다.
> ㄴ. 동일 제품인 경우 소비자들은 가격을 제일 먼저 고려한다.
> ㄷ. 전환비용이 낮아서 구매자들이 가장 낮은 가격을 찾는다.
> ㄹ. 인근에서 큰 식당 등을 운영하는 대규모 구매자들이 가격에 대한 강한 협상력을 가지고 있다.

① ㄱ   ② ㄱ, ㄴ   ③ ㄱ, ㄴ, ㄷ
④ ㄴ, ㄷ, ㄹ   ⑤ ㄱ, ㄴ, ㄷ, ㄹ

39. 다음 조직구조의 특징에 대해 잘못 설명한 것은?

① 직계 조직과 참모 조직의 단점을 보완하고 장점을 살릴 수 있는 조직구조이다.
② 명령일원화 원칙에 위배되는 특징을 가진다.
③ 종업원은 한 명의 감독자를 가지고, 상급관리자는 기능적인 여러 명의 하급관리자를 가진다.
④ 기업 규모가 클 때 효과적인 조직구조이다.
⑤ 직계 조직의 폭탄을 방지하는 참모 조직에 의해 의사 결정의 합리성이 확보된다.

1회 기출예상문제

2회 기출예상문제

3회 기출예상문제

4회 기출예상문제

5회 기출예상문제

6회 기출예상문제

40. 다음은 조직문화와 관련된 기사내용 중 일부이다. 기사의 제목으로 적절한 것은?

> 고객만족도 조사에서 디즈니는 '매우 만족'한 고객에게만 관심을 갖는다. 그들에게 중요한 것은 '매우 만족'한 고객이 많아지는 것이다. 고객을 단순히 '만족'시키는 수준으로는 충성도와 입소문의 효과를 얻을 수 없다는 사실을 그들은 잘 알고 있다. 디즈니는 고객이 특별한 기억과 즐거운 경험으로 '매우 만족'을 선택하고 충성고객이 될 수 있도록 노력한다. 그리고 그 핵심은 고객의 '경험'을 최우선 가치로 여기는 것이며 만약 디즈니가 병원을 경영한다 해도 이 원칙은 변함없이 지켜질 것이다.
>
> 한편 대부분의 병원은 환자에 대한 서비스보다 임상 결과와 업무 프로세스 개선에 초점을 맞춘다. 그러나 실제 환자 만족도와 충성도에 가장 밀접한 상관관계를 갖는 요소는 '환자의 인식과 경험'들이다. 예를 들면 환자에게 보이는 관심, 의료진들의 팀워크, 치료 과정에 대한 상세하고 친절한 설명, 불편 사항에 대한 신속하고 적절한 대처 등이다. '환자들은 질병이 치료된 방식이 아니라 한 인간으로서 자신이 돌보아진 방식을 가지고 자신의 경험을 판단한다'는 통찰은 깊은 울림을 전해 준다.

① 세계에서 가장 위대한 기업들은 대부분 큰 목적을 가지고 있다.

② 승리에 대한 강한 열망을 가지고 잃을 것에 대한 두려움을 제거하라.

③ 당신이 현재 하고 있는 일을 즐겨라.

④ 사람에 대한 배려는 믿기 힘들 정도로 중요하다.

⑤ 소수의 열정적인 집단이 만드는 트렌드에 집중하자.

41. 연산 ◆를 다음과 같이 정의할 때, [{(1◆7)◆8}◆9]×2+5를 계산하면?

$$a ◆ b = (a \text{를 } b \text{로 나눈 나머지})$$

① 5　　　　　　　② 6　　　　　　　③ 7
④ 8　　　　　　　⑤ 9

42. ○○공사 이 대리는 사무실에서 사용할 볼펜 31개를 구매하기 위해 판매처를 알아보았다. 판매처별 가격 정보가 다음과 같을 때, 이 대리가 볼펜 구매에 지불할 최소 금액은 얼마인가?

구분	볼펜 개당 가격	택배비
판매처 A	1,560원	4,300원
판매처 B	1,550원	4,500원
판매처 C	1,540원	5,000원

① 52,480원　　　　② 52,550원　　　　③ 52,660원
④ 52,740원　　　　⑤ 52,810원

43. 다음은 20XX년 월별 · 도시별 미세먼지(PM2.5) 대기오염도에 관한 자료이다. 이에 대한 설명으로 옳은 것은?

〈미세먼지(PM2.5) 대기오염도〉

(단위 : $\mu g/m^3$)

구분	1월	2월	3월	4월	5월
서울	29	28	25	21	19
인천	27	23	21	16	15
부산	21	22	16	17	17
대구	26	26	20	18	20
광주	27	21	18	17	18

① 조사기간 동안 미세먼지(PM2.5) 대기오염도는 항상 부산이 가장 낮았다.

② 조사기간 동안 미세먼지(PM2.5) 대기오염도는 항상 서울이 가장 높았다.

③ 조사기간 중 미세먼지(PM2.5) 대기오염도는 평균적으로 1월에 가장 높았다.

④ 조사기간 동안 5개 지역의 미세먼지(PM2.5) 대기오염도는 지속적으로 감소했다.

⑤ 조사기간 중 가장 낮은 미세먼지(PM2.5) 대기오염도를 기록한 지역은 광주다.

44. 시침과 분침으로 이루어진 아날로그 시계가 있다. 12시 정각에 시침과 분침이 일치한 것을 확인한 후 일정 시간이 지나고 다시 확인해보니 시침과 분침이 231°를 이루고 있었다면, 그때의 시각은?

① 12시 39분　　　　　② 12시 42분　　　　　③ 12시 45분

④ 12시 48분　　　　　⑤ 12시 51분

45. 다음은 엔진 종류별 행정 체적과 연소실 체적에 관한 자료이다. 압축비가 가장 큰 엔진과 가장 작은 엔진을 순서대로 바르게 나열한 것은? (단, 소수점 아래 둘째 자리에서 반올림한다)

〈엔진 체적(cm³)〉

공식

$$압축비 = \frac{행정\ 체적 + 연소실\ 체적}{연소실\ 체적}$$

① V형 8기통, 직렬 6기통   ② V형 8기통, V형 6기통

③ V형 8기통, 수평대향 6기통   ④ 직렬 4기통, V형 6기통

⑤ 직렬 4기통, 수평대향 6기통

46. 다음은 20XX년 5월 전체 영화 박스오피스 상위 10위에 관한 자료이다. 이에 대한 설명으로 적절하지 않은 것은? (단, 12 · 15세 등급 영화는 만 12 · 15세부터 관람할 수 있다)

집계기간 : 20XX년 5월 1일~31일						
순위	영화제목	배급사	개봉일	등급	스크린수(관)	관객 수(명)
1	신세계	C사	4. 23.	15세	1,977	4,808,821
2	위대한 쇼맨	L사	4. 9.	12세	1,203	2,684,545
3	날씨의 아이	M사	4. 9.	15세	1,041	1,890,041
4	킬러의 보디가드	A사	5. 13.	전체	1,453	1,747,568
5	패왕별희	B사	5. 1.	12세	1,265	1,545,428
6	비커밍제인	C사	5. 1.	12세	936	697,964
7	오퍼나지	C사	5. 1.	15세	1,081	491,532
8	동감	A사	5. 17.	15세	837	464,015
9	이별의 아침에	W사	5. 10.	전체	763	408,088
10	언더워터	L사	4. 1.	12세	1,016	393,524

① 20XX년 5월 박스오피스 상위 10개 중 C사가 배급한 영화가 가장 많다.

② 20XX년 5월 박스오피스 상위 10개 중 20XX년 5월 6일에 갑(만 12세)과 을(만 13세)이 함께 볼 수 있었던 영화는 총 4편이다.

③ 20XX년 5월 '신세계'의 관객 수는 '언더워터'의 관객 수보다 10배 이상 많다.

④ 스크린당 관객 수는 '오퍼나지'가 '동감'보다 많다.

⑤ 4월 개봉작의 총 관객 수가 5월 개봉작의 총 관객 수보다 많다.

47. 다음은 20X9년 유럽 주요 국가의 보건부문 통계 자료이다. 이에 대한 설명으로 옳은 것을 〈보기〉에서 모두 고르면?

구분	기대수명(세)	조사망률(명)	인구 만 명당 의사 수(명)
독일	81.7	11.0	38.0
영국	79.3	10.0	27.0
이탈리아	81.3	10.0	37.0
프랑스	81.0	9.0	36.0
그리스	78.2	12.0	25.0

※ 조사망률 : 인구 천 명당 사망자 수

보기

ㄱ. 유럽에서 기대수명이 가장 낮은 국가는 그리스이다.

ㄴ. 인구 만 명당 의사 수가 많을수록 조사망률은 낮다.

ㄷ. 20X9년 프랑스의 인구가 6,500만 명이라면 사망자는 약 585,000명이다.

① ㄱ   ② ㄷ   ③ ㄱ, ㄴ
④ ㄴ, ㄷ   ⑤ ㄱ, ㄷ

こ

48. ○○회사는 지난 체육대회에서 변형된 점수 부여 방식으로 야구 경기를 진행하였다. 다음 자료를 참고할 때 안타를 더 많이 친 팀(A)과 그 팀의 홈런 개수(B)는?

〈변형된 점수 부여 방식〉
- 3아웃으로 공수가 교대되며, 5회까지 경기를 한다(단, 루상에서의 아웃은 없다고 가정한다).
- 1번 타자부터 9번 타자까지 있고 교체 인원은 없으며, 1 ~ 9번이 타석에 한 번씩 선 후 1번부터 다시 타석에 선다.
- 홈런의 경우 점수 5점을, 안타(홈런을 제외한 단타, 2루타, 3루타)의 경우 2점을, 아웃의 경우 −1점을 부여한다.

구분	1회	2회	3회	4회	5회
청팀	5점	7점	5점	4점	2점
홍팀	3점	6점	8점	7점	4점

구분	청팀		홍팀	
	이름	타수	이름	타수
1번	조**	4	이**	4
2번	정**	4	장**	4
3번	양**	4	김**	3
4번	이**	4	장**	3
5번	박**	3	정**	3
6번	한**	3	윤**	3
7번	안**	3	전**	3
8번	변**	3	김**	3
9번	안**	3	이**	3

	A	B		A	B
①	청팀	2개	②	청팀	5개
③	홍팀	2개	④	홍팀	5개
⑤	홍팀	7개			

49. 다음은 20XX년의 남성의 육아휴직에 관한 자료이다. 이에 대한 설명으로 틀린 것은?

〈육아휴직 사용자 중 남성의 비중〉

(단위 : %)

국가	남성의 비중	국가	남성의 비중
아이슬란드	45.6	캐나다	13.6
스웨덴	45.0	이탈리아	11.8
노르웨이	40.8	한국	4.5
포르투갈	43.3	오스트리아	4.3
독일	24.9	프랑스	3.5
덴마크	24.1	일본	2.3
핀란드	18.7	벨기에	25.7

〈아빠전속 육아휴직 기간과 소득대체율〉

※ 아빠전속 육아휴직 기간 : 육아휴직기간 중 할당 또는 그밖의 방법으로 아빠에게 주어지며 엄마에게 양도하거나 공유할 수 없는 기간을 말함.

① 육아휴직 사용자 중 남성의 비중이 가장 큰 국가와 가장 작은 국가의 차이는 43.3%p이다.

② 육아휴직 사용자 중 남성의 비중이 높다고 해서 아빠전속 육아휴직 기간이 긴 것은 아니다.

③ 아빠전속 육아휴직 기간이 길수록 소득대체율이 높다.

④ 아빠전속 육아휴직 기간은 일본이 포르투갈보다 3배 이상 길다.

⑤ 아빠전속 육아휴직 기간이 가장 긴 국가와 가장 짧은 국가의 차이는 46주이다.

50. ○○기업에 근무하는 김 차장이 다음 통계를 근거로 장기 기업 경영 계획에 대한 보고서를 작성할 때, 통계 자료와 관련하여 보고서에 작성할 수 있는 내용으로 적절하지 않은 것은?

① 3인 가구의 가구 구성비는 다른 유형에 비해 줄어드는 폭이 완만한 편이다.

② 출산율이 낮아지고 고령화가 급속도로 진행되면서 1인 가구는 빠르게 증가할 것이다.

③ 2017년에 이미 1인 가구의 가구 수는 부부와 자녀로 이루어진 가구 수를 넘어섰다.

④ 자식을 낳지 않는 맞벌이 부부들이 증가할 것이다.

⑤ 장기적으로는 1 ~ 2인으로 구성된 소형 가구 중심의 경영 전략을 설정할 것이 요구된다.

1회 기출예상문제
2회 기출예상문제
3회 기출예상문제
4회 기출예상문제
5회 기출예상문제
6회 기출예상문제

고시넷 NCS **사람인형** 기출예상모의고사

유형분석 >>>

- 컴퓨터 용어 이해하기 **17%**
- 문의에 답변하기 **6%**
- 세부 내용 이해하기 **22%**
- 산업재해 예방하기 **11%**
- 조직의 유형 이해하기 **11%**
- 자료의 수치 분석하기 **22%**
- 최단 경로 계산하기 **11%**

분석 >>> 사람인형 의사소통능력에서는 질문에 대해 적절하게 답변을 할 수 있는지를 확인하는 문제, 제시된 글을 읽고 세부적인 내용을 이해하고 있는지 확인하는 문제, 단어의 유의어를 찾아내는 문제 등이 출제되었다. 수리능력에서는 적절한 공식을 적용해 계산하는 문제, 적절한 경우의 수를 도출하는 문제, 도표를 분석하는 문제 등이 출제되었다. 자원관리능력에서는 시간을 적절하게 사용하는 방법에 대해 묻는 문제, 인적자원에 대한 관리 방법을 묻는 문제, 초과근무에 대한 수당을 계산하는 문제 등이 출제되었다. 조직이해능력에서는 조직구조의 특징을 이해하고 있는지 문제, 조직의 유형에 대해 파악하는 문제 등이 출제되었다. 기술능력에서는 적정기술과 거대기술에 대해 파악하는 문제, 산업재산권의 종류를 이해하고 있는지 묻는 문제 등이 출제되었다. 정보능력에서는 IoT에 대해 이해하고 있는지 묻는 문제, 전자금융사기 예방에 대해 파악하는 문제 등이 출제되었다.

사람인형

2회 기출예상모의고사

영역	총 문항 수
의사소통능력	
수리능력	
자원관리능력	50문항
조직이해능력	
기술능력	
정보능력	

• 수험번호 | _____

• 성   명 | _____

NCS란? 산업 현장에서 직무를 수행하기 위해 요구되는 각종 지식, 기술, 태도 등의 내용을 국가가 체계화한 것을 의미한다.

2회 기출예상문제

01. 다음 설문 결과를 참고하여 자기소개서를 작성할 때 고려할 사항으로 적절하지 않은 것은?

나쁜 인상을 주는 자기소개서
※ 인사 담당자 794명 설문 결과(중복 응답)

51.5%	1위	요점 없이 중언부언하는 자기소개서
37.9%	2위	맞춤법이 틀린 자기소개서
34.9%	3위	다른 것을 옮겨 쓴 듯한 자기소개서
31.7%	4위	회사에 대한 이해가 부족한 자기소개서
26.8%	5위	회사명이 틀린 자기소개서
26.6%	6위	개성 없이 진부한 자기소개서
14.9%	7위	이력서와 어긋나는 자기소개서

① 자기소개서 내 회사명이 정확히 기재되어 있는지 확인하기
② 지원한 회사에 관한 다양한 정보 수집하고 분석하기
③ 지원한 회사에 입사한 선배의 자기소개서 모방하기
④ 이력서에 있는 사실들을 바탕으로 자신을 어필하는 내용 쓰기
⑤ 맞춤법이 어긋난 표현이 있는지 확인하기

www.gosinet.co.kr

1회 기출예상문제

2회 기출예상문제

3회 기출예상문제

4회 기출예상문제

5회 기출예상문제

6회 기출예상문제

02. 다음은 A 도서관에서 운영하는 직장인 독서동아리 강의 계획서의 일부이다. 강의 계획서를 보고 알 수 없는 것은?

강좌명	직장인 독서동아리 '○○○ 작가의 독서와 글쓰기'		
일정	202X. 6. 20. ~ 9. 12. (10회) 18:00 ~ 20:00	장소	A 도서관 3층
교육 내용	독서와 글쓰기가 어렵게 느껴지는 직장인들이 쉽고 간단하게 독서와 글쓰기를 생활화하는 방법을 현직 작가와 함께 실습을 통해 알아봅니다. 어렵게만 느껴졌던 독서와 글쓰기를 생활 속에서 실천할 수 있는 기회를 제공합니다.		
강사 소개	• 15년차 방송작가, 콘텐츠 디렉터 • B 학교, C 기업 글쓰기 강의(201X ~ 202X년) • 저서 : 『하루 10분 메모, 글쓰기의 시작』, 『어쩌면 쉽게 쓰게 될지도…』		
비고	• 준비물 : 필기도구, 강의 회차별 선정도서 • 모집 인원 : 25명		

① 독서동아리 강의의 주요 내용

② 강사의 경력 및 주요 저서

③ 직장인 독서동아리 모집 인원

④ 독서동아리 운영 시간과 장소

⑤ 강의 회차별 선정 도서 목록

03. 면접에서의 예상 질문에 대한 답변 계획으로 적절한 것은?

① 평소에 자주 즐겨 찾는 인터넷 사이트를 소개해 주세요.

　→ 시간을 얼마나 계획적이고, 효율적으로 사용하는지 파악하려는 것이니 인터넷을 사용하지 않는다고 해야지.

② 후배에게 추천하고 싶은 책이 있다면 무엇인가요?

　→ 사회적 활동 범위를 알고자 하는 것이니 다양한 동아리 활동에서 만난 후배들을 소개해야지.

③ 회사 조직에서 자신이 어떤 역할을 할 수 있을지 설명해 보세요.

　→ 나이 장점이 어떤 업무에 도움이 될 수 있는지 설명하며 조직원으로서 업무를 수행할 준비가 되어 있다는 것을 표현해야지.

④ 어떤 목표를 세우고 그 목표를 달성하기 위해 노력한 경험을 말해 주세요.

　→ 도전적인 사람인 것을 드러내기 위해 다양한 분야에 관심을 가지고 도전했지만 작심삼일로 끝난 경험들을 나열해야지.

⑤ 주변에서 개선이 필요한 것을 발견하고 개선한 사례를 말해 주세요.

　→ 주변에 개선할 것을 찾는다는 것은 불평불만이 많거나 예민한 사람이라는 인상을 줄 수 있으므로 없다고 해야지.

[04 ~ 05] 다음은 어린이용 해열제에 대한 글이다. 이어지는 질문에 답하시오.

어린이용 약은 어른들이 먹는 제형과 다른 데다 아이들에게 사용해선 안 되는 성분이 따로 있기 때문에 반드시 어른용과 구분해서 사용해야 한다. 또한, 연령별, 체중별로 사용 방법에 맞게 투여해야 안전하고 효과적이다.

아이는 해열제 복용 시 교차복용을 하는 경우가 많다. 일반의약품의 해열제는 크게 아세트아미노펜 성분의 해열진통제와 이부프로펜 또는 덱시부프로펜 성분의 비스테로이드성 소염진통제 두 가지로 나뉜다. 시럽 형태를 가장 많이 사용하고, 츄어블정(알약)과 좌약 형태가 있는데, 아이가 약을 먹고 토하거나 다른 이유로 먹이지 못할 경우 해열 좌약을 사용할 수 있다.

아이마다 먹는 용량이 정해져 있기 때문에 약 복용 시 용법·용량에 더욱 주의해야 한다. 해열제를 보관할 때는 복약지시서나 케이스를 함께 보관하고, 복용 전 성분명을 반드시 확인해 중복 복용하지 않도록 해야 한다. 복용 시간도 매우 중요하다. 보통 아세트아미노펜과 덱시부프로펜은 4 ~ 6시간 간격, 이부프로펜은 6 ~ 8시간 간격으로 복용하는 것이 일반적이며, 교차 복용을 하더라도 투여 간격은 최소 2 ~ 3시간을 유지하는 것이 좋다. 그리고 교차 복용 시에도 각 성분의 일일 섭취량을 꼭 지켜야 한다.

마지막으로 아이가 열이 난다는 것은 감염성 질환의 증후일 수 있으니 통증이 5일 이상, 발열이 3일 이상 지속되어 해열진통제를 복용하게 될 경우 반드시 소아과를 방문해야 한다.

04. 윗글을 참고할 때 아이의 해열제 보관 및 복용 시 주의사항으로 옳지 않은 것은?

① 약의 복약지시서나 케이스는 버리지 않고 약과 같이 보관한다.

② 발열로 3일 이상 해열진통제를 복용하는 경우 반드시 소아과 진료가 필요하다.

③ 아이가 약을 먹고 토할 경우 시럽 형태보다 좌약을 사용하는 것이 좋다.

④ 해열진통제와 소염진통제의 교차 복용 시 투여 간격은 최소 2 ~ 3시간을 유지한다.

⑤ 이부프로펜과 덱시부프로펜은 비스테로이드성 소염진통제로 4 ~ 6시간 간격을 두고 복용한다.

05. 윗글에 해열제를 언제 먹여야 하는지에 대한 내용을 추가하고자 한다. 다음 ㉠ ~ ㉢을 순서대로 바르게 나열한 것은?

> ㉠ 통상적인 체온의 정상 범위는 36.0 ~ 37.7℃ 사이이다.
>
> ㉡ 아이가 힘이 없고 구토를 한다면 지체 없이 해열제를 복용해야 한다.
>
> ㉢ 하지만 감염이 많이 되었거나 염증이 심하게 났을 경우 고열이 지속되기도 한다.
>
> ㉣ 38℃ 이상인 경우 열이 난다고 보지만 38℃를 넘었다고 해서 바로 해열제를 먹여야 한다고 말할 수는 없다.
>
> ㉤ 열이 난다는 것은 우리 몸의 면역체계에 감염이 발생했을 때 세균이나 바이러스와 맞서 싸우기 위해 열을 내는 과정이기 때문이다.

① ㉠－㉡－㉤－㉢－㉣   ② ㉠－㉣－㉤－㉢－㉡   ③ ㉠－㉤－㉣－㉢－㉡

④ ㉡－㉢－㉤－㉣－㉠   ⑤ ㉣－㉤－㉢－㉡－㉠

1회 기출예상문제
2회 기출예상문제
3회 기출예상문제
4회 기출예상문제
5회 기출예상문제
6회 기출예상문제

[06 ~ 07] 다음은 우리나라 최초의 철도인 경인선의 역사를 소개하는 글이다. 이어지는 질문에 답하시오.

1896년(고종 33) 미국인 모스(Morse, J. R.)에게 경인선 부설권이 특허되어 ㉠이듬해 3월 22일 기공식이 거행되었다. 이후 1899년 9월 18일 노량진 ~ 인천 간 최초의 영업을 개시하였고 1900년 7월 8일 경인철도합자회사가 완공시켜 경인선이 개통되었다. 처음에는 회사 이름을 따서 '경인철도'라고 불리다가 일본으로의 국유화가 진행된 1906년 이후부터 '경인선'으로 불리기 시작했다. 경인선의 개통은 근대적 교통 기관의 도입과 함께 구미 열강과 일본의 제국주의가 본격적으로 침투하게 되는 구체적 발판이 마련된 일이었다.

이 철도의 부설권이 미국 상인 모스에게 특허된 것은 경인선을 부설할 때 일본의 철도체계인 협궤식을 채택하지 않고 영국이나 미국의 표준형을 택한 것과 함께 주미대리공사(駐美代理公使) 이하영(李夏榮) 등을 통한 미국의 영향이 일본의 주장을 압도하였던 것으로 볼 수 있다. 그러나 실제로는 을미사변과 아관파천 등으로 우리나라에 대한 일본의 영향력이 실추된 역사적 사실도 중요한 변수로 작용하였다.

철도 부설 공사는 결국 일본인의 손으로 넘어갔는데, 그 이유는 모스가 본국으로부터의 자금 조달에 실패하였기 때문이다. 이를 간파한 경인철도인수조합은 조선 정부를 무시한 채 불법적으로 모스와 경인철도 양도계약을 체결하고 1898년 12월 17일 모스에게 사정 가격 170만 2천 원을 지불함으로써 경인철도의 부설권은 일본에 넘어가고 말았다.

모스로부터 일체의 권한을 인수한 일본은 1899년 4월 23일 두 번째 기공식을 인천에서 가졌다. 공사는 급속히 진행되어 그해 전반부에 이미 인천 ~ 한강 간의 토목공사가 끝났고, 6월 10일부터 궤도를 부설하기 시작하여 19일 철도 건설 열차가 운행되기 시작하였다. 또한, 그해 9월 18일 마침내 노량진 ~ 인천 간 약 33.8km 구간에서 임시 영업을 개시함으로써 우리나라 철도의 효시가 되었다.

이어 한강 북안에서 경성역(이후 1905년 서대문역으로 명칭 변경)까지 약 3km의 공사는 1900년 5월 26일에 착수되어 7월 5일 한강철교의 준공과 함께 완성되었고, 7월 8일 경성역 ~ 인천역 간의 전 구간이 개통되었다. 이리하여 1900년 11월 12일 경성역 인근에서 경인선 전 구간의 개통식이 거행되었다.

오늘날 경인선은 경인국도 및 경인고속도로와 함께 확대된 수도권으로의 서울 ~ 인천을 잇는 운송체계에 있어 중추적 기능을 담당하고 있다. 경인전철은 모두 20개의 역이 있고, 구로역에서 서울 ~ 신창 간의 전철과 분기한다. 전동차는 매 6분(출퇴근 시간에는 매 3분)마다 배치되어 있으며 소요 시간은 40분으로 인천까지 서울의 통근권을 확대시켜 놓았다.

06. 윗글을 이해한 내용으로 옳지 않은 것은?

① 경인선의 개통으로 구미 열강과 일본의 제국주의가 본격적으로 침투하게 되었다.

② 경인선은 고종 때 부설권이 특허된 이후 4년 만에 개통되었다.

③ 경인선은 1900년 11월 12일 개통식 이후에 최초로 영업을 개시하였다.

④ 경인선의 부설권은 모스에게 특허되었으나 모스가 자금 조달에 실패하여 일본인의 손으로 넘어갔다.

⑤ 경인철도가 경인선으로 불린 것은 일본으로의 국유화가 진행된 1906년 이후이다.

07. 윗글의 ㉠과 같은 의미를 지닌 단어는?

① 후년   ② 거년   ③ 명년

④ 익년   ⑤ 내년

1회 기출예상문제

2회 기출예상문제

3회 기출예상문제

4회 기출예상문제

5회 기출예상문제

6회 기출예상문제

[08 ~ 09] 다음은 H 연구소에서 작성한 바이오가스에 대한 글이다. 이어지는 질문에 답하시오.

최근 우리가 버리는 음식물 쓰레기, 동물들의 배설물을 에너지로 바꾸어 사용하는 기술이 주목받고 있다. 이 기술을 활용해 생산한 에너지를 바이오가스라고 하는데, 바이오가스는 석유 소비의 일부를 대신할 수 있을 것으로 기대돼 미래의 에너지원으로 주목받고 있다. 때문에 우리나라도 친환경에너지 생산 촉진에 관한 「가축분뇨의 관리 및 이용에 관한 법률」을 발의하는 등 바이오가스를 활용하기 위해 노력 중이다.

◎ 바이오가스란?

바이오가스는 바이오매스*(유기성폐기물)를 분해할 때 생산되는 수소, 메탄과 같은 가스들을 의미한다. 바이오매스의 종류에는 음식물 쓰레기, 동물들의 분뇨, 폐목재 등이 있는데, 이를 활용해 에너지를 생산하므로 쓰레기와 분뇨로 인한 악취나 동물의 분뇨를 처리하는 데에도 도움이 된다.

* 바이오매스 : 화학적 에너지로 사용 가능한 식물, 동물, 미생물 등의 생물체, 즉 바이오에너지의 에너지원을 의미한다.

◎ 바이오가스화의 필요성

우리나라는 1993년과 2009년에 각각 가입한 런던협약과 런던의정서에 따라 2006년 이후로는 폐기물의 해양 배출을 단계적으로 금지해 왔다. 구체적으로 산업폐기물은 2006년, 동물들의 분뇨는 2012년, 음식물 쓰레기는 2013년, 산업폐수는 2016년부터 해양 투기가 금지됐다. 따라서 유기성폐기물의 재육상처리 및 재활용처리가 시급한 실정이다.

한편 하루에 약 15,000톤씩 배출되며 전체 생활폐기물 발생량의 약 30%를 차지하는 음식물류 폐기물의 바이오가스화는 육상처리 방법인 동시에 에너지 자원이 부족한 우리나라의 신재생에너지원이 되어 줄 기술로서 주목받고 있다.

◎ 바이오가스의 생성 과정

먼저 하수구, 축산분뇨, 음식물 쓰레기 등의 유기성 물질을 유입하고, 혐기성 소화를 통해 메탄가스를 생성한다. 혐기성 소화란 산소가 없는 상태에서 메탄을 생성하는 미생물들이 유기물을 분해하는 것을 의미한다. 혐기성 소화를 거친 후 생성된 메탄가스를 발전기의 연료로 사용한다.

08. 윗글을 읽고 알 수 있는 내용으로 옳지 않은 것은?

① 바이오가스는 음식물 쓰레기, 동물들의 분뇨, 폐목재 등을 분해할 때 생산되는 수소, 메탄 등의 가스를 의미한다.

② 바이오가스는 에너지의 생산뿐만 아니라 쓰레기와 분뇨로 인한 악취나 동물의 분뇨처리 문제 해결에도 도움이 된다.

③ 바이오가스는 하수구, 축산분뇨, 음식물 쓰레기 등 유기성 물질을 유입한 후 혐기성 소화를 통해 생성된 메탄가스를 발전기의 연료로 사용한다.

④ 「가축분뇨의 관리 및 이용에 관한 법률」의 발의는 바이오가스 활용을 위한 노력의 일환이다.

⑤ 혐기성 소화란 메탄을 생성하는 미생물들이 산소를 이용하여 유기물을 분해하는 것을 의미한다.

09. 윗글을 보완하기 위해 H 연구소 직원들의 의견을 반영하여 글을 수정하기로 하였다. 다음 중 적절하지 않은 의견은?

① 음식물 쓰레기, 동물들의 분뇨, 폐목재 등의 처리 방법을 알려 주면 어떨까요?

② 「가축분뇨의 관리 및 이용에 관한 법률」에 대해 좀 더 설명해 주면 좋겠습니다.

③ 다른 미래 에너지원과 비교하여 어떤 장점과 단점이 있는지도 알려 주면 어떨까요?

④ 바이오가스가 생성되는 과정을 이해하기 쉽게 그림으로 나타내 주면 좋겠습니다.

⑤ 바이오가스가 어느 분야에 활용되고 있는지 실제 사례를 소개해 주면 어떨까요?

10. ○○회사 황 부장은 하반기 목표 매출액을 정하기 위해 상반기 실적을 분석하고 있다. 상반기의 매출액은 240억 원, 매출총이익률은 9%였고 연초에 계획을 세울 당시에는 연 매출총이익률 12%가 목표였다. 하반기 매출총이익률을 14%로 설정하고자 한다면, 하반기의 목표 매출액은 얼마인가? (단, 매출총이익률 $= \dfrac{\text{매출총이익}}{\text{매출액}} \times 100$)

① 300억 원   ② 330억 원   ③ 360억 원
④ 390억 원   ⑤ 420억 원

11. 지하철에서 25분 동안 내부 온도를 측정하였더니 측정을 시작한 지 t분이 지났을 때의 온도(℃)가 $Y(℃) = 2\sin\dfrac{\pi}{10}(t+5) + 24$로 나타났다. 온도가 내려가는 구간이 냉방이 가동될 때라면 25분 동안 냉방이 가동된 시간은 총 몇 분인가?

① 5분   ② 10분   ③ 15분
④ 20분   ⑤ 25분

12. A 씨는 출퇴근을 위해 하루에 두 번 자전거를 대여한다. A 씨의 집에서 회사까지의 거리는 30km이고 자전거 대여 요금은 다음과 같을 때, A 씨가 하루에 지불해야 하는 금액은? (단, A 씨는 출퇴근 시 자전거를 15km/h의 속력으로 타고 간다)

기본요금(30분)	1,000원
추가요금	10분당 400원

① 9,000원   ② 9,200원   ③ 9,400원
④ 9,500원   ⑤ 9,600원

13. 여름휴가를 떠난 황민규 씨는 A ~ F 관광지 중 4곳 이상을 방문할 계획이다. A 관광지는 B, C, E 관광지와 연결되어 있고, B 관광지는 A, C, E, F 관광지와 연결되어 있으며, C 관광지는 모든 관광지와 연결되어 있다. 그리고 D 관광지는 C 관광지와만 연결되어 있고, E 관광지는 A, B, C, F 관광지와 연결되어 있으며, F 관광지는 B, C, E 관광지와 연결되어 있다. A 관광지를 가장 먼저 방문하고, D 관광지를 가장 마지막에 방문하려고 할 때, 다음 중 옳지 않은 것은? (단, 한 번 방문한 관광지는 다시 방문하지 않으며, 관광지 방문 순서가 다를 경우 다른 코스로 본다)

관광지	입장료
A 관광지	2,000원
B 관광지	3,000원
C 관광지	5,000원
D 관광지	2,000원
E 관광지	3,000원
F 관광지	5,000원

① 4개의 관광지를 방문하는 경우의 수는 2가지이다.

② 4개의 관광지를 방문하는 경우 가능한 코스의 평균 비용은 12,000원이다.

③ 5개의 관광지를 방문하는 경우의 수는 4가지이다.

④ 5개의 관광지를 방문하는 경우 가능한 코스의 평균 비용은 17,000원이다.

⑤ 6개의 관광지를 방문하는 경우의 수는 4가지이다.

1회 기출예상문제
2회 기출예상문제
3회 기출예상문제
4회 기출예상문제
5회 기출예상문제
6회 기출예상문제

14. 다음은 이유현 씨의 4월 인바디 측정 결과이다. A ~ D에 들어갈 수치의 합과 3월 체지방량을 바르게 연결한 것은? (단, 이유현 씨의 키는 170cm이며, BMI와 체지방률은 소수점 아래 둘째 자리에서 반올림한다)

〈4월 인바디 측정 결과〉

〈체성분 분석〉		〈골격근 지방 분석〉	
체수분(L)	34.4	체중(kg)	A
단백질(kg)	9.3	골격근량(kg)	26.1
무기질(kg)	3.1	체지방량(kg)	8.8
체지방량(kg)	8.8	제지방량(kg)	B
체중(kg)	A		

〈비만 분석〉		〈신체 변화〉		
		구분	3월	4월
BMI(kg/m²)	C	체중(kg)	60.0	A
체지방률(%)	D	체지방률(%)	18.0	D

※ 체중(kg)=체수분+단백질+무기질+체지방량

※ 제지방량(kg)=체중－체지방량

※ $BMI = \dfrac{체중(kg)}{키(m)^2}$

※ $체지방률(\%) = \dfrac{체지방량(kg)}{체중(kg)} \times 100$

	A ~ D의 합	3월 체지방량(kg)
①	136.4	10.5
②	136.4	10.8
③	137.4	10.2
④	137.4	10.5
⑤	137.4	10.8

15. 다음은 20X1 ~ 20X3년의 우리나라 10대 수출품목에 대한 자료이다. 이에 대한 설명으로 옳은 것을 〈보기〉에서 모두 고르면?

〈10대 수출품목〉

(단위 : 백만 달러)

구분	20X1년		20X2년		20X3년	
	품목명	금액	품목명	금액	품목명	금액
1위	반도체	97,937	반도체	127,706	반도체	93,930
2위	선박 등	42,182	석유제품	46,350	자동차	43,036
3위	자동차	41,690	자동차	40,887	석유제품	40,691
4위	석유제품	35,037	디스플레이	24,856	자동차부품	22,536
5위	디스플레이	27,543	자동차부품	23,119	디스플레이	20,657
6위	자동차부품	23,134	합성수지	22,960	합성수지	20,251
7위	무선통신기기	22,099	선박 등	21,275	선박 등	20,159
8위	합성수지	20,436	철강판	19,669	철강판	18,606
9위	철강판	18,111	무선통신기기	17,089	무선통신기기	14,082
10위	컴퓨터	9,177	컴퓨터	10,760	플라스틱제품	10,292
소계	–	337,346	–	354,671	–	304,240
총수출액 대비 비중(%)	–	59.0	–	58.5	–	56.1

보기

ㄱ 전년 대비 순위가 상승하면 수출금액도 증가한다.
ㄴ 20X2년 대비 20X3년에 총수출금액은 감소하였다.
ㄷ 20X2년 대비 20X3년에 수출금액 감소율이 가장 큰 품목은 디스플레이이다.
ㄹ 20X2년 대비 20X3년에 수출 금액이 가장 많이 상승한 품목의 증가율은 5% 이상이다.

① ㄱ, ㄴ   ② ㄱ, ㄹ   ③ ㄴ, ㄷ
④ ㄴ, ㄹ   ⑤ ㄷ, ㄹ

16. 다음 중 자료에 대한 설명으로 옳지 않은 것을 〈보기〉에서 모두 고르면?

〈전공과 직업의 일치 여부〉

(단위 : %)

구분		일치한다	보통이다	일치하지 않는다	계
성별	남	33.3	40.4	26.3	100
	여	33.7	32.1	34.2	100
연령대별	10 ~ 20대	31.6	38.0	30.4	100
	30 ~ 40대	33.0	38.3	28.7	100
	50대 이상	36.7	30.7	32.6	100
직종별	전문직	45.3	30.5	24.2	100
	사무직	29.7	41.9	28.4	100
	서비스직	22.3	25.2	52.5	100
	기타	31.0	51.9	17.1	100

보기

㉠ 전공과 직업이 일치한다고 응답한 비율이 가장 높은 항목은 성별에서는 여성, 연령대별에 서는 50대 이상, 직종별에서는 전문직으로 나타났다.

㉡ 만약 조사대상이 600명, 남녀 비율이 2 : 3이라면, 여성 중 전공과 직업이 일치한다고 응 답한 사람은 120명 이하이다.

㉢ 만약 조사대상이 1,000명이고 그중 서비스직에 종사하는 사람이 35%라면, 서비스직에 종사하는 사람 중 전공과 직업이 일치하지 않는다고 응답한 사람은 185명 이상이다.

① ㉠　　　　　　　　② ㉡　　　　　　　　③ ㉢

④ ㉠, ㉢　　　　　　⑤ ㉡, ㉢

17. 다음은 A 도시의 육아휴직자를 조사한 자료이다. 이에 대한 설명으로 옳지 않은 것은? (단, 자료의 수치는 소수점 아래 둘째 자리에서 반올림한 값이다)

〈연도별 남성 육아휴직자〉

(2016년=100)

구분	2010년	2012년	2014년	2016년	2018년	2020년
남성 육아휴직자	16.4	29.3	67.5	100.0	184.4	275.0

〈연도별 육아휴직자 중 남성의 비율〉

(단위 : %)

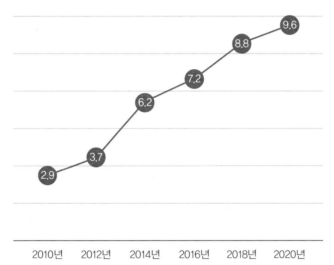

〈2020년 연령별 · 성별 육아휴직자 수〉

(단위 : 명)

구분	30세 이하	31 ~ 35세	36 ~ 40세	41세 이상	계
남성	4,960	10,465	21,876	5,788	43,089
여성	75,678	( )	128,682	53,438	( )

① 2010년 육아휴직자 수는 88,000명 이상이다.

② 2012년 남성 육아휴직자(=100) 기준 2018년 남성 육아휴직자는 600 이상이다.

③ 2014년 여성 육아휴직자 수는 180,000명 이상이다.

④ 2018년 대비 2020년 육아휴직자 수의 증감률은 40% 이하이다.

⑤ 2020년 31 ~ 35세의 여성 육아휴직자 수는 147,000명 이상이다.

1회 기출예상문제 2회 기출예상문제 3회 기출예상문제 4회 기출예상문제 5회 기출예상문제 6회 기출예상문제

18. 다음은 A 도시의 전년 대비 혼인 건수 증감률과 연도별 혼인 건수 중 재혼이 차지하는 비율을
나타낸 자료이다. 20X0년 혼인 건수가 15,300건일 때, 자료에 대한 설명으로 옳은 것을 〈보기〉
에서 모두 고르면? (단, 증감률과 비율은 소수점 아래 둘째 자리에서 반올림한 값이다)

<전년 대비 혼인 건수 증감률>

<연도별 혼인 건수 중 재혼 건수 비율>

※ 남성과 여성이 모두 초혼인 경우를 제외하고 나머지는 모두 재혼으로 계산함.

보기

㉠ 20X4년 혼인 건수는 13,000건 미만이다.

㉡ 20X2년 남성과 여성이 모두 초혼인 건수는 11,000건 이상이다.

㉢ 20X3년의 재혼 건수가 2,330건이면 혼인 건수는 14,000건 이상이다.

㉣ 20X1년의 재혼 건수 중 남성의 재혼 비율이 63%라면 남성의 재혼 건수는 1,500건 이상이다.

① ㉠, ㉢   ② ㉡, ㉢   ③ ㉡, ㉣

④ ㉠, ㉡, ㉢   ⑤ ㉡, ㉢, ㉣

19. 다음 글에 나타난 제도의 특징으로 옳지 않은 것은?

　　B사는 중점전략부문으로 PC비즈니스를 채택하고 마케팅과 제품기획, 시장개발에 관한 사업영역을 담당할 인재를 회사 내에서 모집하고자 공고를 냈다. PC비즈니스는 B사에서 가장 유망한 분야이며 회사 내에서도 이에 대한 의욕과 능력이 있는 적임자가 적지 않았으나 현실적으로 PC비즈니스에 필요하다고 인정받는 직원은 현식 상사가 가장 아끼며 밑에 두려고 하는 사람이어서 보직이동이 어려운 경향이 있다. 따라서 전체적으로 회사의 발전을 위하여 사내 모집절차를 도입한 것이다. 총 25명 모집에 응모한 지원자 수는 약 80여 명이나 되었으며 연령대는 20대에서 50대까지 다양했다. PC비즈니스에 응모한다는 사실을 동료 또는 상사가 알았을 때 발생할 수 있는 직원 간의 불화를 방지하기 위해 철저히 비밀로 진행하였다.

① 인력수요를 양적으로는 충족시킬 수 없다.

② 모집에 많은 비용과 시간이 소요된다.

③ 승진기회 확대로 조직원의 동기부여가 향상된다.

④ 인재선택의 폭이 좁아지고 조직의 폐쇄성이 강화될 수 있다.

⑤ 능력이 충분히 검증된 사람을 뽑을 수 있다.

20. 다음 기사를 본 A~E가 일중독에 대해 대화를 나누고 있다. 다음 중 틀린 설명을 하고 있는 사람을 모두 고르면?

〈한국을 대표하는 키워드 일중독(Workaholic)〉

지난 10월 18일 만화 사이트 '도그하우스 다이어리'가 지구촌 각 나라의 특성을 대표 키워드로 정리한 것이 화제가 됐다. 예를 들어 미국은 '노벨상 수상자'와 '잔디 깎기 기계로 인한 사망자 수'에서 세계 최고. 일본은 '로봇', 러시아는 '라즈베리'와 '핵탄두', 인도는 '영화', 북한은 '검열' 이라는 키워드에서 세계 1위를 차지했다. 여기서 한국을 대표하는 키워드는 바로 '일중독'이었다. 몰랐던 것은 아니지만 이런 식으로 세계에 알려지는 것이 썩 유쾌한 일은 아니다.

A : 일중독은 몰입과는 달리 내재적인 동기요인보다 경쟁에서의 승리, 목표나 사명에 대한 동일시, 해고 또는 경제적 어려움에 대한 두려움 등 외재적 요인에 의해 강화되는 경우가 대부분이다.

B : 피터 베르거의 주장에 따르면 일중독에 빠지면 자기 의지로 일을 조절하는 것이 불가능하거나 어려워진다.

C : 일중독은 일과 개인 생활의 다른 영역과의 균형을 파괴한다.

D : 일중독자는 대개 우월감이 강하여 남을 무시하고 팀워크를 해치기도 한다.

E : 다른 중독과 비교했을 때 일중독은 본인 또는 타인이 알아채기 쉽다.

① E
② A, E
③ B, C
④ A, C, D
⑤ A, D, E

21. 시간관리능력은 직업인으로서 반드시 갖추어야 할 능력이다. 시간관리 유형을 다음과 같이 나눌 때, 시간 창조형과 시간 절약형 직업인이 거둘 수 있는 효과로 적절하지 않은 것은?

〈시간관리 유형〉

1. 시간 창조형(24시간형 인간)
   긍정적이며 에너지가 넘치고 빈틈없는 시간계획을 통해 비전과 목표 및 행동을 실천하는 사람

2. 시간 절약형(16시간형 인간)
   8시간의 회사 업무 이외에도 8시간을 효율적으로 활용하고 8시간을 자는 사람, 정신없이 바쁘게 살아가는 사람

3. 시간 소비형(8시간형 인간)
   8시간 일하고 16시간을 제대로 활용하지 못하며 빈둥대면서 살아가는 사람, 시간이 많음에도 불구하고 마음은 쫓겨 바쁜 척하고 허둥대는 사람

4. 시간 파괴형(0시간형 인간)
   주어진 시간을 제대로 활용하지 않고 시간관념 없이 자신의 시간은 물론 남의 시간마저 낭비하는 사람

---

① 같은 기간 내에 비슷한 양의 과제가 주어져도 늘 기대했던 것 이상의 결과를 얻어내며 업무 완성 시간도 남보다 빠르다.

② 영업력 향상으로 이어져 제품이나 서비스 등의 시장 내 점유율 제고에도 기여하게 된다.

③ 노사 간의 갈등을 획기적으로 줄일 수 있어 원만하고 건전한 노사 협의체가 유지될 수 있다.

④ 예기치 않은 상황이 발생해도 당황하지 않고 계획을 적절히 수정하여 문제를 잘 해결할 수 있다.

⑤ 과업의 순서와 중요도에 따라 업무를 수행하기 때문에 늘 제시간에 일을 끝낸다.

22. ○○식품은 새로 수립된 하반기 글로벌 투자전략을 위해 외국지사와 온라인 워크숍을 진행하려고 한다. 한국시간으로 오후 4시 ~ 5시에 워크숍을 진행하고자 할 때, 다음 중 회의 참석이 어려운 외국지사는?

〈각 국가별 한국과의 시차〉

국가명	시차	국가명	시차
남아프리카 공화국	−07:00	호주(멜버른)	+01:00
베트남	−02:00	러시아(모스크바)	−06:00
싱가포르	−01:00	태국	−02:00

※ 모든 국가 공통으로 12시 ~ 1시는 점심시간이므로 회의 참석을 못한다.

※ 모든 국가의 업무 시간은 현지 시간으로 오전 9시부터 오후 6시까지이다.

※ 현재 호주는 서머타임이 시행되고 있어 표준시보다 1시간 빠른 상태다(위 시차표에는 반영되어 있지 않다).

① 남아프리카 공화국   ② 호주   ③ 베트남
④ 러시아   ⑤ 싱가포르

23. 다음은 ○○유통 총무부에서 초과근무 수당을 지급하기 위해 영업부의 각 직급별 초과근무 현황을 조사한 자료이다. 이에 대한 설명으로 옳은 것은?

〈202X년 ○○유통 영업부 직급별 초과근무 현황〉

(단위 : 일, 시간)

직급	부장	차장	과장	대리	사원
월 평균(일)	1.2	2.1	3.0	1.8	1.2
주 평균(시간)	2.8	3.3	4.4	5.3	4.2

※ 1시간 미만 초과근무는 1시간으로 초과근무 수당을 계산한다.

① ○○유통 직원들의 월 평균 초과근무 일수는 1.98이다.

② 영업부에서 주 평균 가장 긴 시간동안 초과근무를 한 직급은 과장이다.

③ 영업부 사원들은 한 주 동안 평균 4시간 12분 초과근무를 하고 있다.

④ ○○유통 직원들은 주 평균 4시간 초과근무를 한다.

⑤ 초과근무 수당이 시간당 8,000원이라면 영업부 부장의 주 평균 수당은 25,000원이다.

24. ○○상사 회계팀에 근무하는 정 사원은 이번 무역박람회에 참석하는 직원들의 이동수단 선택 및 관련 예산 지원 업무를 담당하였다. 다음 자료를 참고했을 때, 정 사원의 업무를 바르게 평가하지 않은 것은?

〈무역박람회 지원 업무〉

구분	내용	비고
시작 시간	오전 11시	오전 9시 30분 회사에서 일괄 출발
종료 시간	오후 4시	전원 회사 복귀
참석 인원	8명	
점심식대 예산	80,000원	
교통비 예산	40,000원	

〈이동수단 및 항목〉

이동수단 \ 항목	1인당 교통 요금	교통 기준	소요시간
지하철	1,600원	편도	80분
버스	1,300원	편도	100분
택시	5,000원	편도	60분

※ 선택한 이동수단 : 버스
※ 총 교통비 소요비용 예상 : 1,300(원)×8(명)×2=20,800(원)

① 교통비 소요비용은 올바르게 계산하였다.
② 박람회 참석 직원들의 선호도를 고려하지 않았다.
③ 점심식대에 맞는 식당을 검색하지 않았다.
④ 시간 자원을 고려하여 이동 수단을 선택하였다.
⑤ 주어진 교통비 예산을 초과하지 않고 계획하였다.

[25 ~ 26] ○○은행 최 과장은 국가지원 대출상품 상담을 위해 1박 2일간 5개 고객사와 미팅을 하기로 하고 은행을 출발하였다. 다음 자료를 참고하여 이어지는 질문에 답하시오. (단, 한 번 지나친 길은 다시 되돌아갈 수 없다)

1. 방문경로

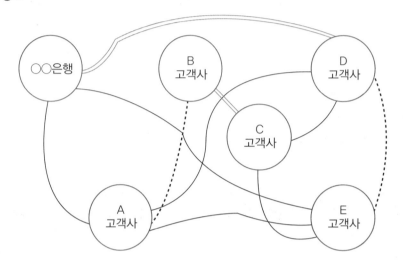

═══ 국도 ──── 고속도로 ····· 시도

2. 경로별 거리

(단위 : km)

	○○은행	A 고객사	B 고객사	C 고객사	D 고객사	E 고객사
E 고객사	130	60		60	80	
D 고객사	90	100		40		
C 고객사			50			60
B 고객사						
A 고객사	65		45			

3. 도로별 평균연비

구분	평균연비
국도	15km/1L
고속도로	22km/1L
시도	13km/1L

25. 최 과장은 5개의 고객사와의 미팅을 성공적으로 마치고 ○○은행으로 복귀하였다. 1박 2일 동안 김 과장이 최단 거리로 이동했을 때의 거리로 옳은 것은?

① 375km   ② 390km   ③ 410km

④ 415km   ⑤ 475km

26. 최 과장이 1박 2일 동안 유류비가 가장 적게 소모되는 경로로 이동하였을 때 소요된 유류비는? (단, 휘발유는 1L당 1,300원이며, 소수점 이하 둘째 자리에서 반올림하여 계산한다)

① 29,210원   ② 30,160원   ③ 30,810원

④ 32,110원   ⑤ 33,670원

27. 다음은 ○○그룹 신입사원 Off-JT 교안의 일부이다. (가)에 들어갈 내용으로 옳지 않은 것은?

「프레젠테이션 이미지 메이킹의 이해」 교안

학습주제	프레젠테이션에 대한 이해
학습목표	프레젠테이션에서 중요한 이미지 메이킹 방법을 바르게 사용할 수 있다.
준비물	빔프로젝터, PPT 자료, 동영상 자료

학습 내용
1. 프레젠테이션과 이미지 메이킹 • 프레젠테이션을 할 때는 발표 내용과 같은 언어적 요소도 중요하지만 청중에게 더 큰 영향력을 가지고 있는 비언어적 요소를 토대로 청중을 설득하고 청중의 공감을 이끌어 낼 수 있어야 한다. • 비언어적 요소의 이미지 메이킹 (　　　　　　가　　　　　　) −하략−

① 비즈니스 관련 발표 시에는 정장을 입어서 예의를 갖추는 것이 좋다.

② 한 사람씩 대화하듯 자연스러운 시선처리로 청중의 집중을 높이는 것이 좋다.

③ 자신감 있는 표정으로 청중들과 자연스럽게 눈 맞춤을 실시하는 것이 좋다.

④ 생동감을 주기 위해 적절한 제스처의 사용이 필요하다.

⑤ 발음과 목소리 크기에 유의하여 안정적이고 분명하게 말하는 것이 좋다.

1회 기출예상문제 2회 기출예상문제 3회 기출예상문제 4회 기출예상문제 5회 기출예상문제 6회 기출예상문제

28. 다음 〈보기〉에서 설명하고 있는 개념이 조직에 기여하는 효과로 옳지 않은 것은?

> 보기
>
> 　하나의 조직체 구성원들이 모두 공유하고 있는 가치관, 신념, 이데올로기와 관습, 규범과 전통 및 지식과 기술 등을 모두 포함한 종합적인 개념으로, 조직 전체와 구성원들의 행동에 영향을 미친다.

① 조직의 안정성 유지에 기여한다.

② 조직 구성원들의 조직 몰입도를 높여 준다.

③ 조직 구성원들에게 일체감과 정체성을 부여한다.

④ 조직이 존재하는 정당성과 합법성을 제공한다.

⑤ 조직 구성원들의 행동에 대한 지침으로 작용하며, 일탈 행동을 통제한다.

29. 다음은 조직구조의 한 형태를 비유적으로 표현한 글이다. 이 글에서 설명하고 있는 조직구조의 장점을 〈보기〉에서 모두 고르면?

> 　개미는 지구상에 가장 널리 퍼져 있는 종으로 전체 곤충 개체 수의 약 80%를 차지하고 있다. 집단생활을 하는 개미는 엄격한 신분계층에 따라 생활한다. 번식의 중앙에 있는 여왕개미는 15년 동안 100만 개의 알을 낳아 종족을 번식시키고, 수개미는 암개미의 교미 상대가 되고 나서 죽음을 맞는다. 다른 종을 향해 더듬이를 치켜세우고 공격적인 행위만을 수행하는 전투개미, 새 구성원인 알들을 지키고 양육하는 유모개미, 왕국 백성들을 먹여 살릴 먹이만을 찾아다니는 탐험개미, 여왕개미가 사는 여왕처소의 통로를 지키는 문지기개미 등 각자 자신의 위치에서 역할을 수행한다.

> 보기
>
> ㉠ 같은 일을 반복함으로써 업무의 전문성이 향상되어 작업속도가 빨라진다.
> ㉡ 업무가 세분화되어 조직 내 유동성이 높아지고 변화에 쉽게 대응할 수 있다.
> ㉢ 전문성을 가진 이들의 교류를 통해 경력개발과 기술개발을 동시에 이뤄낼 수 있다.
> ㉣ 상사와 부하 간의 소통이 원활하고 자원을 중복되지 않게 효율적으로 사용할 수 있다.

① ㉠, ㉢　　　　　　② ㉡, ㉣　　　　　　③ ㉢, ㉣

④ ㉠, ㉡, ㉢　　　　⑤ ㉠, ㉢, ㉣

30. 다음 〈보기〉의 밑줄 친 ㉠ ～ ㉤에 대한 설명으로 옳지 않은 것은?

> 보기
>
> ㉠T 전자에 근무하는 이 사원은 오전 7시 40분에 집 앞에서 출발하는 ㉡버스를 타고 출근하였다. 오전 11시 인사과로부터 주민등록등본이 필요하다는 연락을 받고 점심시간을 이용하여 ㉢주민센터에 들렀다. 그리고 회사로 돌아오는 길에 ㉣은행에 들러서 밀린 전기세를 납부하였다. 오후가 되자 갑자기 배가 아파 근처 ㉤병원에서 진료를 받았다. 퇴근 이후에는 사내 동호회인 ㉥클라이밍 모임에 참석하였다.

① 공식성을 기준으로 조직을 분류하면 ㉠은 공식조직에 해당된다.

② 이 사원이 자신의 역량을 발휘하여 업무를 수행하면 ㉠은 인정 및 연봉과 같은 보상을 제공한다.

③ 조직은 2인 이상이 공동의 목표를 달성하기 위해 의식적으로 모인 집단이므로 ㉡에 함께 탄 사람들은 조직이라고 볼 수 없다.

④ 영리성을 기준으로 조직을 분류하면 ㉢, ㉣, ㉤은 비영리조직에 해당된다.

⑤ ㉥은 인간관계에 따라 형성된 자발적인 집단으로 ㉠의 기능을 보완해 준다.

31. 다음 각 조직 유형에 대한 설명으로 적절하지 않은 것은?

구분	부과조직	팀조직	사업부조직	매트릭스조직	네트워크조직
조직 형태	부 / A과 B과 C과 / 갑계 을계	팀 / 담당 담당 담당	CEO Corp. Center / 사업부 A 사업부 B 사업부 C / PLAN DO SEE	CEO / 기능 A 기능 B 기능 C / 제품1 제품2 제품3	A D B G E C F

① 부과조직 : 정확하고 세분화된 과업을 기준으로 단위조직을 구성하며, 의사결정 단계를 세분화하고 공식화해 운영하는 관료제 조직

② 팀조직 : 각 조직들이 상대방의 보유자원을 자신의 깃처럼 활용하기 위한 수직적, 수평적, 공간적, 신뢰관계로 연결된 조직

③ 사업부조직 : 제품이나 고객 또는 지역별로 나눠진 사업부들이 본사로부터 사업 활동에 필요한 권한을 부여받아 이익 책임단위로서 자율적으로 구매, 생산, 판매 활동을 수행하는 분권적 조직

④ 매트릭스조직 : 각 기능 활동과 제품라인을 동일한 비중을 두고 관리해야 할 필요가 있는 경우 조직 내에서 종적 관리와 횡적 관리가 효율적으로 이루어질 수 있도록 기능조직과 제품조직이 동시에 한 부서에 속하도록 설계된 조직

⑤ 네트워크조직 : 업무적으로 상호의존성이 큰 편이나, 조직들 간의 독립성이 유지되는 구조

32. 다음은 점포 창업을 계획 중인 김민수 씨가 작성한 자료이다. 김민수 씨가 선택할 지역으로 적절한 것은?

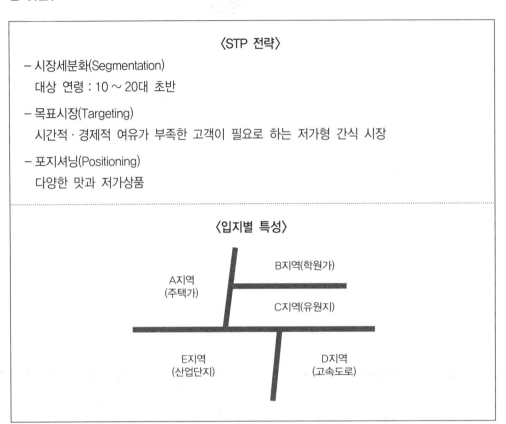

〈STP 전략〉

– 시장세분화(Segmentation)
  대상 연령 : 10 ～ 20대 초반

– 목표시장(Targeting)
  시간적 · 경제적 여유가 부족한 고객이 필요로 하는 저가형 간식 시장

– 포지셔닝(Positioning)
  다양한 맛과 저가상품

〈입지별 특성〉

A지역
(주택가)

B지역(학원가)

C지역(유원지)

E지역
(산업단지)

D지역
(고속도로)

① A 지역   ② B 지역   ③ C 지역
④ D 지역   ⑤ E 지역

33. 장 사원은 올해 S 기업의 기획팀에 입사한 신입사원으로, 입사 첫날 천 과장과 함께 다음과 같은 대화를 나누었다. 이때 빈칸 (A), (B)에 들어갈 대답을 바르게 짝지은 것은?

> 장 사원 : 안녕하십니까? 오늘부터 기획팀에서 일하게 된 장○○입니다. 열심히 하겠습니다.
>
> 천 과장 : 그래요, 반가워요. 처음이라 모르는 게 많겠지만 선배들에게 잘 배우도록 해요.
>
> 장 사원 : 네, 열심히 배우고 익히겠습니다. 잘 부탁드립니다.
>
> 천 과장 : 파이팅이 넘치네요. 그런데 장○○ 씨, 우리 팀이 정확히 무슨 업무를 하는지 알고 있나요?
>
> 장 사원 : 알고 있습니다. (A   )
>
> 천 과장 : 아주 잘 알고 있네요. 그렇다면 우리 기업의 총무팀에서는 무슨 업무를 담당하는지 알고 있나요?
>
> 장 사원 : 네, 총무팀은 (B   )
>
> 천 과장 : 하하, 좋아요. 아주 잘 알고 있군요. 앞으로 기대할게요.

① (A) 조직의 비전 및 경영 목표를 달성하기 위해 전략을 수립하고 효율적으로 자원을 배분합니다.
   (B) 집기비품 및 소모품의 구입과 관리, 복리후생 업무를 담당합니다.

② (A) 행사지원, 출장관리, 문서관리 등의 지원업무를 합니다.
   (B) 조직 직무 및 인력운용을 위한 업무지원과 관련된 제반 업무를 담당합니다.

③ (A) 재무상태 및 영업실적을 보고하고 재무제표를 분석합니다.
   (B) 마케팅 전략수립 및 다양한 홍보매체 운영 및 팀 기획, 콘텐츠 개발을 담당합니다.

④ (A) 기관 운영과 관련된 결산 등 회계실무 및 자금 관리 등 지원에 관한 업무를 합니다.
   (B) 사업 환경 분석, 타당성 조사 등을 통해 연간 사업계획을 수립하는 업무를 담당합니다.

⑤ (A) 급여, 상여, 제수당의 계산 및 지급, 4대 보험 신고 업무를 담당합니다.
   (B) 부서별로 매출을 취합해 보고하고 손익을 관리합니다.

34. 변혁적 리더십은 사고의 틀 자체를 바꾸어 새로운 기회를 창출하고 목표를 달성하도록 변화시키는 리더십이다. 다음 ㉠ ~ ㉣에 해당하는 변혁적 리더십의 하위 구성요소를 바르게 짝지은 것은?

> ㉠ 구성원들에게 비전과 사명감을 제공하고 자긍심을 고취시키며 관습에 얽매이지 않는 행동 등으로 직원들로부터 존경과 신뢰를 받는다.
> ㉡ 이해력과 합리성을 드높이고 새로운 방식을 활용한 문제해결을 고안하도록 돕는다.
> ㉢ 구성원 각각에게 관심을 보여 주고 직원들을 독립적인 존재로 대우하고 지도한다.
> ㉣ 비전을 제시하고 구성원의 노력에 대한 칭찬, 격려 등 감정적인 지원과 활기를 불어넣어 업무에 열심히 매진하게 한다.

	㉠	㉡	㉢	㉣
①	카리스마	지적 자극	개별적 배려	동기부여
②	카리스마	동기부여	개별적 배려	지적 자극
③	동기부여	지적 자극	카리스마	개별적 배려
④	동기부여	카리스마	개별적 배려	지적 자극
⑤	개별적 배려	지적 자극	카리스마	동기부여

35. 〈보기〉 중 경영전략 추진과정의 (가) ~ (다)에 대한 설명으로 옳지 않은 것은 몇 개인가?

전략 목표 설정 → (가) → (나) → (다) → 평가 및 피드백

> **보기**
>
> ㉠ (가) 단계에서는 조직이 도달하고자 하는 비전을 규명하고, 미션을 설정한다.
> ㉡ (가) 단계에서는 SWOT 분석을 주로 이용한다.
> ㉢ (나) 단계에서는 (가) 단계를 토대로 조직의 경영전략을 도출한다.
> ㉣ (나) 단계에서 조직의 경영전략은 부문전략, 사업전략, 조직전략으로 구분할 수 있다.
> ㉤ (다) 단계에서는 경영전략의 최상위단계인 사업전략부터 조직전략, 부문전략 순으로 실행한다.
> ㉥ (다) 단계에서 사용되는 차별화전략은 특정시장이나 고객에게 한정된 전략이다.

① 0개 ② 1개 ③ 2개 ④ 3개 ⑤ 4개

36. 다음과 같은 업무수행시트에 대한 설명으로 적절한 것은?

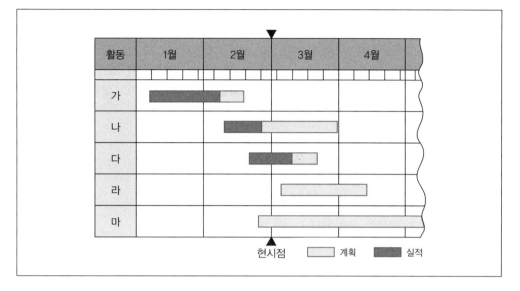

① 일의 흐름을 동적으로 보여 주는 데 효과적이다.

② 사용하는 도형을 다르게 표현함으로써 수행해야 하는 일을 구분해서 표시할 수 있다.

③ 업무의 시작과 끝을 막대형식으로 나타내어 전체 일정을 한눈에 볼 수 있다.

④ 조직이 사전에 설정한 원칙에 따라 업무가 진행될 수 있으며 조정과 통제가 용이하다.

⑤ 업무의 세부 단계를 제대로 수행했는지 스스로 점검하고 확인하는 데 효과적이다.

37. 기술과 관련된 다음 진술 중 옳지 않은 내용을 말하고 있는 사람은?

① 김사랑 : 물리적 · 사회적인 것으로서 지적인 도구를 특정 목적에 사용하는 지식 체계를 기술이라고 합니다.

② 정대현 : 기술을 설계하고 생산하기 위해 필요한 정보와 절차를 갖는 데 노하우(Know-how)가 필요합니다.

③ 이다운 : 기술은 원래 노하우의 개념이 강하였으나 시대가 지남에 따라 노하우와 노와이(Know-why)가 결합하게 되었습니다.

④ 한여울 : 노와이는 어떻게 기술이 성립하고 작용하는가에 관한 원리적 측면에 중심을 두고 있습니다.

⑤ 주기쁨 : 노하우는 이론적인 지식으로 과학적인 탐구에 의해 얻어집니다.

1회 기출예상문제　2회 기출예상문제　3회 기출예상문제　4회 기출예상문제　5회 기출예상문제　6회 기출예상문제

38. 다음 사례에서 알 수 있는 실패를 다루는 방식의 핵심은 무엇인가?

> 국내의 한 제조업체는 '위험 예지 훈련'을 실시하고 있다. 사고가 일어나기 전의 상황을 그림이나 비디오로 보고 다음에 어떤 일이 일어날 것인지, 그리고 그 일을 예방하려면 어떻게 해야 하는지를 집단적으로 토론하는 것이다. 햄버거로 유명한 M사 역시 위험 예지 훈련을 실시하여 고객이 품을 수 있는 잠재적 불만사항을 미리 예측하고 이에 대응하는 방법을 훈련하고 있다.

① 실패를 학습의 대상으로 삼을 것
② 경영자는 반드시 현장에서 활동할 것
③ 가상 실패 체험을 통해 성공가능성을 향상시킬 것
④ 감성지수를 활용한 실패 정서 관리에 초점을 맞출 것
⑤ 단 한 번의 우연한 실패를 위하여 실패 DB를 활용할 것

39. 적정기술은 삶의 질을 향상시키는 환경 친화적인 인간 중심의 기술이다. 다음 적정기술과 거대기술 관련 표의 ㉠에 들어갈 내용으로 옳지 않은 것은? (단, 빈칸은 고려하지 않는다)

거대기술		적정기술
	• 따뜻한 자본주의 • 정보통신기술 발전 • 거대기술의 위험과 기술 민주주의 • MDG, 지속가능한 발전 • 기업의 사회적 책임 • 사회적 경제	㉠

① 민주주의
② 수요자의 필요
③ 단순, 소규모
④ 가치와 편익의 집중
⑤ 삶의 질 향상

40. 다음 사례에서 침해당한 ㉠의 종류는?

> A 의류회사에 근무하는 전○○ 씨는 판매가 부진한 블라우스의 소매 끝부분에 독특한 문양을 새겨 넣어 포인트를 주었다. 새롭게 탄생한 블라우스는 판매량이 급증하였고 그 해 가장 많은 이익을 남겼다. 이를 지켜 본 경쟁사 B는 A회사의 블라우스와 거의 유사한 상품을 출시했고 이후 A회사의 해당 블라우스의 판매량은 감소하기 시작했다. 전○○ 씨는 ㉠산업재산권을 침해당했다고 판단하여 관련 조치를 취할 계획이다.

① 상표권　　　　② 특허권　　　　③ 디자인권
④ 실용신안권　　⑤ 저작권

41. 〈산업안전보건기준에 관한 규칙〉에 따르면 사업주는 근로자에게 작업조건에 맞는 보호구를 지급하고 착용하도록 해야 한다. 다음 중 ㉠ ～ ㉧에 들어갈 보호구의 이름이 바르게 연결되지 않은 것은?

㉠	물체가 떨어지거나 날아올 위험 또는 근로자가 추락할 위험이 있는 작업
㉡	높이 또는 깊이 2미터 이상의 추락할 위험이 있는 장소에서 하는 작업
㉢	물체의 낙하·충격, 물체에의 끼임, 감전 또는 정전기의 대전(帶電)에 의한 위험이 있는 작업
㉣	물체가 흩날릴 위험이 있는 작업
㉤	용접 시 불꽃이나 물체가 흩날릴 위험이 있는 작업
㉥	감전의 위험이 있는 작업
㉦	고열에 의한 화상 등의 위험이 있는 작업
㉧	선창 등에서 분진(粉塵)이 심하게 발생하는 하역작업
㉨	섭씨 영하 18도 이하인 급냉동어창에서 하는 하역작업

① ㉠-안전모　　② ㉡-안전대　　③ ㉣-방열복
④ ㉥-절연용 보호구　　⑤ ㉧-방진마스크

42. ○○기업에서는 급변하는 기술변화에 직원들의 대응력을 높여 주기 위해 '전문 연수원을 통한 기술교육', 'e-Learning', '상급학교 진학을 통한 기술교육' 중 하나를 도입하고자 한다. 다음 중 자신이 원하는 교육 형태에 대하여 잘못 설명하고 있는 사람은 누구인가?

A : 저는 전문 연수원을 통한 기술교육이 좋을 것 같습니다. 우리 회사는 연수 시설이 없어서 체계적인 교육을 받기 어려운 점이 있는데, 전문 연수원이 생기면 양질의 교육을 받을 수 있고 회사 입장에서도 훌륭한 인재를 육성할 좋은 기회가 될 것입니다.

B : 저는 사실 혼자 e-Learning을 활용하는 것이 편할 것 같아요. 다른 사람 눈치를 안 봐도 되고, 진도도 스스로 정하게 되어 좋을 것 같습니다.

C : 원래 입사 전부터 대학원에 대한 미련이 있었는데, 만일 상급학교 진학을 통한 기술교육을 받을 기회가 생긴다면 정말 좋겠습니다.

D : 저는 A 씨의 의견에 동의합니다. 각 분야의 전문가들로 구성된 실무중심의 교육을 받을 수 있다는 것은 e-Learning 교육에선 생각하기 어려운 것이니까요.

E : B 씨와 같이 e-Learning을 선호합니다. 제가 원하는 시간에 학습을 할 수 있거든요. 사실 일찍 자고 새벽에 일어나는 편이라서요.

A : 제가 선호하는 교육방식의 경우 최신 실습장비, 시청각 시설 등의 부대시설을 활용할 수 있어서 좋은 것 같습니다.

B : 제가 선호하는 교육방식도 비디오, 사진, 영상 등 멀티미디어를 활용할 수 있어요.

C : 제가 선호하는 교육방식은 무엇보다 인적 네트워크 형성에 도움이 되고, e-Learning 처럼 학습을 스스로 조절하거나 통제할 수도 있습니다.

D : 일단 제가 선호하는 교육방식의 경우 무엇보다 연수비가 자체적으로 교육하는 것보다 저렴합니다.

E : 제가 선호하는 교육방식은 이메일, 토론방, 자료실 등을 통해 의사교환과 상호작용이 자유롭게 이루어질 수 있습니다.

---

① A   ② B   ③ C

④ D   ⑤ E

43. 다음 기사에 대한 이해로 적절하지 않은 것은?

소방당국은 지난달 31일 오전 E 빗물저류배수시설 확충 공사 현장에서 작업하던 협력업체 직원 G씨 등 2명과 이들을 구하기 위해 배수 터널에 뒤늦게 진입했던 시공사 직원 A씨가 갑자기 들이닥친 빗물에 휩쓸려 숨졌다고 밝혔다.

사고 당시 해당 지역에는 호우주의보가 발령됐고, 해당 시설은 시운전 기간중이라 평소 70% 수준이던 수문의 자동 개폐 기준 수위를 50%로 낮춘 상태였다. 그럼에도 유지·관리를 맡은 Y구와 시공사인 H 건설은 소통 부재로 초기 대응에 실패하며 작업자들을 구출할 골든타임을 놓쳤다. 더욱이 긴급 알림벨 등 외부 터널과 내부 간 의사소통 수단뿐만 아니라 구명조끼와 같은 기본적인 안전장치마저 구비되지 않았던 것으로 확인됐다. 대다수 전문가와 국민들이 이번 사고가 인재(人災)라는 지적에 공감하는 이유다.

이번 사고가 20X3년 7명의 생명을 앗아갔던 S시 배수지 수몰 사고와 비슷하다는 지적도 나온다. 당시 배수지 지하 상수도관에서 작업을 하던 근로자 7명은 갑자기 들이닥친 강물에 휩쓸려 목숨을 잃었다. 공사 관계자들은 장마철에 폭우가 이어지는 상황에서도 무리하게 작업을 강행하며 인명피해를 자초한 것으로 조사됐다. 해당 공사의 발주기관이었던 S시도 부실한 관리·감독에 따른 비판을 피할 수 없었다.

불과 한 달여 전인 지난달 4일 D구에서 철거 건물 붕괴 사고가 발생해 4명의 사상자가 발생했다. 현재 정확한 사고원인에 대한 조사가 진행 중이지만 이번 사고와 같이 D구와 건축주, 시공업체 등 관계 주체들의 부실한 관리·감독·시공이 참사의 유력한 원인으로 꼽히는 상황이다. 특히 D구는 사고가 발생하기 불과 3개월 전 S시로부터 공사장 안전점검 권고 공문을 받았으나 이를 이행하지 않은 것은 물론, 철거현장 관리·감독에 대한 구청의 책임을 강조해 놓고 막상 사고가 터지자 책임을 회피하는 모습을 보여 빈축을 사고 있다. 앞서 20X7년 1월에는 J구에서 철거 중인 숙박업소 건물이 무너져 매몰자 2명이 숨졌고, 같은 해 4월 G구 5층 건물 철거현장에서는 바닥이 내려앉아 작업자 2명이 매몰됐다가 구조되었다. 지난해 3월에는 C동 철거 공사장에서 가림막이 무너져 행인 1명이 다치는 사고도 있었다.

① 위와 같은 산업 재해는 근로자와 그 가족에게 정신적·육체적 고통에 이르게 하는 등의 개인적 영향을 미친다.

② 위와 같은 산업 재해는 현장 담당자를 강력하게 처벌함으로써 재해의 지접적 원인을 제거할 수 있다.

③ D구 철거 건물 붕괴 사고는 작업 관리상의 원인으로 발생한 산업 재해로 볼 수 있다.

④ 두 수몰 사고 모두 위험한 환경에서 작업을 강행한 불안전한 행동이 원인이다.

⑤ 이와 같은 산업 재해의 예방 대책은 안전 관리 조직, 사실의 발견, 원인 분석, 시정책의 선정, 시정책 적용 및 사후 관리의 5단계로 이루어진다.

44. ○○기업에서는 최근 각광받고 있는 'IoT(사물인터넷)'에 대한 설명회를 준비하였다. 다음 중 설명회의 내용에 대한 이해로 적절하지 않은 것은?

> IoT는 'Internet of Things'로 정의되며, 사물에 센서를 부착하여 인터넷을 통해 실시간으로 데이터를 주고받는 기술이나 환경을 일컫는다. 인터넷에 연결된 기기는 사람의 도움이 개입되지 않아도 서로 알아서 정보를 주고받으며 대화를 나눌 수 있다. 이를 돕기 위해서는 블루투스나 근거리무선통신(NFC), 센서데이터, 네트워크가 자율적인 소통의 핵심적인 기술이 된다. 사물인터넷은 사람과 사람 간의 통신을 넘어 사물에 IP 주소를 부여하고 사람과 사람 혹은 사물과 사물 간의 통신을 이끌어 내는 기술을 의미하기도 한다. 흔히 원격에서 조작하는 기기를 사물인터넷으로 생각하는데, 사물인터넷은 그 기기에 설정된 인터넷시스템까지도 포함하는 개념인 것이다.

① IoT 기술을 활용하면 수집된 데이터를 분석해 사물 스스로 의사결정을 내릴 수 있다.

② 귀에 꽂으면 자동으로 연결되는 블루투스 이어폰도 IoT라고 할 수 있다.

③ 화분의 습도를 측정한 다음 알아서 물을 주는 화분은 IoT에 해당한다.

④ 최근에는 자동차에도 IoT를 도입해서 교통사고가 나면 알아서 구급차를 부르는 기능도 생겼다.

⑤ 우리가 사용하는 스마트폰은 인터넷 연결은 되지만 사람의 도움 없이는 작동하지 않기 때문에 IoT라고 볼 수 없다.

45. ○○공사 김 팀장은 팀원들의 전자금융사기 예방을 위한 교육 자료를 정리하고 있다. 다음 내용에 해당하는 용어는?

> • 은행을 사칭하여 저금리 대출상품 안내 문자메시지를 보내거나 은행 직원을 사칭하여 가짜 재직증명서를 보내는 경우
> • 고금리 대출을 먼저 상환해야 저금리 대출을 받을 수 있다며 개인명의 계좌로 입금을 요구하는 경우
> • 검찰 · 경찰 · 금융감독원 직원인 척하여 계좌 도용, 대포통장 개설, 개인정보 유출 등이 되었다며 안전계좌로 입금을 요구하는 경우

① 피싱(Phishing)　　　② 파밍(Pharming)　　　③ 스미싱(Smishing)

④ 스니핑(Sniffing)　　　⑤ 스푸핑(Spoofing)

46. 다음 코딩조건을 참고할 때, 로봇이 청소를 완료하기 위해 필요한 코드 순서로 적절한 것은?

〈이동〉		〈행동〉	
↑	Up	일어나기	Stand
↓	Down	앉기	Sit
←	Left	청소하기	Clean
→	Right	넣기	Put

조건

1. 코드를 입력할 때 이동은 Move(code1, code2..), 행동은 Act(code1, code2..)로 입력해야 하며, 이동 코드와 행동 코드는 따로 입력해야 한다.
2. Robot은 로봇의 위치, ■는 쓰레기, U는 쓰레기통을 의미한다.
3. 쓰레기를 청소하기 위해서는 로봇이 쓰레기가 있는 위치에 가서 앉은 후 청소를 하고 일어나야 한다.
4. 쓰레기는 한 번에 한 개씩만 주울 수 있으며, 주운 후 쓰레기통에 가서 넣어야 다시 청소가 가능하다.
5. 코드 입력 시 같은 동작을 연속할 경우 코드 앞에 숫자를 붙이면 인식할 수 있다(예 3Up : 위로 3칸 이동).

① Move(Left, Up, 2Left), Act(Sit, Clean, Stand), Move(3Down), Act(Sit, Put, Stand), Move(2Up, Right), Act(Sit, Clean, Stand), Move(Left, 2Down), Act(Sit, Put, Stand)

② Move(2Left), Act(Sit, Clean, Stand), Move(Down, Left, Down), Act(Put), Move(3Up), Act(Sit, Clean, Stand), Move(3Down), Act(Put)

③ Move(Up, 3Left), Act(Sit, Clean, Stand), Move(Down, Right), Act(Sit, Clean, Stand), Move(2Down, Left), Act(Put)

④ Move(2Down, 2Left, 2Up), Act(Sit, Clean, Stand), Move(Left, 2Down), Act(Put), 3Up, Act(Sit, Clean, Stand), Move(3Down), Act(Put)

⑤ Move(Left, Up, 2Left), Act(Clean), Move(3Down), Act(Put), Move(2Up, Right), Act(Clean), Move(Left, 2Down), Act(Put)

47. 멀웨어에 대한 설명을 참고할 때, 다음 〈상황〉에서 J 사원의 노트북에 감염된 멀웨어의 종류는?

멀웨어(Malware)란 컴퓨터 사용자 시스템에 침투하기 위해 설계된 소프트웨어를 뜻하며 컴퓨터 바이러스, 웜, 트로이 목마, 스파이웨어, 랜섬웨어 등 종류가 다양합니다.

컴퓨터 바이러스(Computer Virus)는 한 컴퓨터에서 다른 컴퓨터로 확산되며 컴퓨터 작동을 방해하는 작은 소프트웨어 프로그램입니다. 컴퓨터 바이러스는 컴퓨터의 데이터를 손상시키는데, 전자 메일 프로그램을 사용해서 다른 컴퓨터로 바이러스를 퍼뜨리거나 하드 디스크의 모든 내용을 삭제하기도 합니다. 컴퓨터 바이러스는 보통 전자 메일 메시지 첨부 파일이나 인스턴트 메시징 메시지를 통해 확산됩니다. 바이러스는 재미있는 이미지, 인사말 카드, 오디오 및 비디오 파일 등 첨부 파일로 위장할 수 있습니다. 또한, 컴퓨터 바이러스는 인터넷 다운로드를 통해 퍼지기도 합니다. 컴퓨터 바이러스는 불법 복제 소프트웨어나 기타 다운로드한 파일 또는 프로그램 안에 숨어 있을 수 있습니다.

웜(Worm)은 사용자 개입 없이 확산되는 컴퓨터 코드입니다. 대부분의 웜은 열었을 때 컴퓨터를 감염시키는 전자 메일 첨부 파일로 시작됩니다. 웜은 감염된 컴퓨터에서 전자 메일 주소를 포함하는 주소록 또는 임시 웹 페이지와 같은 파일을 검색합니다. 웜은 이 주소를 사용하여 감염된 전자 메일 메시지를 보내고 다른 전자 메일 메시지에서 '보낸 사람' 주소를 자주 모방하여 감염된 메시지가 아는 사람으로부터 전송된 것처럼 보이게 합니다. 그런 다음, 전자메일 메시지, 네트워크 또는 운영 체제 취약성을 통해 자동으로 확산되어 원인이 밝혀지기 전에 시스템을 무력화시킵니다. 웜은 항상 컴퓨터에 파괴적인 결과를 가져오지는 않지만 일반적으로 컴퓨터 및 네트워크 성능과 안정성에 문제를 유발합니다.

트로이 목마(Trojan Horse)는 다른 프로그램 내에 숨어 있는 악성 소프트웨어 프로그램입니다. 화면 보호기와 같은 합법적인 프로그램 내에 숨어서 컴퓨터에 침입하여 해커가 감염된 컴퓨터에 액세스할 수 있도록 하는 코드를 운영 체제에 심습니다. 트로이 목마는 일반적으로 스스로 확산되지는 않고 바이러스, 웜 또는 다운로드 된 소프트웨어에 의해 확산됩니다.

스파이웨어(Spyware)의 주요 감염 경로는 P2P 파일공유 프로그램, 각종 무료 유틸리티 프로그램, 스팸메일, 다른 유해 프로그램, 특정 사이트 등입니다. 이러한 프로그램은 컴퓨터의 구성을 변경하거나 광고성 데이터 및 개인 정보를 수집할 수 있습니다. 스파이웨어는 인터넷 검색 습관을 추적하고 웹 브라우저를 사용자가 의도하지 않은 다른 웹 사이트로 리디렉션할 수도 있습니다.

랜섬웨어(Ransomware)는 악성 프로그램으로, 사용자의 동의 없이 시스템에 설치해 파일을 모두 암호화하여 컴퓨터의 작동이 중단되게 만듭니다. 보통 이를 재가동할 수 있게 해 주는 조건으로 비트코인과 같은 금전을 요구합니다. 랜섬웨어 종류에 따라 백신 프로그램이 랜섬웨어의 암호화를 사전에 차단해 주기도 하지만, 완벽하게 방어할 수는 없습니다. 또한, 복구를 진행했다 하더라도 컴퓨터가 이상 작동하는 경우가 있어 운영체제를 재설치해야 할 수도 있습니다.

1회 기출예상문제

2회 기출예상문제

3회 기출예상문제

4회 기출예상문제

5회 기출예상문제

6회 기출예상문제

> **상황**
>
> J 사원은 어제 퇴근 후 노트북으로 지인이 보낸 간단한 인사말과 첨부 파일이 있는 전자 메일을 받았다. J 사원은 의심 없이 해당 첨부 파일을 다운로드 받아 실행했는데, 첨부 파일에 별 내용이 없어 당황했지만 대수롭지 않게 여겼다. 그런데 다음날 출근하여 노트북을 켰더니 컴퓨터의 속도와 성능이 눈에 띄게 저하되어 있었고 네트워크가 안정적으로 연결되지 않는 문제가 발생했다. J 사원은 혼자서 원인을 파악해 보려고 했으나 시스템이 무력화되어 결국 수리를 맡기기로 하였다.

① 컴퓨터 바이러스　　　② 웜　　　③ 트로이 목마
④ 스파이웨어　　　⑤ 랜섬웨어

48. 다음 설명과 그에 해당하는 용어가 바르게 연결된 것은?

> A : 인공위성의 신호를 수신하는 장치로, 위치·정보 서비스 등에 사용된다.
> B : 실제 사물이나 환경에 3D의 가상 이미지를 중첩하여 부가 정보를 보여 주는 기술로, 카메라로 주변을 비추면 인근 상점의 위치, 전화번호 등의 정보가 입체영상으로 표시된다.
> C : 인터넷에 연결된 기기를 활용해 다른 기기에서 인터넷 접속이 가능하도록 해 주는 기술이다. 인터넷에 연결된 기기와 그렇지 않은 기기를 USB나 블루투스로 연결한다.
> D : 10cm 이내의 가까운 거리에서 무선으로 데이터를 전송하는 무선 태그 기술이다. 보안성이 우수하고 가격이 저렴하며 블루투스처럼 매번 기기 간 설정을 하지 않아도 된다.
>
> ㉠ 증강현실(AR)　　　㉡ 테더링(Tethering)
> ㉢ NFC(Near Field Communication)　　　㉣ GPS(Global Positioning System)

① A-㉡　　　② B-㉢　　　③ B-㉣
④ C-㉠　　　⑤ D-㉢

[49 ~ 50] 다음은 자주 사용되는 엑셀 단축키이다. 이어지는 질문에 답하시오.

〈유용한 엑셀 단축키〉

단축키	기능	단축키	기능
[Ctrl]+[W]	열린 문서 닫기	[Ctrl]+[U]	텍스트(글꼴) 밑줄
[Ctrl]+[O]	파일 열기	[Ctrl]+[P]	인쇄 미리 보기
[Ctrl]+[N]	새로 만들기	[Ctrl]+[L] or [T]	표 만들기 창
[Ctrl]+[R]	좌측(왼쪽) 값 복사	[Ctrl]+[X]	셀 잘라내기
[Ctrl]+[D]	위쪽 값 복사	[Ctrl]+[C]	셀 복사
[Ctrl]+[Z]	실행 취소	[Ctrl]+[V]	셀 붙여넣기
[Ctrl]+[Y]	다시 실행	[Ctrl]+[G]	이동 창
[Ctrl]+[B]	텍스트(글꼴) 굵게	[Ctrl]+[K]	하이퍼링크 창
[Ctrl]+[I]	텍스트(글꼴) 기울임	[Ctrl]+[;]	현재 날짜 입력
[Ctrl]+[F1]	탭 메뉴 숨기기/보이기	[Ctrl]+[F6]	다른 문서로 이동
[Ctrl]+[F2]	인쇄 미리 보기	[Ctrl]+[F9]	창 최소화
[Ctrl]+[F3]	이름 관리자 창 열기	[Ctrl]+[F10]	창 최대화/창 복원
[Ctrl]+[F4]	현재 문서 닫기	[Ctrl]+[F11]	새 매크로 시트 삽입

49. 다음 L 대리의 지시에 따라 R 사원이 활용할 단축키를 모두 고른 것은?

> R 사원,
> 이번에 엑셀 작업한 것을 봤는데요.
> 전체적으로 우리 회사 양식에 안 맞는 부분이 있네요.
> 수정해서 다시 제출하도록 하세요.
> 작성했던 파일을 열어서 제목 텍스트는 굵게 바꾸세요.
> 맨 아래 있는 각주는 밑줄을 쳐서 강조하도록 하고요.
> 좌측 열에 있는 종류에 해당하는 내용은 기울임을 주세요.
> 그리고 모든 서류는 가급적이면 인쇄했을 때
> 한 페이지 안에 들어가는 것이 좋아요.
> 인쇄했을 때 어떻게 나오는지도 꼭 확인해 보세요.
>
> -L 대리-

① [Ctrl]+[B], [Ctrl]+[I], [Ctrl]+[U], [Ctrl]+[P], [Ctrl]+[V]

② [Ctrl]+[O], [Ctrl]+[B], [Ctrl]+[U], [Ctrl]+[I], [Ctrl]+[P]

③ [Ctrl]+[G], [Ctrl]+[U], [Ctrl]+[N], [Ctrl]+[I], [Ctrl]+[P]

④ [Ctrl]+[O], [Ctrl]+[P], [Ctrl]+[U], [Ctrl]+[V], [Ctrl]+[B]

⑤ [Ctrl]+[O], [Ctrl]+[V], [Ctrl]+[P], [Ctrl]+[G], [Ctrl]+[N]

50. 다음은 L 대리가 작업 중인 서류이다. L 대리가 활용했을 것으로 추측할 수 있는 엑셀 단축키가 아닌 것은?

〈작업 전〉

〈작업 후〉

① [Ctrl]+[R]　　　　② [Ctrl]+[V]　　　　③ [Ctrl]+[F1]

④ [Ctrl]+[F11]　　　⑤ [Ctrl]+[L]

1회 기출예상문제　2회 기출예상문제　3회 기출예상문제　4회 기출예상문제　5회 기출예상문제　6회 기출예상문제

유형분석 >>>

직업윤리의 원칙 이해하기 ● — 13%

문법적 표현 이해하기 — 6%

문단 배치하기 — 12%

생산비용 구하기 ● — 13%

자료의 수치 분석하기 — 25%

조건을 바탕으로 추론하기 ● — 19%

문제해결의 과정 이해하기 ● — 12%

분석 >>> 사람인형 의사소통능력에서는 문법적 표현에 대해 묻는 문제, 글의 주제를 파악하는 문제, 제시된 글을 읽고 맥락에 따라 적절하게 문단의 순서를 배치하는 문제 등이 출제되었다. 수리능력에서는 확률을 구하는 문제, 벤 다이어그램을 통해 적절한 인원의 수를 파악하는 문제, 도표에 대한 옳은 설명을 찾는 문제 등이 출제되었다. 문제해결능력에서는 문제 해결을 위한 사고 방법을 이해하고 있는지 묻는 문제, 제시된 조건을 통해 결론을 추론하는 문제, TRIZ 문제해결 과정을 파악하는 문제 등이 출제되었다. 자원관리능력에서는 자원낭비의 원인에 대해 묻는 문제, 제조원가를 계산하는 문제, 과정별 업무 혁신을 통한 전후 개선 효과를 도출하는 문제 등이 출제되었다. 직업윤리에서는 기업에게 필요한 직업의식을 파악하는 문제, 조직 냉소주의에 대해 이해하고 있는지 묻는 문제 등이 출제되었다.

사람인형

3회 기출예상모의고사

영역	총 문항 수
의사소통능력	
수리능력	
문제해결능력	50문항
자원관리능력	
직업윤리	

- 수험번호 | _____
- 성 명 | _____

NCS란? 산업 현장에서 직무를 수행하기 위해 요구되는 각종 지식, 기술, 태도 등의 내용을 국가가 체계화한 것을 의미한다.

사람인형
[직업기초능력평가]

3회 기출예상문제

▶ 정답과 해설 22쪽

01. 다음 중 문법적 표현이 〈대화〉의 백 사원과 다른 것은?

> **대화**
>
> 김 과장 : 어제 나 없는 사이에 온 연락은 없었나요?
> 백 사원 : 과장님을 찾는 전화가 두 통이나 오셨어요.

① 죄송합니다. 그 상품은 현재 원료 수급 문제 때문에 품절되셨습니다.
② 말씀하신 것보다 마당이 아주 넓고 쾌적하시네요?
③ 말씀하신 물건들은 창고에 다 있으십니다.
④ 저희 아버지는 키가 참 크십니다.

02. 〈보기〉는 이(異)문화 커뮤니케이션 관련 사례이다. 다음 중 〈보기〉와 유사한 사례는?

> **보기**
>
> ○○기업 해외영업팀의 윤 과장은 수출 계약을 맺으러 사우디아라비아로 출장을 갔다. 윤 과장은 최종 계약을 하는 날에 현지 회사의 담당직원을 만났다. 윤 과장은 평소 습관처럼 다리를 꼬고 앉아서 대화를 시작했다. 그러자 사우디아라비아의 담당직원의 표정이 점점 굳어졌고, 결국 계약을 체결할 수 없다는 말을 들었다. 갑자기 계약이 거절당하게 된 영문을 몰라 발을 동동 구르던 윤 과장은 나중에야 그 이유를 알았다. 중동에서는 다리를 꼬는 자세로 앉아 상대방에게 자신의 신발 밑창을 보이는 것은 상대방에 대한 모욕을 나타내는 자세라는 것이었다.

① 불가리아에서는 고개를 끄덕거리면 부정적인 의미로 받아들인다.
② 중국어로 우산은 이별과 말뜻이 비슷하기 때문에 선물하지 않는다.
③ 미국에서 조찬모임은 아침 7시 또는 7시 30분에 한다.
④ 독일에서는 업무상 약속시간에 5분만 늦게 도착해도 결례이다.

03. 다음 중 공문서 작성법의 4가지 원칙에 대한 설명으로 적절하지 않은 것은?

① 정확성 – 육하원칙에 따라 내용을 작성하고 단어나 문장 부호 등을 맞춤법에 맞게 사용하도록 한다.

② 용이성 – 독자들이 이해하기 쉽게 알기 쉬운 단어나 문장으로 표현해야 하며 가급적 전문 용어나 어려운 한자 등은 사용하지 않도록 한다.

③ 간결성 – 필요한 내용만 간략히 쓰고 항목을 구분해 쓰기보다는 문장으로 서술하여 작성한다.

④ 경제성 – 용지와 서식 등을 통일하여 자주 쓰는 문장을 활용한다.

04. 다음 글의 주제로 가장 적절한 것은?

> 미국의 28대 대통령인 토머스 우드로 윌슨 대통령은 웅변가로 유명했다. 어느 날 윌슨 대통령에게 한 기자가 물었다. 그 대화의 내용은 다음과 같다.
>
> 기자 : 대통령님, 저희들에게 5분짜리 연설을 들려주시려면 보통 준비기간이 얼마나 필요하십니까?
>
> 대통령 : 하루 정도는 밤낮으로 준비해야 합니다.
>
> 기자 : 그렇군요. 그렇다면 30분 정도 말씀하시려면 어떻습니까?
>
> 대통령 : 30분 정도 이야기하려면 3시간 정도는 준비해야지요.
>
> 기자 : 그럼 연설 시간이 2시간이라면 어떻습니까?
>
> 대통령 : 두 시간이라고요? 그렇다면 지금 당장 시작할 수 있지요!

① 프레젠테이션을 할 때 초반에 농담이나 우스갯소리로 너무 많은 시간을 낭비하지 말고 본론부터 공략하는 것이 효과적이다.

② 프레젠테이션에서 설득력 있게 말하기 위해서는 메시지가 무엇인지가 중요하다. 특히 짧은 시간에 설득력 있게 말하려면 메시지를 명확하게 전달하기 위해 많은 준비가 필요하다.

③ 프레젠테이션을 할 때 청중의 몰입도를 높이기 위해서는 시청각자료의 구성에도 신경을 써야 한다.

④ 프레젠테이션을 준비하면서 거의 전문가급이 되더라도 듣는 사람을 배려하여 용어를 사용해야 한다.

[05 ~ 06] 다음 글을 읽고 이어지는 질문에 답하시오.

편의점 대국으로 불리는 일본에서는 포인트 서비스가 활성화되어 있어 이용자들이 보다 현명하게 편의점을 이용할 수 있다. ⓐ 싸인/쌓인 포인트는 다음 쇼핑 대금 지불에 이용하거나 상품 및 상품권 또는 제휴 여부에 따라 타사 포인트 등으로도 교환할 수 있다. 일본 편의점에서는 ⓑ 원래/월래 할인 판매를 하지 않는다. 하지만 포인트 서비스를 이용하면 가격할인과 실질적으로 동일한 효과가 있기 때문에 포인트 서비스의 활용도가 상당히 높다. 그런데 기업 및 점포에게 이익이 되지 않는 이 서비스를 굳이 도입한 이유는 무엇일까? 통상적으로는 이용자들의 쇼핑 관련 개인정보와 언제 무엇을 구입했는지, 보통 무엇과 무엇을 같이 구입하는지, 그리고 이용 빈도수는 얼마나 되는지 등의 구매행동 이력을 수집하는 것이 주요 목적이다. 물론 수집한 정보는 불법적인 용도가 아닌 향후 상품 개발 및 점포 내 물품 체제 관리 등에 활용되는 것을 전제로 한다. 자신만 혜택을 보면 그만이라 생각하는 일부 이용자들도 있겠지만 ⓒ 대개/대게는 모두가 이용하기 쉽고 환경 친화적이며 안전한 점포가 되기를 바랄 것이다. 편의점에게 포인트 서비스는 커뮤니케이션 수단 중 하나인 것이다. 따라서 편의점 회사와 회원들 간의 연계를 심화시키고 장기적으로 지속적인 관계를 구축해 나가는 것을 ⓓ 지양/지향한다. 약관에 가입하여 회원이 되는 것은 어느 정도 신뢰감을 가지고 부분적이지만 개인의 정보 분석을 '허락'하는 행위나 마찬가지이다. 따라서 회원이 되는 측도 본인의 정보를 어느 정도는 제공함으로써 지속적인 관계를 이어 갈 각오를 다져야 한다고 생각한다. 인구감소와 저출산 및 고령화가 지금과 같은 양상으로 진행된다면 서로 경쟁하는 복수의 점포로부터 그때마다 자신에게 적합한 점포를 선택할 수 있는 현재와 같은 환경이 지속될 것으로 생각하기 어렵다. 그렇다면 특정 점포에 대한 충성도로 점포를 선택하기보다 자신에게 보다 적합한 서비스를 제공하는 점포를 선택할 가능성이 더욱 커질 것이다. 이미 가까운 거리에 점포가 없거나 지금 자신에게 맞는 점포가 없는 상황에 있는 '쇼핑 약자'도 발생하고 있다. 이 경우는 처음부터 자신의 상황에 맞춘 점포를 만들어 가는 수밖에 없다.

05. 편의점 측이 포인트 서비스로 얻게 되는 이익이 아닌 것은?

① 고객과의 연결고리　　　　　② 나에게 특화된 점포 찾기
③ 가입자 정보　　　　　　　　④ 점포 서비스 부분 개설

06. 밑줄 친 ⓐ ~ ⓓ에 들어갈 단어의 쓰임이 적절하지 않은 것은?

① ⓐ 쌓인　　　　　　　　　　② ⓑ 원래
③ ⓒ 대개　　　　　　　　　　④ ⓓ 지양

07. 다음 글을 읽고 문맥의 흐름에 맞게 (가) ~ (라)를 순서대로 나열한 것은?

> 석유를 원료로 하는 가솔린, 디젤, LPG 자동차 등은 연료의 성분이 C_xH_y, 즉 탄소(C)와 수소(H)의 성분으로 되어 있다. 물론 이 성분 외의 다른 성분도 있지만 대부분을 차지하는 것은 탄소와 수소다. 이러한 연료가 연소된다는 의미는 공기 중의 산소와 결합한다는 것을 말한다.
>
> (가) 이러한 이유로 이산화탄소를 배출하지 않는 자동차인 전기자동차가 부상한 것이다. 전기 자동차는 모터를 이용하여 자동차의 바퀴를 구동하므로 사실상 손쉬운 원리라고 할 수 있다. 따라서 전기자동차는 가솔린자동차보다 먼저 실용화되어 1880년대 후반부터 1900년대 초·중반에는 많이 사용되었다. 그러나 성능의 한계가 있어 점차 자취를 감추 게 되었다. 전기자동차는 배터리가 매우 중요한데, 이때 사용되었던 납산 배터리는 한계 가 있었던 것이다. 그러나 전기자동차의 배터리 성능이 향상되면서 지구온난화라는 명제 를 해결하기 위해 전기자동차가 다시 부각되고 있다. 전기자동차에 사용되는 배터리는 리튬이온 배터리이다.
>
> (나) 만약 엔진이 연소를 시킬 때 산소가 부족하게 되면 일산화탄소(CO)가 발생되고, 연소가 안 된 상태로 배출되면 탄소와 수소의 성분인 탄화수소(HC)가 배출된다. 이산화탄소와 물로 변하는 것은 완벽하게 연소될 때를 의미하며, 불완전연소가 일어나면 일산화탄소와 탄화수소가 발생하게 된다.
>
> (다) 그러나 이처럼 완벽하게 연소시켜도 이산화탄소는 배출될 수밖에 없다. 이산화탄소는 지 구온난화를 가속화하는 요인으로 알려져 있다. 따라서 석유를 쓰는 한 이산화탄소 배출 로 인한 지구온난화는 피할 수 없는 것이다. 더구나 자동차는 운전조건이 까다롭고 변화 가 심하기 때문에 완전연소로 이산화탄소와 물만 배출하는 것은 거의 불가능하다. 즉, 석유를 사용하지 않아야 해결될 수 있는 것이다. 이러한 이유로 석유를 사용하지 않는 자동차를 만드는 것은 매우 중요한 사명이 되었다.
>
> (라) 자동차는 엔진 내에 연료를 넣고 공기와 혼합 후 불을 붙여 연소시키는데, 이때 탄소(C)가 산소(O_2)와 결합하면 이산화탄소(CO_2)가 만들어지며, 수소(H)가 산소와 결합되면 물 ($2H_2O$)이 되는 것이다. 즉, 석유계의 연료는 연소하면 이산화탄소(CO_2)와 물($2H_2O$)을 만든다.

① (가) - (다) - (라) - (나)   ② (다) - (라) - (나) - (가)

③ (라) - (나) - (다) - (가)   ④ (라) - (다) - (가) - (나)

[08 ~ 09] 다음 글을 읽고 이어지는 질문에 답하시오.

생태학적 관점에서 섬은 매우 역동적인 공간이다. 섬의 형태는 물리적으로 파도와 바람에 의해 결정되며 섬에 사는 생물체에게는 염도에 적응하기 위한 특수한 적응전략이 필요하다. 그리고 육지의 포식자들을 피하는 동시에 자신들을 먹이로 하는 다양한 해양 포식자들을 피하기 위한 집단 시스템이 요구된다. 따라서 섬에는 육지와는 또 다른 생태계가 형성되어 있다.

육지 패러다임으로 바라본 섬이 고립과 폐쇄성의 공간이라면 해양 패러다임으로 바라본 섬은 바다를 통한 소통의 공간이라고 할 수 있다. 고대부터 섬 주민은 육지와 달리 수렵채집사회를 유지해 왔다. 어업기술의 발전으로 섬 주민들도 주수입원을 얻기 위해 농경사회와 같이 기르는 과정을 거치기는 하지만 이 역시 바다가 제공하는 식량 자원을 채집하는 형태를 띠고 있다.

고립과 소통으로 대표되는 ㉠섬에 사는 바닷새들은 한반도 해양생물의 다양성을 유지하고 지속 가능하게 하는 데 지대한 영향력을 발휘해 왔다. 우리나라를 중심으로 동아시아, 대양주 철새 이동 경로에 있는 섬들은 이동성 물새 및 바닷새에게 중요한 중간 기착지 역할을 한다. 특히 대표적인 바닷새인 도요물떼새는 섬과 갯벌에서 장거리 이동에 필요한 에너지원을 섭취하고 안전한 서식지를 제공받는다. 우리나라와 중국 사이에 있는 서해안은 한반도와 중국에 있는 큰 하천에서 영양물질이 많이 흘러나오는 곳으로 많은 해양생물에게 풍부한 먹이를 제공한다. 게다가 넓은 갯벌을 형성하고 있기 때문에 바닷새들에게 집단 번식지를 제공한다. 서해안은 육지에서 흘러온 많은 영양물질들을 기반으로 촘촘한 먹이 그물망을 형성하여 바람과 태풍 등의 모진 풍파에도 불구하고 야생 조류들에게 최적의 번식지가 되었다.

고립무원인 섬은 야생 조류에게 집단 지성의 힘을 일깨우게 한다. 육지 못지않은 강력한 포식자들의 침입에도 불구하고 야생 조류들은 집단 서식의 정보소통을 통해 빠르게 경계태세로 대항할 수 있었으며 생존율을 높일 수 있었다. 바닷새는 안락한 육지와는 비교할 수 없을 정도로 험악한 기상 환경과 척박한 환경에 노출되어 있지만 상대적으로 풍부한 먹이와 정보소통의 힘으로 멸종위기의 환경에서도 버티며 살아갈 수 있었던 것이다.

그러나 최근 섬에 사는 야생 조류들은 ㉡문명 발전에 속절없이 당하는 신세로 전락하고 말았다. 인구밀도가 가장 높은 동북아시아의 해안에는 값싼 석유화학 제품의 홍수 속에 플라스틱 쓰레기 더미가 몰려오고 있는데, 이로 인해 많은 해양 조류와 포유류들이 희생당하고 있다. 각종 플라스틱 쓰레기가 바닷새의 몸 안에 축적되어 가고 있으며 폐사한 바닷새의 위에서는 해양쓰레기들이 발견된다. 기후 변화에 따른 먹이 자원의 변화도 눈에 띤다. 또한 섬을 방문하는 외부인들은 오랫동안 섬 주민과 형성해 온 공생 시스템과 외래종의 침입 장벽을 와해시키고 있다. 짧고 강력한 위협 요인들이 바닷새에게 적응할 시간을 주지 않고 있는 것이다.

1회 기출예상문제

2회 기출예상문제

3회 기출예상문제

4회 기출예상문제

5회 기출예상문제

6회 기출예상문제

08. ㉠의 생존방식에 대한 설명으로 적절하지 않은 것은?

① 험악한 기상환경에 대한 적응력을 높였다.

② 육지에서 흘러온 많은 영양물질을 기반으로 먹이 그물망을 형성했다.

③ 집단 서식으로 정보소통이 용이했다.

④ 척박한 생태계에서 부족한 먹이를 선점하기 위한 경쟁력을 확보했다.

09. ㉡에 대한 필자의 관점으로 적절한 것은?

① 섬에 사는 생물들이 환경에 적응하여 생존하는 것을 어렵게 만들었다.

② 고립된 섬의 문화를 개방시켜 소통할 수 있게 해 주었다.

③ 인간과 자연의 공존 방식을 연구하여 섬을 발전시키고 있다.

④ 기후 변화에 대한 대응책을 강화하여 섬의 생태계를 활성화시켰다.

10. (주)AA커머스의 홍보담당인 오 대리는 〈보기〉를 바탕으로 기사를 작성하고 있다. 다음 중 오 대리가 작성한 기사로 적절한 것은?

보기

◇ 행사명 : 소상공인 우수제품 발굴 및 온라인 판로 활성화를 위한 업무협약(MOU) 체결식

◇ 업무협약 당사자 : ○○진흥원, (주)AA커머스

◇ 체결 일시 및 장소 등
  • 일시 : 20XX. 11. 20. (수) 11 : 00
  • 장소 : ○○진흥원 본사 제1회의실

◇ 업무협약 참여자
  • ○○진흥원 : K 지역산업거점본부 김□□ 본부장
  • (주)AA커머스 : 상품사업본부 박◇◇ 실장

◇ 협약 내용
  • 우수소상공인 제품 발굴 및 판로 활성화를 위하여 소셜커머스 입점 지원에 대한 협약기관 간의 상호 협력
    ─○○진흥원 : 소셜커머스 입점 희망 소상공인 모집 및 자료 제공
    ─(주)AA커머스
      : 소상공인의 소셜커머스 입점에 필요한 준비사항 지원
      : 입점제품 콘텐츠 제작 · 등록수수료 면제, 자체 기획전 운영(예산 소요)

---

① ○○진흥원과 (주)AA커머스는 20일 오전 '소상공인 우수제품 온라인 판로진출 활성화'를 위한 업무협약을 체결하였다. 이번 협약으로 ○○진흥원은 우선적으로 소상공인협동조합 및 소공인 우수제품을 발굴한 후 (주)AA커머스에 추천하여 소상공인의 신규 판로채널 확보의 기틀을 마련하게 되었다. 한편 (주)AA커머스는 발굴된 소상공인협동조합 및 소공인 우수제품을 커머스 사이트에 등록 시 등록비를 면제하고 상품기획 컨설팅을 제공하여 소상공인의 온라인 판로진출 활성화에 기여하기로 하였다.

② ○○진흥원과 (주)AA커머스는 20일 오전 '소상공인 우수제품 온라인 판로진출 활성화'를 위한 업무협약을 체결하였다. ○○진흥원의 이사장과 (주)AA커머스의 대표이사가 참석한 가운데 체결된 것으로, 이번 협약으로 ○○진흥원은 소상공인 우수제품을 발굴한 후 (주)AA커머스는 입점제품에 대한 콘텐츠 제작 및 등록수수료 면제 등을 지원하기로 하였다.

③ ○○진흥원과 (주)AA커머스는 20일 오전 '소상공인 우수제품 온라인 판로진출 활성화'를 위한 업무협약을 체결하였다. 이번 협약으로 ○○진흥원은 우선적으로 소상공인협동조합 및 소공인 우수제품을 발굴한 후 (주)AA커머스에 추천하여 소상공인의 신규 판로채널 확보의 기틀을 마련하게 되었다. 한편 (주)AA커머스는 발굴된 소상공인협동조합 및 소공인 우수제품을 커머스 사이트에 등록하는 동시에 소상공인들을 위한 마케팅 플랫폼의 역할을 함으로써 이커머스로서의 입지를 더욱 확고히 해 나가기로 하였다.

④ ○○진흥원과 (주)AA커머스는 최근 업무협약을 통해 소상공인들의 온라인 판로 활성화를 위한 협력을 지속하고 강화해 나가기로 했다. 협약내용은 우수 소상공인 제품 발굴 및 판로활성화를 위하여 소셜커머스 입점지원에 대한 협약기관 간의 상호협력에 대한 것으로, ○○진흥원은 소셜커머스 입점을 희망하는 소상공인을 모집하고 이에 대한 자료를 제공하기로 하였으며, (주)AA커머스는 입점제품에 대하여 상품기획 컨설팅을 지원하기로 하였다. 단, 기획전 참여 및 운영은 유료로 진행된다.

11. 한 프로젝트가 성공했을 때 다음 프로젝트도 성공할 확률이 $\frac{2}{3}$, 프로젝트가 실패했을 때 다음 프로젝트도 실패할 확률이 $\frac{2}{5}$인 사원이 있다. 이 사원의 첫 번째 프로젝트가 성공했을 때, 네 번째 프로젝트가 실패할 확률은?

① $\frac{233}{675}$

② $\frac{237}{675}$

③ $\frac{241}{675}$

④ $\frac{49}{135}$

12. 김지원 씨는 10만 원으로 4,000원짜리 쿠키와 6,000원짜리 커피를 총 21개 구매하였다. 김 씨가 구매한 쿠키의 개수는? (단, 남은 금액은 없다)

① 8개

② 10개

③ 13개

④ 16개

13. 현재 강의 수위는 대피령 발령 수위보다 1.1m 낮은 상태이며, 폭우가 쏟아지면서 강의 수위가 시간당 20cm씩 높아지고 있다고 한다. 대피 경보는 지금으로부터 몇 시간 후에 발령되는가?

① 4시간 50분

② 5시간

③ 5시간 20분

④ 5시간 30분

14. 다음은 A 회사의 드라이어와 청소기 중 적어도 한 가지 제품을 사용하고 있는 60명의 고객을 대상으로 진행한 설문 조사이다. 조사 결과 60명의 응답자 중 1-1번 항목에 '① 예'라고 답한 고객은 45명, 1-2번 항목에 '① 예'라고 답한 고객은 30명이었다면, A 회사의 드라이어와 청소기를 모두 사용하고 있는 고객은 몇 명인가?

〈설문 조사지〉

1. 다음은 A사 제품 보유와 관련된 질문입니다.

1-1) A사의 드라이어 제품을 사용하고 계십니까?

① 예   ② 아니오

1-2) A사의 청소기 제품을 사용하고 계십니까?

① 예   ② 아니오

① 10명   ② 12명
③ 15명   ④ 18명

15. ○○기업 윤 사장은 직원들에게 추석 선물을 주기 위해 A ~ C 선물세트를 구매하여 총 1,389,800 원을 지출하였다. 윤 사장이 구매한 B 선물세트는 몇 개인가?

구분	개당 가격
A 선물세트	23,500원
B 선물세트	31,400원
C 선물세트	27,900원

• ○○기업 직원 수는 52명으로, 추석 선물은 인당 1개씩 준다.

• C 선물세트는 전체 직원 수의 $\frac{1}{4}$만큼 구매하였다.

① 14개   ② 13개
③ 12개   ④ 11개

[16 ~ 17] 전기요금계란 전기요금표에 따라 기본요금과 사용량에 따른 전력량 요금을 합한 금액으로, 전기요금 복지할인 대상에게는 대상별 할인요금을 감액한 금액이 전기요금계가 된다. 다음은 7 ~ 8월이 아닐 때 단독주택에 적용되는 전기요금표이다. 이어지는 질문에 답하시오.

기본요금(원/호)		전력량 요금(원/kWh)	
200kWh 이하 사용	910	처음 200kWh까지	93.3
201 ~ 400kWh 사용	1,600	다음 200kWh까지	187.9
400kWh 초과 사용	7,300	400kWh 초과	230.6

16. 대가족 할인 30%(월 16,000원 한도)를 받는 어느 단독주택에서 2월에 320kWh의 전기를 사용했다면, 이 주택의 전기요금계는 얼마인가? (단, 소수점 아래 첫째 자리에서 반올림한다)

① 26,808원

② 29,966원

③ 42,808원

④ 55,650원

17. (16번과 이어짐) 2월에 320kWh의 전기를 사용하고 대가족 할인 30%(월 16,000원 한도)를 받은 어느 단독주택에서 장애인 할인 16,000원이 가능하다는 것을 뒤늦게 알게 되었다. 할인요금은 감액 요금이 큰 금액 한 가지만 적용할 수 있다면, 이 주택의 전기요금계는 어떻게 변화하는가? (단, 소수점 아래 첫째 자리에서 반올림한다)

① 전기요금계는 26,808원이다.

② 전기요금계는 29,966원이다.

③ 전기요금계는 3,158원 증가한다.

④ 전기요금계는 16,000원 감소한다.

18. 다음은 어느 지역의 연도별 고용률 및 인구 현황에 대한 자료이다. 이를 참고할 때 취업률이 높은 순서대로 연도를 바르게 나열한 것은? (단, 인구 계산 시 소수점 이하는 버린다)

〈연도별 고용률〉

※ 고용률은 소수점 아래 둘째 자리에서 반올림한 값임.

〈연도별 인구 현황〉

(단위 : 천 명)

구분	20X1년	20X2년	20X3년
취업자 수	2,790	3,400	2,830
비경제활동인구	2,780	3,200	3,000

※ 취업률 = $\dfrac{취업자\ 수}{경제활동인구} \times 100$

※ 고용률 = $\dfrac{취업자\ 수}{15세\ 이상\ 인구} \times 100$

※ 경제활동인구 = 취업자 수 + 실업자 수

※ 15세 이상 인구 = 경제활동인구 + 비경제활동인구

① 20X2년 > 20X1년 > 20X3년

② 20X2년 > 20X3년 > 20X1년

③ 20X3년 > 20X1년 > 20X2년

④ 20X3년 > 20X2년 > 20X1년

19. 다음은 시도별 1인당 자동차 등록대수와 총 자동차 등록대수를 나타낸 표이다. 200X년 제주특별자치도의 인구가 604,128명이라고 할 때, 자료에 대한 해석으로 적절하지 않은 것은?

〈200X년, 201X년 자동차 등록대수〉

(단위 : 대)

구분	200X년		201X년	
	1인당 자동차 등록대수	총 자동차 등록대수	1인당 자동차 등록대수	총 자동차 등록대수
서울특별시	0.3	2,954,704	0.3	3,124,157
부산광역시	0.3	1,116,719	0.4	1,395,183
대구광역시	0.4	909,222	0.5	1,190,154
인천광역시	0.3	895,818	0.6	1,635,323
광주광역시	0.3	494,460	0.5	676,281
대전광역시	0.4	553,857	0.5	673,899
울산광역시	0.4	427,610	0.5	565,639
세종특별자치시	–	–	0.5	163,339
경기도	0.4	4,014,392	0.4	5,765,692
강원도	0.4	587,707	0.5	782,700
충청북도	0.4	591,478	0.5	837,602
충청남도	0.4	796,918	0.5	1,118,117
전라북도	0.4	683,103	0.5	929,061
전라남도	0.4	686,384	0.6	1,056,239
경상북도	0.4	1,067,507	0.5	1,446,262
경상남도	0.4	1,303,680	0.5	1,721,503
제주특별자치도	0.4	(가)	0.9	596,215

① (가)에 들어갈 수치는 362,477이다.
② 201X년 강원도의 인구는 1,565,400명이다.
③ 200X년 대비 201X년에 총 자동차 등록대수가 백만 대 이상 증가한 곳은 한 곳뿐이다.
④ 200X년 대비 201X년에 1인당 자동차 등록대수가 가장 많이 증가한 곳은 제주도이다.

20. 다음은 특정 질병에 대한 6월 6일부터 6월 13일까지의 정보를 나타낸 것이다. 이에 대한 설명으로 옳은 것을 〈보기〉에서 모두 고르면?

〈확진자 수 및 검사 의뢰자 수〉

※ 확진 여부는 검사 의뢰 바로 다음날 확인 가능하다.
※ 6월 5일에 확진 판정을 받은 사람은 214명, 검사 의뢰자는 487명이다.

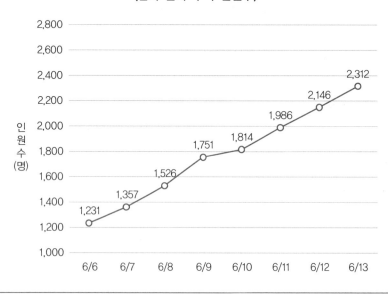

〈완치 환자 누적 인원수〉

보기

ㄱ. 검사 의뢰자 수가 가장 많은 날짜는 6월 7일이다.

ㄴ. 전날 대비 확진자 수의 증가율이 가장 큰 날짜는 6월 8일이다.

ㄷ. 6월 6일에 음성 판정을 받은 사람은 273명이다.

ㄹ. 6월 7일에서 6월 8일 사이에 완치된 환자 수가 6월 12일에서 6월 13일 사이에 완치된 환자 수보다 적다.

① ㄱ, ㄴ　　　　　② ㄱ, ㄷ

③ ㄱ, ㄴ, ㄷ　　　④ ㄴ, ㄷ, ㄹ

21. 다음 〈사례〉에서 나타난 문제해결 사고 방법으로 적절한 것은?

사례

　네덜란드의 △△도시의 L 교차로는 하루 수만 대의 자동차와 수천 명의 보호자, 자전거가 지나다니는 곳이다. 그러나 이곳은 교통 규제가 없는 도로를 시행하고 있어 교통 표지판과 신호등이 없고 인도와 차도도 구분되어 있지 않다. 하지만 교통 규제가 없는 도로를 시행하게 되면 교통사고가 빈번하게 발생할 것이라는 예상과 다르게 연평균 사고 건수가 20여 건에서 1건 정도로 줄었다. △△도시의 교통을 책임지고 있는 한스 씨는 "지나치게 많은 규제와 통제가 오히려 사람들을 타성에 젖게 하고 방심하게 만든다."라고 말하며 도로를 사람과 자동차가 공유하는 공간이라는 개념을 가지면 스스로 주의하고 조심할 것이라는 생각으로 이 교통 규제 없는 도로를 만들었다고 말했다.

① 발상의 전환　　　② 분석적 사고

③ 전략적 사고　　　④ 자원의 활용

22. 다음 〈보기〉에서 파악할 수 있는 논리적 오류의 예시는?

> **보기**
>
> 모집단 M 안에 하위집단 m이 있고, m에는 P라는 특징이 있다. 따라서 M에도 P라는 특징이 있다고 추론한다. 그러나 m이 M을 대표하지는 않는다.

① 커피는 기호식품이고 담배도 기호식품이므로 커피는 담배이다.

② 사과는 과일이다. 사과는 둥글다. 바나나도 과일이다. 따라서 바나나도 둥글다.

③ 내가 거짓말을 한다면 재채기를 할 것이다. 난 재채기를 했다. 그러므로 나는 거짓말을 했다.

④ ○○대학교 신입생 100명을 상대로 한 여론조사 결과, 98%가 1학기 첫 수업을 듣지 않는다. 따라서 모든 ○○대학교 학생들은 1학기 첫 수업을 듣지 않는다.

23. 다음의 인사팀 성 팀장의 결론을 이끌어 내기 위해서 추가해야 할 두 가지 전제로 알맞은 것을 〈보기〉에서 고르면?

> ○○기업 인사팀 성 팀장은 지난 다면평가와 업무평가를 토대로 승진 대상자를 선발하고자 한다. 차 대리, 조 대리, 홍 사원, 김 사원이 승진 대상자 후보인데 적어도 홍 사원은 승진 대상자라고 결론을 내렸다. 그 이유는 차 대리, 김 사원 중 적어도 한 명은 승진 대상자가 되는데 차 대리가 대상자가 아니라면 홍 사원이 대상자이기 때문이다.

> **보기**
>
> ㄱ. 차 대리는 승진 대상자이다.
> ㄴ. 조 대리는 승진 대상자이다.
> ㄷ. 차 대리가 승진 대상자가 되면 조 대리는 승진 대상자가 아니다.
> ㄹ. 조 대리와 김 사원 둘 다 승진 대상자가 아니면 홍 사원이 승진 대상자가 된다.

① ㄱ, ㄴ   ② ㄱ, ㄹ

③ ㄴ, ㄷ   ④ ㄴ, ㄹ

1회 기출예상문제

2회 기출예상문제

3회 기출예상문제

4회 기출예상문제

5회 기출예상문제

6회 기출예상문제

24. △△컴퍼니에서는 스마트 사회를 선도하기 위하여 S팀, T팀, F팀이라는 3개의 테스크포스팀 (Task Force Team)을 운영하고 있다. 각 팀은 다음과 같이 팀 업무를 설명하고 있다. 진술 중 적어도 하나는 참이고, 적어도 하나는 거짓이라면 거짓인 진술은 몇 개이며 한국판 뉴딜 선도를 담당하고 있는 팀은 어디인가? (단, 1개의 팀만 한국판 뉴딜 선도를 담당하고 있다)

> S팀 : T팀은 한국판 뉴딜 선도를 담당하고 있지 않다.
>
> T팀 : 우리 팀에서는 한국판 뉴딜 선도를 담당하고 있지 않다.
>
> F팀 : 우리 팀은 한국판 뉴딜 선도를 담당하고 있다.

① 두 개, T팀

② 한 개, F팀

③ 두 개, S팀

④ 한 개, S팀

25. 다음 대화를 읽고 ㉠과 ㉡에 들어갈 말로 옳은 것을 고르면?

> 갑 : 사업기획부와 신전략사업부가 회의에 참석한다면, 자산관리부도 참석해.
>
> 을 : 자산관리부는 회의 기간 중 회계검사 때문에 참석하지 못해.
>
> 갑 : 그럼 사업기획부와 신전략사업부 중 적어도 한 부서는 참석하지 못하겠네.
>
> 을 : 그럼에도 불구하고 사업기획부와 정보운영부 중 적어도 한 부서는 참석해.
>
> 갑 : 그렇다면 사업기획부는 회의에 반드시 참석하겠네.
>
> 을 : 그 뜻은 너는 _____ ㉠ _____고 생각하는구나.
>
> 갑 : 그렇지. 그리고 우리 생각이 모두 참이면, 교육기획실과 연구기획실 모두 참석해.
>
> 을 : 그래. 그 이유는 _____ ㉡ _____ 때문이지.

① ㉠ : 정보운영부가 회의에 불참한다

㉡ : 신전략사업부가 회의에 불참하면 교육기획실과 연구기획실 모두 참석하기

② ㉠ : 정보운영부가 회의에 불참한다

㉡ : 교육기획실과 연구기획실 모두 회의에 참석하면 신전략사업부도 참석하기

③ ㉠ : 신전략사업부가 회의에 불참한다

㉡ : 신전략사업부가 회의에 참석하면 교육기획실과 연구기획실 모두 참석하기

④ ㉠ : 신전략사업부가 회의에 불참한다

㉡ : 교육기획실과 연구기획실 모두 회의에 참석하면 신전략사업부는 불참하기

26. 다음은 임신기간 중 약물 복용횟수와 정상아 및 기형아 출산 현황에 대한 자료이다. 〈보기〉의 설명에서 옳지 않은 것을 모두 고르면?

<h4 style="text-align:center">〈약물 복용횟수와 출산 현황〉</h4>

약물 복용횟수(회)	출생수(명)		
	정상아	기형아	합계
0	15,952	48	16,000
1	12,460	40	12,500
2	792	8	800
3	194	6	200
4	37	3	40
5 이상	12	3	15

※ 모든 출산여성은 정상아 또는 기형아 중 1명만 출산

※ 기형아발생률(%) = $\dfrac{기형아\ 출생수}{전체\ 출생수} \times 100$

보기

㉠ 기형아발생률은 약물 복용횟수가 1회인 경우가 0회인 경우보다 0.02%p 더 높다.
㉡ 약물 복용횟수가 2회 이하인 경우의 기형아발생률은 약 0.43%이다.
㉢ 약물 복용횟수가 1회씩 증가할수록 기형아발생률의 증가폭이 점점 커진다.

---

① ㉠   ② ㉡
③ ㉢   ④ ㉡, ㉢

27. □□기업에 첫 출근한 국 씨는 발령받은 부서가 있는 7층으로 향했다. 7층에는 인사부, 경영부, 감사실 등 3개의 사무실이 있었고 각 사무실에는 아래와 같은 안내문이 붙어 있었다. 이 중 단 하나만 거짓이라고 할 때 적절한 것은?

A호실 : G호실이 경영부이다.
D호실 : A호실은 감사실이다.
G호실 : D호실은 경영부 또는 인사부이다.

---

① A호실은 인사부이다.   ② G호실은 경영부이다.
③ D호실은 경영부이다.   ④ D호실은 감사실이다.

[28 ~ 29] 다음은 TRIZ 문제해결 과정을 나타낸 것이다. 이어지는 질문에 답하시오.

단계	1단계	2단계	3단계	4단계	5단계
	문제 파악	문제 정보 찾기	문제 원인 정의	해결안 도출	해결안 적용
설명	문제 요소 파악 및 성공 기준 설정	문제의 공식화 및 시스템 분석	문제의 명확화	자원 분석 및 모순정의, 해결안 도출	해결안 검증 및 적용
세부 단계		(가)			
사용 도구			(나)		

28. (가)를 구성하는 세부단계를 순서대로 바르게 나열한 것은?

> 가. 시스템 분석　　　　　　　나. 문제 관련 내용 찾기
> 다. 현장 시스템의 정상적인 기능도　　라. 문제 검증 및 자체 제거
> 마. 문제의 공식화

① 가 – 나 – 다 – 라 – 마　　② 가 – 마 – 다 – 나 – 라
③ 나 – 가 – 마 – 라 – 다　　④ 나 – 마 – 가 – 라 – 다

29. (나)에 들어갈 도구로 가장 적절한 것은?

① 모순도식표　　　　　　② 기능도
③ 관리 그래프　　　　　　④ Know-why 분석

30. 박 대리, 윤 대리, 이 대리는 경영지원, 교육, 데이터관리, 운용혁신, 자원융합, 감사 직무를 2가지씩 경험했다. 다음 〈조건〉을 모두 고려했을 때 이 대리가 경험한 직무는 무엇인가? (단, 세 사람 외의 다른 직원은 고려하지 않으며 각자 경험한 직무는 중복되지 않는다)

> **조건**
>
> ㉠ 경영지원 직무 경험자는 데이터관리 직무 경험자로부터 종종 도움을 받았다.
> ㉡ 윤 대리, 이 대리 그리고 경영지원 직무 경험자는 동기이다.
> ㉢ 윤 대리는 자원융합 직무 경험자로부터 직무에 관한 다양한 조언을 받았다.
> ㉣ 운용혁신 직무 경험자는 경영지원 직무 경험자의 가족과 식사를 한 적 있다.
> ㉤ 감사 직무 경험자는 운용혁신 직무 경험자로부터 컨설팅을 받은 바 있다.
> ㉥ 감사, 자원융합 직무 경험자 그리고 박 대리는 셋이서 해외연수를 다녀온 적이 있다.

① 교육, 데이터관리　　　　　　　② 운용혁신, 자원융합
③ 자원융합, 감사　　　　　　　　④ 경영지원, 데이터관리

31. 다음은 임금체계를 나누는 기준을 정리한 자료이다. 빈칸 (A) ~ (C)에 대한 설명으로 옳은 것은?

〈임금배분의 방법〉

직무가치	→	(A)

직원의 가치	→	(B)
		직능급

결과 가치	→	(C)

① 임금 보상의 원칙은 (A)는 생활보장이고 (B), (C)는 노동의 대가이다.
② (A), (B)는 고정급 성격이 강하고, (C)는 변동급 성격이 강하다.
③ (A)는 직원의 근속연수를 기준으로 차별화해서 임금을 결정하는 제도이다.
④ (C)는 노동의 질과 양에 따라 동일노동·동일임금을 원칙으로 한다.

1회 기출예상문제

2회 기출예상문제

3회 기출예상문제

4회 기출예상문제

5회 기출예상문제

6회 기출예상문제

32. 에릭슨은 인간발달의 전 생애를 8단계로 구분한 심리사회적 발달단계를 제시했다. 그는 건강한 인격을 정립하기 위해 달성해야 하는 〈발달 단계별 발달 과업〉을 다음과 같이 정리했다. 다음 〈상황 1, 2〉의 두 사람은 에릭슨의 8단계 중 어느 단계에 해당하는가?

〈발달 단계별 발달 과업〉

1단계 : 신뢰 대 불신	2단계 : 자율성 대 수치심
3단계 : 주도성 대 죄책감	4단계 : 근면성 대 열등감
5단계 : 정체성 대 혼동	6단계 : 친밀감 대 고립감
7단계 : 생산성 대 침체성	8단계 : 자아통합 대 절망

〈상황 1〉

A 씨는 요즘 사는 것이 즐겁다. 2년간 취업 준비를 해서 원하는 직장에 들어갔고, 동료들도 같은 또래라 즐겁다. 아직 일이 서툴러 상사에게 질책을 듣기도 하지만 이 정도면 원만한 직장생활을 하고 있다고 느낀다. A 씨는 예술 공연을 기획하는 것이 꿈이라 대학원을 다니며 공연 기획에 대해 좀 더 깊이 있게 공부해 볼 생각이다.

〈상황 2〉

A 씨와 같이 입사한 B 씨는 우울증을 앓고 있다. 취업 준비를 하는 기간 동안 가족들과 싸움이 잦았고 가족들과의 사이가 소원해졌다. 그는 학창시절부터 동기들과 어울리지 못하였고 입사 후에도 동료들과 사이좋게 어울리는 것이 어렵다. B 씨는 이성관계, 동료관계, 가족관계 어느 것 하나 원활하게 이루어지지 않아 자신에게 문제가 있는지 고민하고 있다.

① 자율성 대 수치심   ② 주도성 대 죄책감

③ 정체성 대 혼동   ④ 친밀감 대 고립감

[33 ~ 34] 다음은 A 공장의 파티클 보드 제조공정을 간략화한 것이다. A 공장에 자동화 설비가 도입되어 1단위 생산 단계별 투입비용이 표와 같이 변화하였다고 할 때, 이어지는 질문에 답하시오.

〈파티클 보드 제조공정〉

파쇄 → 건조 → 도포 → 정량 → 성형 → 열압 → 냉각 → 재단 → 선별 → 연마

정량 ↓ 불량 발생

선별 ↓ 불량 발생

〈단계별 불량률〉

단계	정량	선별
1회 공정당 불량률(%)	20	10

〈단계별 투입비용〉

구분	자동화 설비 도입 전(원)	자동화 설비 도입 후(원)
파쇄	800	400
건조	2,400	2,400
도포	4,200	3,000
정량	3,800	1,800
성형	1,600	1,200
열압	3,200	3,200
냉각	2,000	2,000
재단	8,000	6,400
선별	3,200	3,200
연마	800	400

33. 공장에 다니는 백 씨는 각 단계별 자동화 설비 도입 후를 기준으로 비용 평가표를 작성하려고
한다. 투입되는 비용에 따라 다음과 같이 평가할 때 각 단계의 평가로 옳지 않은 것은?

투입비용(원)	평가
0 이상 ~ 1,000 미만	A^+
1,000 이상 ~ 2,000 미만	A^-
2,000 이상 ~ 3,000 미만	B^+
3,000 이상 ~ 4,000 미만	B^-
4,000 이상 ~ 5,000 미만	C^+
5,000 이상 ~ 6,000 미만	C^-
6,000 이상	D

※ 단, 불량률이 발생하는 단계는 {단위당 투입비용+(단위당 투입비용×불량률)}을 기준으로 평가한다.

① 파쇄 − A^+ ② 정량 − A^-
③ 열압 − B^- ④ 재단 − D

34. 자동화 설비 도입 후 1단위 생산 시 총 투입비용은 도입 전에 비하여 몇 % 감소하였는가? (단,
불량발생은 고려하지 않는다)

① 10% ② 15%
③ 20% ④ 25%

[35 ~ 37] 다음은 한 자동차 제조업체의 생산 과정과 과정별 업무 혁신을 통한 개선 효과를 정리한 표이다. 이어지는 질문에 답하시오.

〈생산 과정〉

프레스 → 차체조립 → 1차 검수 → 도장 → 의장 → 최종 검수 → 출고

〈과정별 불량률〉

(단위 : %)

과정	불량률
1차 검수	20
최종 검수	10

〈업무 혁신 전후 과정별 생산비용〉

(단위 : 만 원)

구분	자동차 1대 생산 비용	
	혁신 전	혁신 후
프레스	75	50
차체조립	55	55
1차 검수	10	10
도장	30	20
의장	40	15
최종 검수	10	5
출고	5	5

35. 생산 과정 중 불량이 발생한 자동차를 제외하고 정상인 자동차 180대를 출고한다면 처음 프레스 과정에 들어갈 때 몇 대를 기준으로 작업해야 하는가?

① 180대 ② 200대
③ 240대 ④ 250대

36. 업무 혁신 후 자동차 1대를 생산하는 총비용은 혁신 전에 비해 얼마나 감소하였는가?

① 50만 원 ② 55만 원
③ 60만 원 ④ 65만 원

37. 각 과정의 혁신 성과를 생산비용 감소율에 따라 다음과 같이 평가할 때, 그 연결이 적절하지 않은 것은?

감소율	평가
76% 이상	A
51 ~ 75%	B
26 ~ 50%	C
0 ~ 25%	D

① 프레스 - C
② 최종 검수 - B
③ 도장 - C
④ 의장 - B

38. 다음 글을 읽고 〈보기〉에서 틀린 설명을 모두 고른 것은?

K 전자는 스마트폰 생산 공장으로 A 공장과 B 공장을 가지고 있다. A 공장에서는 K 전자 스마트폰의 60%를 생산하고, B 공장에서 나머지를 생산한다. A 공장에서 생산한 K 전자 스마트폰의 4%에서 배터리 구조에 결함이 발견되었고, B 공장의 경우 6%에서 배터리 구조 결함이 발견되었다.

A 공장에서 생산한 스마트폰의 대당 변동비는 10,000원, 고정비는 1억 원이며 B 공장에서 생산한 스마트폰의 대당 변동비는 8,000원, 고정비는 2억 원이다.

보기

ㄱ. A 공장에서 스마트폰 10,000대를 생산할 경우 대당 제조비용은 20,000원이다.
ㄴ. K 전자 스마트폰에 배터리 구조 결함이 있을 확률은 5% 미만이다.
ㄷ. 배터리 구조 결함이 있는 K 전자 스마트폰이 A 공장에서 생산되었을 가능성은 B 공장에서 생산되었을 가능성보다 높다.
ㄹ. B 공장에서 스마트폰 10,000대를 생산할 경우 총 제조비용에서 배터리 구조 결함이 있는 스마트폰 제조비용은 6%를 초과한다.

① ㄱ, ㄴ
② ㄱ, ㄷ
③ ㄴ, ㄹ
④ ㄷ, ㄹ

39. 다음 글에서 파악할 수 있는 자원낭비의 원인은 무엇인가?

> 국가물류통합정보센터가 한국통합물류협회 통계를 인용해 내놓은 생활물류통계에 따르면 지난해 총 택배 물량은 33억 7,000만 개로 전년 대비 20.9% 늘었다. 경제활동인구를 기준으로 1인당 택배 이용 횟수는 연 122회로 한 해 전보다 22.7회 증가했다. 사흘에 한 번 꼴로 택배를 이용한 셈이다. 경제활동인구 1인당 연간 택배 이용횟수는 2000년 5.0회에서 20년 만에 24.4배 확대됐다. 특히, 온라인 쇼핑 등 비대면 거래가 활발해지면서 택배 물량이 급증하고 있다. 택배시장이 성장 적기를 맞았지만 덩달아 늘어나는 1회용 포장재 폐기물은 골칫거리다. 1회용 포장재 폐기물은 대부분 쉽게 분해되지 않는 플라스틱으로 구성돼 있어 심각한 환경문제를 초래한다. 한국 가정에서 한 해 동안 발생하는 생활폐기물 중 1회용 포장재 폐기물이 부피 기준으로 절반 이상을 차지하고 있다. 택배 등 유통포장재의 과대 포장이 쓰레기 대란에 일조하고 있기 때문이다. 실제로 다수의 온라인 쇼핑업체들이 필요 이상으로 과도하게 제품을 포장해 배송하고 있는 점이 문제로 지적되고 있다.

① 비계획적 행동
② 편리성 추구
③ 포장재 폐기물 처리 관련 정부부처 부재
④ 플라스틱 재활용 노하우 부족

40. 당기에 영업을 개시한 K사는 1개의 제조부문을 통해 제품 A, B, C를 생산 및 판매하고 있다. 노동시간을 기준으로 제조간접원가를 배부할 경우 제품 B의 당기총제조원가는 얼마인가?

(단위 : 만 원, 시간)

구분	제품 A	제품 B	제품 C	합계
직접재료원가	2,000	3,000	5,000	10,000
직접노무원가	5,000	5,000	10,000	20,000
제조간접원가				10,000
노동시간	3,000	2,000	3,000	8,000

① 80,000,000원
② 100,000,000원
③ 105,000,000원
④ 120,000,000원

41. 다음 〈사례〉를 통해 알 수 있는 P사에게 부족한 직업의식으로 적절한 것은?

사례

핀토(Pinto)는 1970년대에 미국의 P사에서 생산했던 자동차의 이름이다. 1978년 8월에는 핀토에 탑승한 3명의 사람이 뒤에서 시속 50마일의 밴이 들이받는 바람에 연료탱크에 화재가 유발되어 사망한 사건이 발생하였다. 담당 검사는 부주의에 의한 살인(Reckless Homicide)이라는 혐의로 P사를 기소하였다. 그는 P사가 핀토의 설계 결함을 이미 알고 있었고 그것이 상당한 위험을 야기할 것으로 예상되었음에도 불구하고 핀토를 계속해서 판매했다는 점을 주장하였다. 실제로 P사의 과학기술자들은 핀토가 20마일 정도의 후미충격으로도 화재가 발생할 수 있는 결함을 가지고 있고, 6.65달러 정도의 추가 비용을 들여 안전장치를 설치하면 사고를 예방할 수 있다는 사실을 이미 알고 있었다. 그러나 사고 당시 사고차량의 연료탱크 뚜껑이 열려 있어서 휘발유가 새어 나옴으로써 화재 위험이 많았다는 이유로 소송은 P사의 승리로 끝났다.

① 공·사 구분의 모호   ② 기업의 신용 구축의 미흡
③ 제품에 대한 편견과 차별   ④ 사회·윤리적 책임의식의 결여

42. □□공사 총무팀에 근무하는 이몽룡 사원은 임직원들을 대상으로 조직공정성에 관한 설문조사를 실시하고자 한다. ㉠에 들어갈 내용으로 적절하지 않은 것은?

〈조직공정성 설문조사〉

1. 실시목적 : 조직 내에서 실시되고 있는 모든 제도 및 의사결정이 얼마나 공정하게 실시되고 있는지를 조사하고자 합니다.

2. 설문 문항

㉠

① 업무수행에 비례하여 조직으로부터 받는 보상의 크기
② 상급자로부터 개인이 존중받고 있다고 느끼는 정도
③ 조직 구성원들이 직무에 대해 만족하고 있는 정도
④ 의사결정과정에서 영향을 미칠 수 있다고 느끼는 정도

1회 기출예상문제 · 2회 기출예상문제 · 3회 기출예상문제 · 4회 기출예상문제 · 5회 기출예상문제 · 6회 기출예상문제

43. 다음 글을 읽고 조직 냉소주의와 연관이 없는 상황을 고르면?

경영 환경의 불확실성과 기업 간 경쟁이 심화될수록 혁신하지 못하는 조직은 더 이상 설자리를 찾기 어렵다. 우리는 조직혁신 활동이 실패하는 원인을 흔히 제도나 시스템 등 하드(Hard)한 부분에서만 찾으려 한다. 하지만 문제의 근원은 조직에 대한 구성원들의 무관심, 무력감, 거리감, 소외감, 분노, 적대감, 비협조, 복지부동 등 냉소주의라는 소프트(Soft)한 요인으로부터 오는 경우가 많다. 일찌감치 이를 간파한 해외 선진 기업들은 냉소주의를 예방할 수 있는 방식으로 주요 경영 활동을 전개하고 있다. 대표적인 예로 Walt Disney사는 '냉소주의 타파'를 기업의 핵심 가치 중 하나로 강조하여 왔다. 이에 대해 CEO 마이클 아이즈너는 '혁신 활동을 저해하는 요소 중 가장 해로운 것이 조직 냉소주의이며, 이를 방치할 경우 조직에 대한 불신의 골은 더욱 깊어지게 된다.'라고 지적했다.

① "새로운 정책? 쳇, 일 년만 지나봐. 또 딴 소리하겠지."
② "난 딱 월급 받은 만큼만 일할거니, 너나 해! 나는 내 할 일만 할 거야!"
③ "나는 왜 매번 중요한 경쟁 PT에서 떨다 망치는 걸까? 뭐가 부족한 거야, 도대체!"
④ "나 같은 말단 사원이 아무리 옳은 소리를 하면 뭘 해... 아무 소용도 없고 개선되지도 않을 텐데."

44. 다음 사례를 읽고 윤리적 사고와 판단을 할 때 A 씨가 참고할 수 있는 가치로 적절하지 않은 것은?

A 씨는 H 대학병원 의사이다. 얼마 전 중국 우한에 거주하는 한 중국인이 여행을 목적으로 한국을 방문했다가 코로나19 확진을 받았다. 그리고 어젯밤 급성 폐렴으로 증상이 악화된 그는 결국 중환자실로 이송되었다. 기저질환까지 확인되어 응급조치 후 수술 일정을 잡았는데, 알고 보니 이 환자는 한국에 마약을 판매하는 유명한 딜러라고 한다. 인종, 국적, 신분을 초월해 모든 이들을 공평하게 치료하는 것이 의사의 본분이라지만, 내가 치료해야 하는 이 사람이 대한민국 국민들의 생명과 안전을 위협하는 사람이라고 생각하니 치료하고 싶지 않기도 하다.

① 일관성 : 다른 상황에도 그렇게 하겠는가?
② 일치성 : 이 판단이 주위 사람들에게 도움이 되겠는가?
③ 적절성 : 혹시 이 판단이 다른 결과를 만들지는 않을까?
④ 상호성 : 만일 모든 다른 사람들이 나처럼 행동한다면 어떻게 되겠는가?

45. 제시된 글의 내용을 가장 바르게 해석한 사원은 누구인가?

코로나19 사태 속에 빛난 영웅들

대구지역에 집중적으로 코로나19 확진자가 발생하여 모두가 두려움에 떨던 때, 베이커리 가게를 운영 중인 K 씨는 조리복을 벗고 의료용 방호복을 입었다. 베이커리 가게를 시작하기 전 10년간 간호조무사로 노인 요양 병동과 정형외과 수술실에서 근무했던 K 씨는 텔레비전에서 대구 지역의 한 의사가 도와달라고 읍소하는 모습을 보고 더 이상 생업에만 열중할 수 없다는 생각이 들어 가게를 잠시 쉬고 코로나 극복에 힘을 보태야겠다고 결심했다. K 씨는 과거 경력을 살려 주로 노인 확진자들을 보살피는 역할을 했는데, 치매를 앓는 확진자가 많다 보니 식사를 돕는 간단한 일에도 큰 주의가 필요했다. 치매 확진자가 마시던 물을 밥을 먹여 주던 의료진 머리 위에 붓는 바람에 자가격리에 들어간 사례도 있었다. 이 같은 상황에서도 K 씨는 "그래도 가끔 정신이 돌아온 환자들이 '고맙습니다.'라고 말하던 목소리가 아직도 귓가에 맴돈다."면서 "앞으로 코로나 사태와 같은 일을 또 겪을지 모르겠지만 그때도 똑같이 행동할 것이다."라고 다부지게 말했다.

코로나19가 경제에 미친 충격에 신음하면서도 자신보다 어려운 이들을 위해 발 벗고 나선 자영업자들이 있다. 음식점을 하는 E 씨는 인근 독거노인에게 하루 설렁탕 30그릇씩 한 달에 1천 그릇을 무상으로 제공하고 있다. 코로나19로 경로당이 폐쇄돼 끼니를 해결하기 어려운 노인이 늘었다는 소식을 듣고서다. E 씨는 "음식 장사를 30년 했지만 지금이 제일 힘들긴 하다."라면서도 "이제 은퇴가 머지않았는데 이때 아니면 언제 좋은 일을 할까 싶어서 결심했다. 음식 재료가 빨리 회전되니 장사에도 도움이 된다."라고 말하며 웃었다.

---

① 최 사원 : 조직 구성원들은 '마땅히 해야 할 행위와 결코 해서는 안 될 행위'를 구분하여 '공동 행동의 룰'을 기반으로 행동해야 한다.

② 유 사원 : 명시화된 업무가 아니라도 타인을 배려하고 자신을 희생하여 조직과 사회에 기여하는 태도가 필요하다.

③ 조 사원 : 좋은 직업을 갖는 것보다 더 중요한 것은 자신의 일과 직업의 진정한 의미를 찾는 것이다.

④ 태 사원 : 조직 구성원들이 윤리의 가치보다 자기이익을 우선하여 행동한다면 사회질서가 붕괴되기 때문에 윤리적 가치를 중요하게 생각해야 한다.

1회 기출예상문제 2회 기출예상문제 3회 기출예상문제 4회 기출예상문제 5회 기출예상문제 6회 기출예상문제

46. 다음은 202X년 9 ~ 11월에 전국의 성인(직장인)과 청소년을 대상으로 실시한 정직지수 조사 결과 자료이다. 이에 대한 해석으로 적절하지 않은 것은? (단, 정직지수는 100점 만점 기준이다)

〈202X년 성인(직장인) 및 청소년 정직지수 결과〉

(단위 : 점)

부문	202X년 청소년 정직지수				202X년 성인(직장인) 정직지수					GAP (=A-B)
	청소년 전체 (A)	초등학생	중학생	고등학생	성인 전체 (B)	20대	30대	40대	50대 이상	
정직지수	77.3	87.8	76.9	72.2	60.2	51.8	55.6	58.7	66.3	17.1
직장 (학교)	73.7	88.2	73.5	66.0	54.7	45.1	50.1	52.4	61.4	19.0
사회	77.2	87.5	76.8	72.1	56.2	48.2	51.6	54.2	62.3	21.0
가정	75.2	87.6	74.9	68.6	49.5	46.0	49.7	46.4	52.5	25.7
친구	74.8	81.4	73.7	72.4	65.3	53.1	59.3	64.2	73.0	9.5
인터넷	85.8	94.1	85.4	81.6	75.6	66.4	67.4	76.4	82.3	10.2

① 청소년은 인터넷부문, 사회부문, 가정부문, 친구부문, 학교부문 순서대로 정직지수가 낮아지는 특징을 보인다.

② 20대의 정직지수가 모든 연령대에서 가장 낮게 나타났으며, 25개 항목 중 22개에서 20대의 지수가 가장 낮은 것으로 밝혀졌다.

③ 대한민국 청소년의 정직지수는 초등학생 때 가장 높고 학력이 오를수록 떨어지는 특징을 보인다.

④ 대한민국에서는 청소년의 모범이 되어야 할 어른들의 정직윤리의식이 청소년의 정직윤리의식보다 현저히 떨어진다고 볼 수 있다.

www.gosinet.co.kr gosinet

1회 기출예상문제

2회 기출예상문제

3회 기출예상문제

4회 기출예상문제

5회 기출예상문제

6회 기출예상문제

47. 다음 〈사례〉에서 나타난 공직자의 비윤리적 행위 요인은?

사례

　L 공사 직원 황 씨는 가족 이름까지 빌려 주택 15채를 분양 받았으며, 수억 원의 뇌물을 받고 수의 계약을 통해 L 공사 아파트를 여러 채 보유하는 등 각종 비리에 연루된 것으로 드러났다. 그러나 황 씨는 조사 과정에서 '다른 직원들도 다 하는 것이고 이것은 관행이다.', '그것으로 인하여 남들에게 피해를 준 바가 없다.', '업무는 원칙에 의거하여 처리하였다. 또한 받은 뇌물을 나 혼자만 받은 것이 아니라 동료 상사와 함께 분배해서 가졌다.', '우리만 그러는 게 아니니 잘못된 것은 아니지 않느냐?', '무엇이든 법대로 처리하겠다.'라고 말하며 막무가내로 나왔다.

---

① 도덕적 타성　　　　　　　　　　② 도덕적 태만

③ 거짓말　　　　　　　　　　　　④ 도덕적 무지

48. 다음은 □□공사의 '임직원 행동강령'이다. 이에 대한 설명으로 적절하지 않은 것은?

① 기본적인 윤리기준에 입각해 개인이익을 최우선으로 하여 공인으로서의 직분을 수행해야 한다.

② 업무의 공공성을 바탕으로 모든 것을 숨김없이 투명하게 처리해야 한다.

③ 자부심을 가지고 직무 능력을 향상시키며 성실하게 맡은 바 최선을 다해 업무를 수행한다.

④ 업무와 관련된 모든 일을 정직하게 수행하고 본분을 지켜 신용을 유지해야 한다.

49. 다음에 제시된 'AI 윤리 10대 원칙'의 특징으로 보기 어려운 것은?

■ 한국판 AI 윤리기준

　국내 '인공지능 윤리기준'이 완성됐다. 윤리적인 AI를 실현하기 위해 정부와 공공기관은 물론 이용자 등 모든 사회구성원이 인공지능 개발과 활용의 모든 단계에서 함께 지켜야 할 원칙을 제시하는 기준이다.

　세계 각국과 여러 기관, 단체에서 내놓은 80여 개의 AI 윤리기준과 함께 새로운 기준이 여전히 만들어지고 있다. 그러한 가운데 국내에서 마련된 AI 윤리기준은 '인간성'을 최고 가치로 내세워 사람이 중심이 되는 기술에 방점을 둔 것이 특징이다.

■ AI 윤리 10대 원칙은?

　AI 윤리기준은 인간성을 위한 3대 기본원칙(인간의 존엄성 원칙, 사회의 공공성 원칙, 합목적성 원칙)과 함께 인공지능 전체 생명주기에 걸쳐 충족돼야 하는 10가지 핵심 요건을 제시했다.

　10가지 핵심요건은 인권 보장, 프라이버시 보호, 다양성 존중, 침해 금지, 공공성, 연대성, 데이터 관리, 책임성, 안정성, 투명성 등이다.

■ 추진배경 및 목표

　인공지능 기술의 급속한 발전으로 제조·의료·교통·환경·교육 등 산업 전 분야에 인공지능이 활용·확산되면서, 기술의 오남용과 알고리즘에 의한 차별, 프라이버시 침해 등 인공지능 윤리 이슈가 새롭게 대두되었다.

　인공지능 윤리기준은 인공지능 전 주기에서 모든 사회 구성원이 참조할 수 있는 기준으로, 특정 분야에 제한되지 않는 범용성을 가진 일반원칙이자 총론 차원의 윤리기준이 되는 자율 규범으로서, 법률과 제도가 급속한 기술발전을 따라가지 못한 사안에 대해서도 그 논의를 구체적으로 발전시킬 수 있는 플랫폼으로의 기능을 목표로 하고 있다.

---

① AI는 개인 행복 추구 외에 공공성 증진과 인류 공동 이익을 위해 활용되어야 한다.

② AI는 다양한 민주적 가치와 국제 인권법에 명시된 권리를 보장해야 한다.

③ AI는 개발자 및 사용자 간의 책임 소재를 명백히 해야하며 이를 위해 사용자의 데이터를 최대한 많이 모아야 한다.

④ AI는 성별, 연령, 종교 등 개인 특성에 따른 편향을 최소화해야 하고 특정집단이 아닌 모든 이에게 혜택을 골고루 분배해야 한다.

50. 다음은 한 사이트에 게재된 직장 내 성희롱 관련 질문의 일부분이다. 질문에 대한 답으로 적절하지 않은 것은?

◀동성(同性) 및 남성에 대한 성희롱▶

Q1. 생산직 사원(성인 남성)으로 근무하고 있는데, 작업을 하고 있으면 상사들(모두 남성)이 뒤에서 껴안듯이 하며 엉덩이를 만지거나 툭툭 치기도 합니다. 기분이 나쁜데, 이것도 성희롱인가요?

Q2. 작업장에서 직장동료인 B(여성)가 저(남성)를 껴안으려 하자, 다른 동료 A(여성)가 "내 거야. 손대지 마!"라고 하여 불쾌했습니다. 평소에도 A는 근무 중에 엉덩이를 툭툭 건드리거나 볼에 뽀뽀를 하는 등 계속 허락 없이 신체 접촉을 해서 성적 굴욕감에 회사를 그만두었습니다. 이것도 직장 내 성희롱인가요?

---

① 사업주는 직장 내 성희롱 피해를 입은 근로자나 성희롱 피해를 입힌 가해자를 회사 기준에 따라 해고하거나 불리한 조치를 취할 수 있습니다.

② 업무관련성이 있고 그와 같은 행위로 인해 성적 굴욕감이나 성적 수치심을 느꼈다면 직장 내 성희롱에 해당됩니다.

③ 사업주·상급자가 아닌 직장동료들도 업무와 관련하여 다른 근로자에게 성적 언동 등으로 성적 굴욕감 또는 혐오감을 느끼게 하면 직장 성희롱에 해당됩니다.

④ 성희롱 피해자는 한 쪽 성별에 국한되지 않기 때문에 남성의 남성에 대한 성희롱, 여성의 여성에 대한 성희롱도 있을 수 있습니다.

고시넷 NCS 사람인형 기출예상모의고사

유형분석 》》》

- 정보 용어 이해하기 — 17%
- 경청의 5단계 이해하기 — 8%
- 세부 내용 이해하기 — 33%
- SWOT 분석하기 — 17%
- 경영자의 역할 이해하기 — 8%
- 물적자원관리의 기술 이해하기 — 17%

분석 》》》 사람인 의사소통능력에서는 상황에 따라 적절한 의사 표현을 하는 방법을 파악하는 문제, 의사소통 네트워크 유형에 대해 묻는 문제, 자료를 적절하게 이해하는 문제 등이 출제되었다. 문제해결능력에서는 문제 유형에 대해 파악하는 문제, 문제를 해결하는 절차에 대해 파악하는 문제, 모순되는 명제를 도출하는 문제 등이 출제되었다. 조직이해능력에서는 집단구성원에게 주어지는 역할에 대해 이해하고 있는지 묻는 문제, SWOT 분석을 활용하는 문제, 조직 변화에 대한 조직 구성원의 반응을 파악하는 문제 등이 출제되었다. 자원관리능력에서는 시간을 관리하는 유형을 구분하는 문제, 조건에 따라 가장 적절한 업체를 찾는 문제 등이 출제되었다. 정보능력에서는 한컴오피스를 활용하는 방법에 대해 묻는 문제, 해킹 기법에 대해 파악하는 문제 등이 출제되었다.

사람인형

4회 기출예상모의고사

영역	총 문항 수
의사소통능력	
문제해결능력	
조직이해능력	60문항
자원관리능력	
정보능력	

• 수험번호 | _____

• 성　　명 | _____

NCS란? 산업 현장에서 직무를 수행하기 위해 요구되는 각종 지식, 기술, 태도 등의 내용을 국가가 체계화한 것을 의미한다.

4회 기출예상문제

01. 다음 표는 스티븐 코비의 경청 5단계를 나타낸 것이다. 〈보기〉의 설명은 어느 단계인가?

단계	메시지 습득 정도	경청 수준
1	0%	무시하기
2	10%	듣는 척하기
3	30%	선택적 듣기
4	50 ~ 60%	적극적 듣기
5	90 ~ 100%	공감적 경청

보기

▶ 단계의 특징 : 수신자가 전달자의 이야기를 듣고 있기는 하지만 커뮤니케이션이 완료되면 전달자가 전달하는 내용과 수신자가 들은 내용에 차이가 발생하게 된다. 메시지의 의미를 오해하거나 일부 메시지는 기억하지 못하게 된다.

▶ 대화 상황 이후 전달자의 반응
"내 이야기를 듣기는 했어요?"
"제 말은 그런 의미가 아니예요!"
"당신은 듣고 싶은 이야기만 골라 듣는군요!"

① 1단계−무시하기
② 2단계−듣는 척하기
③ 3단계−선택적 듣기
④ 4단계−적극적 듣기
⑤ 5단계−공감적 경청

02. 다음 중 상황에 따른 의사 표현법으로 적절하지 않은 것은?

① 상대방에게 부탁해야 할 때 : 구체적으로 부탁하고, 자신의 다급함을 우선적으로 호소한다.

② 상대방의 요구를 거절할 때 : 모호한 태도를 보이는 것보다 단호하게 거절하는 것이 좋다.

③ 상대방의 잘못을 지적할 때 : 상대방이 알 수 있도록 명확하게 지적하되, 지적하는 사항에만 한정한다.

④ 상대방에게 충고를 할 때 : 직접적이기보다는 비유를 통해 상대가 이해할 수 있도록 깨우쳐 주는 것이 바람직하다.

⑤ 명령해야 할 때 : 강압적으로 말하기보다는 '～ 해 주는 것이 어떻겠습니까?'와 같이 부드럽게 표현하는 것이 훨씬 효과적이다.

03. 다음 혐오표현에 대한 국민의식 조사 결과 자료를 이해한 내용으로 적절하지 않은 것은?

① 혐오차별의 문제는 자연적으로 해소될 것이다.

② 시회 구성원 중 소수사의 표현의 자유가 더 위축될 수 있다.

③ 혐오표현 사용으로 일부 구성원에 대한 차별 현상이 고착화될 가능성이 있다.

④ 혐오로 인한 갈등은 범죄로 이어질 수도 있다.

⑤ 상대를 향한 혐오표현들로 구성원 간의 갈등이 더 심해질 수 있다.

04. 다음 중 보도자료 작성 시 주의해야 할 사항으로 알맞은 것을 모두 고르면?

> ㉠ 중요한 사실부터 되도록 간결하게 기술한다.
> ㉡ 사진이나 그래픽·영상 자료는 제공하지 않는 것이 좋다.
> ㉢ 형용사나 부사 등 수식어를 사용하여 다채롭게 표현해야 한다.
> ㉣ 관련 전문용어를 가능한 많이 사용하여 자료의 신뢰성을 높여야 한다.
> ㉤ 보도 자료에는 문의에 응할 홍보담당자의 연락처를 넣어야 한다.
> ㉥ 무리하게 기사화할 것을 요구하거나 기사의 크기를 묻지 않는다.
> ㉦ 사실만을 간단명료하고 정확히 표현하고 전달할 내용의 핵심을 부각시켜야 한다.

① ㉠, ㉡, ㉤, ㉦   ② ㉠, ㉤, ㉥, ㉦   ③ ㉡, ㉣, ㉤, ㉥

④ ㉢, ㉣, ㉥, ㉦   ⑤ ㉣, ㉤, ㉥, ㉦

05. ○○기업 영업부에 근무하는 신입사원 한 씨는 입사 후 처음으로 안전사고 예방 교육을 받게 되었다. 다음 안내 방송을 들은 직후에 한 씨가 취할 행동으로 적절한 것은?

> 안내 말씀 드립니다.
> 오늘은 안전사고 예방 교육이 있는 날입니다. 이번 교육은 일반 안전사고 예방 교육과 담당 업무별 안전사고 예방 교육으로 나누어 진행할 예정입니다. 따라서 일반 안전사고 예방 교육 후 담당 업무별 안전사고 예방 교육을 받게 되며, 이전에 일반 안전사고 예방 교육을 받은 직원은 담당 업무별 안전사고 예방 교육만 받으면 됩니다.
> 일반 교육은 1회의실에서 진행할 예정이고, 입사 2년 차 이상 사원 중 일반 교육 대상자는 2회의실로 이동해 주시기 바랍니다. 담당 업무별 교육은 부서에 따라 영업부는 3회의실, 마케팅부는 4회의실, 연구개발부는 5회의실에서 실시합니다.
> 이상 안내를 마치겠습니다.

① 담당 업무별 안전사고 예방 교육을 받기 위해 5회의실로 이동한다.

② 담당 업무별 안전사고 예방 교육을 받기 위해 4회의실로 이동한다.

③ 담당 업무별 안전사고 예방 교육을 받기 위해 3회의실로 이동한다.

④ 일반 안전사고 예방 교육을 받기 위해 2회의실로 이동한다.

⑤ 일반 안전사고 예방 교육을 받기 위해 1회의실로 이동한다.

1회 기출예상문제

2회 기출예상문제

3회 기출예상문제

4회 기출예상문제

5회 기출예상문제

6회 기출예상문제

[06 ~ 07] 다음은 ○○공사 신입사원 연수 자료의 일부이다. 이어지는 질문에 답하시오.

MBTI는 융의 심리유형론을 근거로 캐서린 쿡 브릭스와 이사벨 브릭스 마이어스가 고안한 자기 보고서 성격유형 자료이다. ㉠MBTI에 따르면 개인은 4가지 양극적 선호경향을 가지고 있다. 자신의 기질과 성향에 따라 에너지의 방향과 주의 초점이 외향형(E)이거나 내향형(I)이며, 정보를 수집하는 인지기능이 감각형(S)이거나 직관형(N)이며, 판단기능이 사고형(T)이거나 감정형(F)이고, 이행/생활양식이 판단형(J)이거나 인식형(P)에 해당한다. MBTI는 이와 같은 4가지 선호성향에 따라 개인을 여러 성격유형으로 구분한다.

MBTI 결과는 인터넷 등을 통한 간이 테스트가 아닌 MBTI를 전문적으로 다루는 기관에서 검사를 받고 전문가의 해석을 듣는 것이 가장 좋다. MBTI는 자기를 이해하는 도구이자 다른 유형의 타인을 이해하고 존중하기 위한 목적을 가지고 있기 때문에 MBTI 결과에 따라 타인을 특정 집단 안에 집어넣고 판단하는 도구로 쓰여서는 안 된다.

MBTI의 유행은 코로나19 영향 중 하나로 설명할 수 있다. 코로나19로 집에 머무는 시간이 많아지고 코로나19 이전에 당연시했던 '일상의 소중함'을 인식하게 되면서 '나'라는 사람의 본질에 집중하려는 흐름이 생겨나고 이것이 MBTI의 유행으로 이어졌다고 볼 수 있다. '어느 직장 · 학교에 다니는 나'가 아닌 있는 그대로의 나를 설명하고 이해하는 도구로써 MBTI가 사용되고 있는 것이다.

06. 윗글을 읽고 MBTI에 대해 추론한 내용으로 적절하지 않은 것은?

① 사회적 상황의 변화에 따라 유행하게 되었다고 볼 수 있다.

② 자신의 본질뿐 아니라 나를 설명하고 이해하는 도구로 유용하다고 볼 수 있다.

③ 자신을 정확히 이해하기 위해서는 인터넷보다 전문가의 해석을 듣는 것이 낫다.

④ 캐서린 쿡 브릭스와 이사벨 브릭스 마이어스의 이론을 바탕으로 만들어 졌다.

⑤ MBTI 결과에 따라 타인에 대해 선입견을 가지는 것은 MBTI의 의미를 훼손하는 것이다.

07. 윗글의 밑줄 친 ㉠을 참고할 때, MBTI 검사 결과로 나올 수 있는 모든 성격유형의 개수는?

① 8개   ② 12개   ③ 16개

④ 18개   ⑤ 24개

[08 ~ 09] 다음은 ○○기업에서 진행된 IT 강의 내용이다. 이어지는 질문에 답하시오.

블랙박스 암호란 물리적인 하드웨어로 만들어진 암호화 장치를 기반으로 작동되는 암호 기술을 말합니다. 하드웨어로 구성된 암호화 장치가 외부의 공격으로부터 보호받을 수 있다는 가정 하에 암호 키를 암호 장치 내부에 두고 보안하도록 설계하는 방식입니다. 언뜻 보면 완벽한 보안 장치로 보이지만 공격자에게 그 내부가 공개되는 순간 암호와 키가 모두 유출될 위험이 있습니다.

화이트박스 암호는 이런 블랙박스 암호의 한계를 보완하기 위해 등장한 기술로 암호화 기술에 소프트웨어 개념을 도입하여 암호 알고리즘의 중간 연산 값 및 암호 키를 안전하게 보호할 수 있다는 장점이 있습니다. 암호와 키에 대한 정보가 소프트웨어로 구현된 알고리즘 상태로 화이트박스에 숨겨져 있기 때문에 내부 해킹을 시도해도 알고리즘을 유추할 수 없는 것입니다. 또한 화이트박스 암호는 다른 저장 매체에 비해 운용체계에 따른 개발과 관리가 용이합니다. 애플리케이션 업데이트를 통해 원격으로 암호 알고리즘에 대한 오류 수정 및 보완이 가능하기 때문에 블랙박스 암호의 한계를 더욱 보완할 수 있습니다. 최근에는 패스(PASS), 모바일 결제 시스템, 전자지갑, 모바일 뱅킹의 주요 보완 수단으로 활용되고 있습니다.

(㉠) 화이트박스 암호도 변조 행위나 역공학에 의한 공격을 받는다면 노출될 가능성이 있습니다. 그래서 더욱 다양한 플랫폼과 콘텐츠를 통해 안정성을 확보하는 것이 중요하며 그 과정에서 새롭게 등장한 플랫폼이 화이트크립션입니다. 화이트크립션은 화이트박스 암호 보안을 위해 애플리케이션 보호 기능을 제공하는 플랫폼으로, 기존의 암호화 기능을 더욱 강화하여 암호 실행 중에도 암호 키를 활성화하여 보호하는 기술을 가지고 있습니다.

08. 위 강의를 들은 청중의 반응으로 적절하지 않은 것은?

① 화이트박스 암호는 전자 서명 서비스나 핀테크 산업에도 사용될 수 있겠군.

② 외부의 공격으로 내부가 뚫리더라도 화이트박스 암호는 쉽게 유출될 수 없겠군.

③ 해킹의 성공 여부에 있어 중요한 포인트는 암호화 키가 어떻게 숨겨져 있는지겠어.

④ 화이트박스 암호는 블랙박스 암호를 보완하기 위해 등장한 기술로 외부 공격에 노출될 위험이 전혀 없겠군.

⑤ 화이트박스 암호는 애플리케이션의 업데이트를 통해 원격으로 암호 알고리즘에 대한 오류 수정 및 보완이 가능하겠군.

09. 문맥상 윗글의 ㉠에 들어갈 접속어는?

① 물론   ② 그러나   ③ 게다가

④ 다시 말해   ⑤ 그러므로

10. 의사소통 네트워크 유형은 집단구성원 간에 이루어지는 정보교환의 흐름에 따라 5가지 모양으로 구분된다. 다음 ㉠에 해당하는 유형과 그에 대한 설명으로 옳은 것은?

구분	㉠	
권한의 집중 정도	높음	
의사소통의 속도	중간	
의사소통의 정확도	서면 : 고	언어 : 저
구성원의 만족도	낮음	
의사결정 속도	빠름	
의사결정 수용도	낮음	
조직구조 형태	수직적	

① X자형 : 모든 정보가 팀장에게 집중되며, 팀장이 주변 팀원들에게 지시하고 보고를 받는 형태이다.

② Y자형 : 공식적 지휘 계통의 채널이나 강력한 리더가 있는 것은 아니지만 어느 정도 대표성이 있는 중심인물을 통해 의사소통이 이루어진다.

③ 완전연결형 : 주로 비공식 집단에서 회원끼리 의사소통하는 형태로, 모든 구성원이 자유롭게 의사소통을 한다.

④ 원형 : 테스크포스팀의 팀원끼리 긴밀하게 정보를 주고받는 형태로, 집단 구성원의 서열이나 지위가 서로 비슷하여 동등한 입장에서 의사소통이 이루어진다.

⑤ 연쇄형 : 사장이 이사에게, 이사가 부장에게, 부장이 과장에게 직접 지시하고 보고를 받으며 의사소통이 이루어진다.

1회 기출예상문제 2회 기출예상문제 3회 기출예상문제 4회 기출예상문제 5회 기출예상문제 6회 기출예상문제

[11 ~ 12] 다음은 우 박사가 ○○공사 신입사원 연수에서 '코로나19 시대, 디지털 문명의 주역이 되자'라는 주제로 강의를 한 후 질의응답한 내용이다. 이어지는 질문에 답하시오.

Q1. 세계 7대 기업이 죄다 디지털 플랫폼 기업이다. 결국 우리의 삶 전체가 디지털로 옮겨간다는 신호일까.

A1. 모든 경험이 디지털화되지는 않을 것이다. 가령 분위기 좋은 카페에서 커피 한 잔 마시는 경험은 커피배달로 절대 대체될 수 없다. 현실 세계를 통해서만 느낄 수 있는 고유한 경험은 디지털로 옮겨가는 순간 완전히 다른 차원으로 바뀌기 때문이다. 따라서 플랫폼의 성공여부는 디지털화를 통해 특별하고 새로운 경험을 창조해낼 수 있느냐에 달렸다.

Q2. 지금껏 당연하다고 여겼던 상식과 기준이 흔들린다.

A2. 대표적인 게 음악이다. 미래학자 자크 아탈리는 음악의 소비변화가 미래 소비문화 변화를 예측하는 지표라고 언급한 바 있다. 인류의 가장 오래된 소비재이자 보편적 사랑을 받아 온 음악에 대한 사람들의 소비가 바뀌면 다른 영역의 소비 방식도 그처럼 바뀐다는 뜻이다. 음악을 듣고 싶을 때 어떻게 행동하는가. 아무 생각 없이 애플리케이션을 열면 그 욕구가 순식간에 해결된다. 그렇게 문제 해결을 하면 다른 것도 요구하게 된다. 돈을 부칠 때도 송금 애플리케이션을 열지 않나. 감염 위험이 커지니 떡볶이 먹을 때도 애플리케이션을 쓸 만큼 소비가 급격하게 디지털 플랫폼으로 이동하게 됐고, 그 경험이 점점 표준이 되어 간다. 이 위기가 누군가에겐 기회가 될 텐데, 위기를 기회로 잡으려면 내 마음의 표준부터 바꿔야한다.

Q3. 아날로그가 미덕인 예술이나 스포츠 분야까지 표준이 바뀔까.

A3. 그런 경험은 대체하기 어렵지만 두려움 때문에 못 가는 상황이라면 어떻게든 온라인으로 양식을 옮겨 대리 만족할 기회를 제공해야 한다. 그렇지 못하면 영속성을 유지할 수 없을 것이다. 내 아이디어는 이렇다. 예컨대 뮤지컬 공연에 휴대폰 제조사가 협업해 휴대폰 1만 개로 객석을 채우고 티켓을 산 1만 명이 영상통화로 보게 하는 거다. 일괄적인 영상이 아니라 내가 보고 싶은 각도로 찍게 할 수 있고, 좌석 등급제도 가능하다. 영상통화 방식이니 내 얼굴도 배우에게 보이게 된다. 관중이 보이면 배우에게도 감흥이 다르다. 그런 식의 새로운 아이디어로 방법을 찾자면 무궁무진하다. 공연도 기술을 통해 발전할 수 있다.

Q4. 올해 대중음악계엔 복고열풍이 불었다. 변화에 대한 기성세대의 저항심리라고 볼 수 있을까.

A4. 시장의 부족사회화를 보여 주는 거다. 마케팅 전문가 구루 세스 고딘의 말처럼 인간에게는 작은 단위로 뭉치는 부족본능이 있다. 취미도 옛날에는 낚시, 등산회 정도였다면, 디지털로 커뮤니케이션하면서 아주 다양한 모임이 생겼다. 음악에도 트로트 부족, 아이돌 부족이 다 있다. 트로트의 잠재력을 알면서도 못 끌어냈던 건 '트로트 가수는 누구'라는 기존 상식을 버리지 않아서다. 아이돌 뽑듯 고객이 선택하게 했더니 팬덤이 폭발하지 않았나. 소수의 만화가가 주도하던 과거 출판시장과 달리 현재의 웹툰은 어마어마하게 크고 다양한 시장이 생겼는데, 디지털 커뮤니케이션이 새로운 시장을 만든 셈이다. 국내의 한 작가가 동남아 최고스타가 됐듯 최근 세대의 팬덤에는 국가나 언어의 경계가 없는 게 특징이고, 그래서 가능성도 엄청나다.

Q5. 팬덤의 힘이 세지니 패싸움하듯 과격해지기도 한다.

A5. 부족사회는 내 편을 보호하고 남의 편을 공격하려는 성향이 강한데, 인간의 내재된 본성이 드러나는 거다. 그래도 다행인 건 인류의 보편적 잣대란 게 있고, 그걸 건드리면 엄청난 분노를 일으킨다는 걸 아니까 조심한다. 연예인들이 악플러들을 고소하면서 자정되고 있듯이 결국 보편적 가치에 의해 판단될 거다. 디지털 문명의 특징은 문제를 드러내는 거니까, 결국 보편적 가치가 승리할 것이다.

11. 윗글에서 알 수 있는 사실로만 묶인 것은?

> ㄱ. 우리가 경험하는 모든 삶은 디지털로 이동하게 된다.
> ㄴ. 아직 많은 영역에서 아날로그적 감성이 대세를 이룬다.
> ㄷ. 디지털 커뮤니케이션으로 인해 다양한 모임이 온라인에 생겨나고 있다.
> ㄹ. 코로나19로 디지털 플랫폼에서의 소비 영역이 확장될 수 있다.

① ㄱ, ㄴ   ② ㄱ, ㄷ   ③ ㄴ, ㄷ
④ ㄴ, ㄹ   ⑤ ㄷ, ㄹ

12. 윗글에서 제시하고 있는 사회의 변화 방향과 거리가 먼 사례를 제시한 사람은?

① 상엽 : 극장에 가지 않더라도 오늘 개봉한 영화를 집에서 편하게 볼 수 있기도 해.

② 나라 : 나는 가끔 교외에 있는 아기자기한 카페에 가서 음료를 마시며 휴식을 취하고 사진을 찍기도 해.

③ 제시 : 해외여행을 갈 때 과거에는 직접 은행에 가서 환전을 했다면 지금은 모바일 앱을 통해 편리하게 환전 신청을 할 수 있어.

④ 미주 : 평일 저녁 야구장에 직접 가지 못해도 퇴근길에 스마트폰으로 경기 실황을 볼 수 있어.

⑤ 소민 : 배달 음식을 먹을 때 과거에는 직접 전화로 메뉴와 주소 등을 불러 주문하였다면, 이제는 배달 플랫폼 애플리케이션을 통해 편리하게 주문을 하고 있어.

1회 기출예상문제

2회 기출예상문제

3회 기출예상문제

4회 기출예상문제

5회 기출예상문제

6회 기출예상문제

13. 다음 중 업무수행 과정 중 발생한 문제에 대한 설명으로 옳지 않은 것은?

① 탐색형 문제란 현재는 문제가 발견되지 않았으나 진행 상황을 바탕으로 예측했을 때 충분히 일어날 수 있는 문제이다.

② 탐색형 문제는 더 잘해 보고자 하는 목표에 따르는 문제로 '발생형 문제'와 '설정형 문제'가 동시에 얽혀 있을 수 있다.

③ 설정형 문제는 주로 상부 경영층의 전략적 관점을 요구하는 문제의식으로 기계 고장, M/S 저하 등이 그 예가 될 수 있다.

④ 설정형 문제란 미래의 조건을 상정했을 때 생성되는 문제로 완전히 새로운 목표를 설정하는 개발형 문제와 장래의 위험을 회피하기 위한 사전대비 문제가 있다.

⑤ 발생형 문제란 잘 되고 있다가 틀어져 실제로 발생한 문제, 즉 이미 발생하여 원상복귀가 필요한 문제를 말한다.

14. 기업의 경쟁력에 영향을 미칠 수 있는 외부 환경요인 분석의 방법으로 STEEP 분석이 있다. 다음 〈보기〉에서 설명하는 STEEP 분석항목과 그 예로 알맞은 것은?

> **보기**
>
> 정부가 경제에 개입하는 방법과 정도에 관한 것이며 세금 정책, 노동법, 환경법, 무역 제한, 관세, 정치적 안정과 같은 영역을 포함한다.

① Social : 대중의 트렌드, 소비자 생활방식, 교육배경, 사회 활동 등

② Technological : IT Trends, 혁신 기술, 과학기술 보급 등

③ Ecological : 지구온난화, 재순환, 전문환경 등

④ Economic : GDP 성장, Inflation&CPI(소비자 물가지수), 환율

⑤ Political : 정치적 협의, 이해정당과 NGO 등

15. 다음 〈문제해결 5단계〉에서 〈자료〉가 설명하는 단계는?

1단계	2단계	3단계	4단계	5단계
문제 인식	문제 도출	원인 분석	해결안 개발	실행 및 평가

자료

선정된 문제를 분석하며 해결할 것이 무엇인지를 명확히 하는 단계로, 현상에 대하여 문제를 분해하여 인과관계 및 구조를 파악하는 단계

문제 구조 파악		핵심 문제 선정
문제를 작게 다룰 수 있는 이슈들로 세분화	▶	문제에 영향력이 큰 이슈를 핵심이슈로 선정

① 문제 인식 ② 문제 도출 ③ 원인 분석

④ 해결안 개발 ⑤ 실행 및 평가

16. '민형이는 시계를 차지 않았다'와 모순이 되는 명제를 도출하기 위해 필요한 전제끼리 모두 묶인 것은?

> ㉠ 민형이는 팔씨름을 좋아한다.
> ㉡ 민형이가 시계를 차지 않았다면 철수는 공대 출신이다.
> ㉢ 민형이가 장갑을 꼈다면 철수는 공대 출신이다.
> ㉣ 민형이가 팔씨름을 좋아한다면 철수는 공대 출신이 아니다.
> ㉤ 민형이는 팔씨름을 좋아하거나 장갑을 꼈다.

① ㉠, ㉡, ㉢ ② ㉠, ㉡, ㉣ ③ ㉠, ㉡, ㉤

④ ㉠, ㉢, ㉣ ⑤ ㉠, ㉢, ㉤

17. 〈보기〉에서 설명하고 있는 집단 아이디어 발상법으로 옳은 것은?

보기

이 기법은 두 가지로 설명될 수 있다. 하나는 친숙한 것을 이용해 새로운 것을 창안하는 것이고, 다른 하나는 친숙하지 않은 것을 친숙한 것으로 보도록 하는 것이다. 우리가 주변의 사물로부터 무엇인가를 추출하려면 먼저 너무나 친숙해서 달리 보이는 것이 하나도 없는 상황을 벗어나야 한다. 우리는 친숙하지 않은 것을 보면 기존의 인지 구조 내에서 이들을 탐색한 후에 무관심의 영역으로 내던져 버리는 때가 많다. 그러나 창의적인 사고를 하기 위해서는 주변에서 접하게 되는 친숙하지 않은 상황도 수용할 수 있어야 한다는 것이다. 이 기법에는 ① 직접적 유추 ② 의인적 유추 ③ 상징적 유추 ④ 공상적 유추 등 4가지 방법이 있다.

① NM법   ② 시네틱스   ③ 로직트리
④ 체크리스트   ⑤ 피라미드 구조화

18. 다음 〈보기〉에서 설명하는 논리적 오류의 예로 적절한 것은?

보기

참이 증명되지 않은 전제에서 결론을 도출하거나, 전제와 결론이 순환적으로 서로의 논거가 될 때 나타나는 오류이다.

① "이 옷은 유명 연예인이 입었으니 분명 좋은 브랜드일 거야."
② "왜 네가 살이 찐 줄 알아? 운동을 안 해서 살이 찐 거야."
③ "저 사람은 전과자이니 그가 말하는 것은 들을 가치가 없다."
④ "그놈은 나쁜 놈이니 사형을 당해야 해. 사형을 당하는 걸 보면 나쁜 놈이야."
⑤ "흡연이 암을 유발한다는 결정적인 증거가 없으므로 담배는 암을 유발하지 않는다."

19. 다음 글에서 김 사원이 놓치고 있는 논리적 사고의 요소로 적절한 것은?

> 김 사원은 오늘 상사에게 제출한 기획안을 거부당했다. 이에 의문이 생긴 김 사원은 하루 종일 '왜 그럴까?', '왜 내 생각처럼 되지 않았을까?'에 대해 고민하며 늦은 시간까지 잠자리에 들지 못하고 뒤척거리다 결국 자신만의 생각에 깊이 빠져 버렸다.

① 타인에 대한 이해　　　　　　② 구체적인 생각
③ 생각하는 습관　　　　　　　④ 상대 논리의 구조화
⑤ 설득

20. 어린이의 창의적인 학습 경험을 위한 새로운 기술과 전략에 관한 다음 설명을 읽고, ㉠ ~ ㉣에 들어갈 말로 적절하지 않은 것은?

> 〈학습의 4P 요소〉
>
> 1. (㉠) : 이것은 학생들이 도달해야 할 목표점을 설정해 주고 열정을 가지고 동료들과 학습할 수 있게 해 주는 역할을 한다. 이것이야말로 다른 모든 P들의 시작점이자 기반이 되는 것이다. 이것과 놀이는 일정하게 연관되어 있다. 이러한 방식의 수업이 아니면 아이들의 놀이는 말 그대로 방치된 놀이에 그치게 될 가능성이 높다.
>
> 2. (㉡) : 자신이 좋아하는 것이 아니면 열심히 할 수가 없고 즐길 수도 없다. 아이들에서도 이것이 없는 학습은 어렵고 지겹다. 수업에서 이것이 중요한 이유는 어려운 과제를 끈기 있게 지속할 수 있는 원천이 학생들의 감정과 관련이 있기 때문이다. 학습에 집중한다는 건 감정의 문제이며 그런 감정을 불러일으킬 수 있는 수업을 설계하는 것이 교사의 몫이다.
>
> 3. (㉢) : 아이들은 동료들을 많이 의식한다. 다른 아이들은 어떻게 하고 있는지 궁금해 하는 것이다. 동료들의 작업을 관찰하고 함께 뭔가를 하면서 서로의 것들을 공유하는 것이야말로 창의적인 학습을 가능하게 한다.
>
> 4. (㉣) : 아이들은 어른들이 실패라고 생각하는 사건을 실패라고 여기지 않는다. 블록으로 성을 쌓다가 성이 무너져 내리는 일은 실패가 아니라 놀이에서 떨어진 하나의 사건일 뿐이다. 이처럼 노는 것처럼 할 수 있다면 아이들은 실패를 두려워하지 않을 것이다.

① Play　　　　　　② Pride　　　　　　③ Project
④ Passion　　　　　⑤ Peers

21. A ~ E 다섯 팀이 야구 리그전을 펼쳤다. 다음 〈결과〉를 바탕으로 4위에 오른 팀을 고르면?

> **결과**
>
> • A ~ E 모든 팀이 각각 한 경기씩 펼쳤고, 무승부 없이 승패가 갈렸다.
> • A팀은 D팀을 이겼다.
> • B팀은 A팀을 이겼고, E팀에 졌다.
> • C팀은 4승을 거두었다.
> • 모든 팀은 승률이 다르다.

① A   ② B   ③ C
④ D   ⑤ E

22. 다음 글에서 갈등상황을 해결하기 위해 사용된 전략은 어느 것인가?

> 전남 광양지역에서 주민의 반발로 착공이 지연됐던 알루미늄 제조 공장 조성 사업이 본격화될 것으로 보인다. 대기오염물질이 배출된다는 것을 이유로 반대했던 주민들이 환경관리감독 강화 약속 등을 받아들인 덕분이다.
>
> 주요 내용은 대기오염 배출 시설로 알려진 용해주조공장 운영 시 국내 환경법과 기준에 따라 필요한 집진 시설과 환경오염방지장치 등을 설치하기로 한 것이 대표적이다. 또한, 환경오염 유발 재료를 사용하지 않고, LNG 천연 가스를 연료로 사용하도록 했다. 더불어 용해주조설비 운영 시 대기오염물질 배출에 따른 확산지역 예측 모델링 용역을 실시하고 그 결과를 지역 주민에게 공표하기로 했다.

① 수용(Accommodation)   ② 경쟁(Competition)
③ 협력(Collaboration)   ④ 회피(Avoidance)
⑤ 타협(Compromise)

23. A 기업은 이번에 새로 입사하게 된 신입사원 갑을 대상으로 교육을 진행하고자 한다. 교육과정이 다음과 같을 때, 갑이 202X년 1월 중 모든 교육과정을 가장 빨리 이수할 수 있는 날은 언제인가?

교육과정	이수조건	선행과정	후행과정
자기개발	1회 수강		
예산수립	2회 수강		
문서작성	3회 수강	커뮤니케이션	실무운영
실무운영	5회 수강	문서작성	
직업윤리	2회 수강		정보보안
정보보안	2회 수강	직업윤리	
커뮤니케이션	3회 수강	직업윤리	

※ 7개의 교육과정은 매일 교육이 실시되며, 토, 일요일에만 휴강한다. 갑은 자신이 원하는 요일에 여러 교육과정을 수강할 수 있지만 동일한 교육과정은 하루에 1회만 수강할 수 있다.

202X년 1월						
일	월	화	수	목	금	토
			1	2	3	4
5	6	7	8	9	10	11
12	13	14	15	16	17	18
19	20	21	22	23	24	25
26	27	28	29	30	31	

① 1월 17일 ② 1월 20일 ③ 1월 23일
④ 1월 28일 ⑤ 1월 31일

1회 기출예상문제

2회 기출예상문제

3회 기출예상문제

4회 기출예상문제

5회 기출예상문제

6회 기출예상문제

24. 다음 조건과 상황을 바탕으로 할 때, 반드시 참이라고 할 수 없는 진술은?

가, 나, 다, 라 네 사람이 OX 퀴즈를 풀었다. 문제는 총 10문제이며, 한 문제당 맞히면 10점을 가점하고 틀리면 5점을 감점한다고 한다. 모든 문제를 푼 뒤 네 사람의 답변과 점수는 다음과 같았다.

※ 답안 내용은 네 사람이 각각 O 또는 X를 적었다는 뜻이며, 정답 또는 오답의 의미는 아니다.

문항	가의 답안 내용	나의 답안 내용	다의 답안 내용	라의 답안 내용
1	O	X	X	O
2	X	O	O	X
3	O	O	O	O
4	O	O	X	X
5	X	X	O	O
6	X	X	X	X
7	O	O	O	O
8	X	X	X	X
9	O	O	O	O
10	O	O	O	O
점수(점)	55	25	55	85

① 1번 문제의 정답은 O이다.
② 2번 문제의 정답은 X이다.
③ 3번 문제의 정답은 O이다.
④ 나는 5개의 문제를 맞혔다.
⑤ 다는 7개의 문제를 맞혔다.

25. 역할은 집단구성원에게 기대되는 일관성 있는 행동들의 집합을 의미한다. 다음 역할에 대한 진술 중 잘못된 것을 고르면?

① A : 역할모호성이 때로는 조직의 상위계층에서 심각한 문제로 나타나기도 한다.

② B : 역할 갈등 중 역할 모순은 한 개인이 가지고 있는 하나의 지위에 대하여 기대되는 역할들이 서로 대립될 때 발생한다.

③ C : 역할 기대란 특정 상황에서 개인이 어떻게 행동할 것인지에 대한 주변의 기대와 요구이다.

④ D : 역할 지각이란 주어진 상황에서 어떻게 행동할 것인가에 대한 개인의 주관적 인식을 말한다.

⑤ E : 역할은 선천적으로 부여되는 것과 개인의 능력이나 노력에 따라 얻어지는 것으로 나눌 수 있다.

26. 다음은 김민수 씨의 직장 동료가 회의 중 발표한 내용의 일부이다. 이에 대해 김민수 씨가 맞장구를 치고자 할 때, 그 내용으로 적절하지 않은 것은?

> 직장 동료 : 일본의 수출규제가 반도체 관련 국내 기업 직격탄이 될 우려가 있었지만 오히려 또 다른 기회가 되어 반도체 핵심 소재 부품의 국산화라는 성과를 내고 있습니다. 이처럼 위기는 오히려 기회일 수 있다는 경영학의 오랜 명언처럼 위기의 순간은 한층 더 도약하는 순간이 될 수 있음을 다시 한 번 확인하게 되었습니다.

① 이번 기회로 일본에 대한 의존도가 한층 낮아졌겠군.

② 역사를 잊은 민족에게 미래는 없다는 말이 떠오르는군.

③ 위기의 순간을 기회로 만들기 위해서는 사전에 철저한 준비가 필요하겠네.

④ 국내 상황뿐만 아니라 국외 상황도 기업 경영에 커다란 영향을 미치는군.

⑤ 위기를 기회로 삼은 사례는 이 외에도 많으니 위기의 순간에 쉽게 좌절할 필요는 없겠군.

27. Q 라면 회사를 SWOT 분석한 결과가 다음과 같을 때, 도출할 수 있는 경영 전략 방법으로 적절하지 않은 것은?

S	브랜드 파워	W	마케팅 약화
	• 그룹 내 위상, 역할 강화 • 신제품의 성공적 개발 • 종합식품 기업으로서의 입지		• 잦은 신상품 개발 • 경쟁사의 공격적 마케팅 대응 부족 • 유통업체의 영향력 확대 • 히트, 대박 상품 부재
O	웰빙 시장 확대	T	사회적 이슈
	• 건강에 대한 관심 증대 • 1인 가구 증대(간편식, 편의식) • 다이어트 식품 시장의 확대		• 저출산, 고령화로 취식인구 감소 • 라면에 대한 부정적 인식 • 유사상품의 출시

① SO 전략 : 다이어트 라면의 개발을 통해 종합식품기업으로서의 입지를 강화한다.

② ST 전략 : 저열량, 저나트륨 등의 성분을 이용한 신제품 개발을 통해 라면이 가진 부정적 인식을 개선한다.

③ WO 전략 : 건강라면을 주력 상품으로 설정하고 마케팅을 강화하여 고객들에게 제품에 대한 이미지를 각인시킨다.

④ WT 전략 : 고객들에게 반응이 좋은 경쟁사 제품을 모방하여 개발해 자사 제품으로의 구입을 유도한다.

⑤ WT 전략 : 연령을 기준으로 주요 타켓층을 정하여 그에 따른 새로운 마케팅 전략을 수립 및 시행한다.

28. 다음 중 퇴니스의 조직 분류에 따라 공동사회와 이익사회로 분류한 내용으로 잘못된 것은?

	구분	공동사회	이익사회
①	전형	가족, 취미모임	기업, 관공서
②	조직의 추구	목적 달성	결속
③	인재평가의 척도	내적평가에 따른 인격	최적평가에 따른 능력과 실적
④	이상적 상태	공평과 안주감	최소 비용으로 최대 달성
⑤	목적	내부 목적의 달성	외적 목적의 달성

29. ○○지방자치단체에서 관광자원 개발을 위해 수집한 정보를 기반으로 SWOT 분석을 실시하려 한다. (가)와 (나)에 들어갈 내용을 모두 골라 바르게 연결한 것은?

〈수집된 정보〉

Ⓐ 남한강이라는 자연관광자원

Ⓑ 세종대왕, 명성황후 관련 유적지

Ⓒ 관광 및 여가에 대한 의식 변화

Ⓓ 관광홍보 및 정보체계 구축 미흡

Ⓔ 대형, 고급 및 다양한 숙박시설 부족

Ⓕ 주 5일 근무제 확산

Ⓖ 인근 도시의 공격적인 관광객 유치 정책

Ⓗ 전염병 등 질병으로 인한 국내외 관광객 수 급감

〈SWOT 분석〉

강점	약점
기회	위협
(가)	(나)

	(가)	(나)		(가)	(나)
①	Ⓐ, Ⓖ	Ⓕ, Ⓗ	②	Ⓑ, Ⓒ	Ⓓ, Ⓔ
③	Ⓒ, Ⓕ	Ⓖ, Ⓗ	④	Ⓓ, Ⓔ	Ⓓ, Ⓕ
⑤	Ⓔ, Ⓖ	Ⓓ, Ⓗ			

30. ○○기업의 개발팀 팀장 J 씨가 신입사원에게 기안서 작성법을 알려주고 있다. 다음 중 J 씨가 조언할 내용으로 적절하지 않은 것은?

① 애매하거나 확실하지 않은 표현은 지양하세요.

② 읽기 쉽게 표현하고 정확한 용어를 사용하는 것이 좋습니다.

③ 안건이 많으면 오히려 복잡할 수 있으니 딱 하나의 안건만 제시하도록 하세요.

④ 5W1H(Who, When, Where, What, Why, How)에 따라 작성해 보세요.

⑤ 약칭 사용은 지양하고 공식 명칭을 사용하세요.

31. 레빈(Lewin)은 조직 변화의 과정을 해빙, 변화, 재동결로 설명하였다. 다음 중 조직 변화에 대한 조직 구성원의 반응에 해당하는 (가) ~ (다)의 내용을 가장 적절하게 연결한 것은?

해빙	조직 변화를 위한 준비단계	

⇩

변화	– 변화담당자가 의도하는 바람직한 방향으로 조직을 변화시키는 단계 – 조직 구성원의 반응	
	(가)	다른 사람의 호감을 받기 위해서 영향력을 수용
	(나)	다른 사람과의 관계가 만족스럽다고 믿으며 변화를 수용
	(다)	다른 사람의 주장을 자신의 가치체계에 합당하다고 받아들임.

⇩

재동결	변화가 영구적인 행동패턴으로 정착될 수 있도록 지원하고 강화시키는 단계

	(가)	(나)	(다)
①	순종	내면화	동일화
②	순종	동일화	내면화
③	동일화	순종	내면화
④	동일화	내면화	순종
⑤	내면화	순종	동일화

32. 다음은 조직에 대한 설명이다. ⊙ ~ ②에 대한 설명으로 적절하지 않은 것은?

> 조직은 ⊙공동의 목표를 달성하기 위해 의식적으로 구성된 두 사람 이상의 상호작용의 집합체이다. 조직은 일반적으로 ⓒ경제적 기능과 ⓒ사회적 기능을 갖는다. 사람들은 조직에 속하거나, 다른 조직에서 생산한 상품이나 서비스를 이용하고 다른 조직과 함께 일을 하면서 관계를 맺는다.
>
> 현대사회에서 인간의 생활은 조직 내에서 또는 조직과의 관계 속에서 이루어진다. 특히 일을 하는 직업인으로서의 조직이란 직장을 의미한다. 직장은 사람들이 일을 하는데 필요한 ②물리적 장소이며 심리적 공간이다.

① 출근길 같은 지하철에 열차에 탄 사람들은 ⊙의 기준에서 보면 조직에 해당된다.

② ⓒ은 재화나 서비스의 생산을 담당하는 기능을 의미한다.

③ ⓒ은 조직구성원들에게 만족감을 주고 협동을 지속시키는 기능을 의미한다.

④ 업무공간으로 활용되고 있는 사무실, 공장 등의 외형적인 건물은 ②에 해당한다.

⑤ 재택근무의 활성화로 ②의 개념이 점차 확대되고 있다.

33. 다음 글을 통해 파악할 수 있는 경영자의 역할로 옳은 것은?

> 세계 스마트폰의 선두주자 애플의 최고경영자(CEO) 팀 쿡이 현지시간으로 지난 8일 온라인으로 진행된 신제품 발표회를 통해 애플의 자체 반도체 기술을 앞세운 초고성능 칩을 공개했다. 이날 팀 쿡은 프레젠테이션 초반부터 '애플실리콘'을 언급하며 애플은 물론 정보기술 및 반도체 업계 전체에 영향을 줄 것이라고 자평했다. 관계자들은 곧 출시될 신제품에 첨단 카메라 기능을 탑재하여 사진 편집부터 게임, 증강현실(AR)에 이르기까지 다양한 기능이 개선될 것으로 기대하고 있다. 애플은 자체 개발한 고성능 칩을 통해 스마트폰뿐만 아니라 데스크톱과 아이패드에도 혁신을 가할 것을 강조했다.

① 자원분배자의 역할

② 분쟁조정자의 역할

③ 대변인의 역할

④ 청취자의 역할

⑤ 리더의 역할

1회 기출예상문제 2회 기출예상문제 3회 기출예상문제 4회 기출예상문제 5회 기출예상문제 6회 기출예상문제

34. 프로젝트 팀원 구성을 두고 유 팀장과 진 팀장의 의견이 다르다. 두 사람의 의견을 아래의 개인과 사회의 관계를 보는 두 가지 관점에서 가장 올바르게 설명한 사람은?

〈유 팀장과 진 팀장의 의견〉

유 팀장 : 프로젝트를 성공시키기 위해서는 무엇보다 팀원 개인의 실력이 중요해. 실력이 뛰어난 팀원을 프로젝트 팀에 합류시키는 것이 좋은 성과를 올리기 위한 최선의 방향이야.

진 팀장 : 팀에서 가장 중요한 것은 조직력이야. 개인의 실력이 아무리 뛰어나도 팀의 성장에 기여하지 못하면 의미가 없어. 성공을 위해서는 팀워크를 잘 맞출 수 있는 팀원을 선발해야 해.

■ 사회실재론

1) 개념

사회를 사회 구성원 각각의 행위와 이해관계의 집합 이상의 고유한 실체라고 생각했다. 사람들은 사회에서 통용되는 보편적 방식을 따를 뿐이며, 사회는 사회적 처벌이나 사회적인 거절 등을 통해 개인의 행위를 규제하거나 강제한다.

2) 개념도

$$ (A + B + C + D) = \left(\begin{array}{cc} A & B \\ C & D \end{array} \right) $$

■ 사회명목론

1) 개념

사회는 개인들의 단순한 집합체에 불과하며 개인만이 실재하는 존재이다. 사회는 개인들이 만든 것이고 개인을 떠나서는 존재할 수 없다. 따라서 사회 현상은 개인의 심리적 요소나 행위 양식을 통해서만 설명할 수 있다.

2) 개념도

$$ (A + B + C + D) = \begin{array}{|c|c|} \hline A & B \\ \hline C & D \\ \hline \end{array} $$

① A : 유 팀장의 관점에서 개인은 자신의 선택에 의해 살아가는 것처럼 보이지만 사실은 집단 내에 통용되는 보편적 방식을 따르는 것이라고 생각해.

② B : 유 팀장의 관점에서 조직은 구성원의 집합체를 넘은 하나의 실체로 기능하고 있어.

③ C : 진 팀장의 관점에서 개인의 개선은 곧 사회의 개선을 의미하지.

④ D : 진 팀장의 관점에서 조직은 개인의 목적을 위한 수단에 불과하다고 보고 있어.

⑤ E : 유 팀장의 관점에서 개인이 조직을 위해 희생하는 것은 정당화된다고 봐.

35. 다음은 김 과장의 프로세스 관리능력에 대한 강의 내용이다. 김 과장이 말하는 업무효율화 도구 중 다음 밑줄 친 도구에 대한 설명으로 잘못된 것은?

> 하루가 다르게 변화하고 있는 정보기술의 발달로 인해 지식기반 사회는 더욱 빠르게 진행되고 있습니다. 이러한 시대에 발맞추어 주어진 시간 내에 업무의 효율성을 상승시키기 위한 저만의 노하우는 바로 '업무효율화 도구 5총사'를 적극적으로 활용하는 것입니다.
>
> 첫째, WBS라고 하는 세부업무추진구조도를 작성함으로써 업무를 결정할 때 이용할 수 있습니다.
>
> 둘째, WBS를 바탕으로 책임분석표를 작성해 업무책임을 명확히 해 둡니다.
>
> 셋째, 일의 순서와 소요기간을 결정하기 위해 PERT/Critical Path를 작성하여 업무를 달성하는 데 필요한 모든 작업을 작업내용과 순서를 기초로 네트워크상으로 표시해둡니다.
>
> 넷째, <u>간트 차트</u>를 작성하여 업무가 계획대로 진행되고 있는가를 체크하며 업무의 진행도를 인지해 둡니다.
>
> 다섯째, SWOT 분석표를 작성하여 자사와 경쟁사를 비교하여 강점과 약점을 분석하고 외부환경을 분석하여 기회요인과 위협요인을 파악해 두는 것입니다.

① 전체 일정을 한 눈에 볼 수 있고, 단계별로 소요되는 시간과 각 업무활동 사이의 관계를 보여준다.

② 작업공정이나 제품별로 계획된 작업이 실제로 어떻게 진행되고 있는가를 보여주어 시간적 일정 관리를 가능하게 한다.

② 미국의 간트가 1919년에 창안한 작업진도 도표로 단계별로 업무의 시작과 끝 시간을 알 수 있다.

④ 일의 흐름을 동적으로 보여주는 데 효과적이며 특히 도표에 사용하는 도형을 다르게 표현함으로써 업무를 구분해서 표현할 수 있다.

⑤ 업무의 시작과 끝을 막대 모양으로 표시하여 업무 일정을 관리한다.

36. 다음은 갈등 발생의 원인을 도표로 나타낸 것이다. 〈사례〉에서 발생한 갈등의 원인과 위치가 바르게 짝지어진 것은?

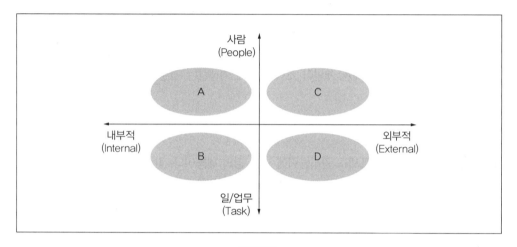

사례

신제품 출시를 앞두고 영업팀과 재무팀 사이에 갈등이 발생하였다. 영업팀장은 매출 성장률을 높이려면 가격을 최대한 낮춰야 한다고 주장하는 반면 재무팀장은 영업이익을 올리려면 가격을 올려야 한다고 주장한다. 그들의 주장은 다음과 같다.

영업팀장 : 현재 책정한 가격은 경쟁사 제품과 비교해 비싼 편입니다. 매출 성장률을 높이려면 가격을 더 낮춰야 합니다. 요즘 영업 현장이 얼마나 치열한지 아십니까? 가격을 올리면 매출 성장은커녕 오히려 매출이 떨어질 겁니다.

재무팀장 : 많이 팔기만 하면 뭐 합니까? 요즘 영업이익률이 점점 떨어지고 있습니다. 그러니 신제품 가격을 좀 더 올려 이익률을 높여야 합니다.

① A-해석의 충돌　　　　　　　　② B-이해관계의 충돌
③ C-다름의 충돌　　　　　　　　④ D-책임의 충돌
⑤ D-구조의 충돌

37. 다음 사례에서 자원 낭비가 발생한 요인은 무엇인가?

> ○○자동차에 근무하는 신입사원 A는 인턴 기간이 지나고 처음으로 자동차 판매 대리점에 배속되어 의욕적으로 근무를 시작하였다. 그러나 많은 고객들이 한꺼번에 몰리자, 다른 직원들과는 달리 연달아 실수를 하게 되었다.

① 편리성 추구 　　　　　　　　　② 자원의 과잉 활용
③ 자원에 대한 인식 부재 　　　　　④ 노하우 부족
⑤ 비계획적 행동

38. ○○기업 광고를 하기 위해 A ~ E 광고업체의 현수막 광고와 전단지 광고 비용을 비교하고자 한다. 다음 중 현수막 광고 최소 30일과 전단지 10,000부의 계약을 가장 저렴한 비용으로 체결할 수 있는 광고업체는?

구분 업체	현수막	전단지
A	- 처음 7일 : 30만 원 - 7일 단위로 연장 가능 - 7일당 추가비용은 25만 원	- 처음 5,000부 : 30만 원 - 1,000부 단위로 추가 가능 - 1,000부 추가비용은 5만 원
B	- 처음 7일은 하루에 5만 원 - 그 이후 추가되는 날짜는 하루에 3만 원	- 처음 3,000부까지는 1,000부당 8만 원 - 그 다음 3,000부까지는(총 6,000부까지) 　1,000부당 6만 원 - 그 이후는 1,000부당 4만 원
C	- 5일 단위로 계약 가능 - 5일당 18만 원	- 2,000부 단위로 계약 가능 - 2,000부당 12만 원
D	- 3일 단위로 계약 가능 - 3일당 11만 원	- 처음 3,000부 : 20만 원 - 1,000부 단위로 추가 가능 - 1,000부당 추가비용은 5만 원
E	- 처음 10일은 하루에 4만 원 - 그 이후 추가되는 날짜는 하루에 2.5만 원	- 3,000부 단위로 계약 가능 - 3,000부당 비용은 17만 원

① A 　　　　　　　　② B 　　　　　　　　③ C
④ D 　　　　　　　　⑤ E

39. 다음 〈보기〉에서 설명하는 시간 관리의 유형은 무엇인가?

> **보기**
>
> • 중요하지 않은 일은 분배해서 한다.
> • 시간을 나누어서 업무를 배정하여 집중한다.
> • 동시에 여러 가지 일을 같이 진행한다.
> • 모든 일을 신속하고 정확하게 진행한다.
> • 일은 분명한 마감시간을 가지고 한다.
> • 바로 결정 내리고 바로 실행한다.
> • 창의성이 높으며 항상 새로운 일에 도전한다.
> • 자신의 비전과 목표에 맞는 행동을 실천한다.

① 시간 창조형   ② 시간 절약형   ③ 시간 소비형

④ 시간 파괴형   ⑤ 시간 발굴형

40. 인적자원관리란 조직의 목적을 달성하기 위하여 구성원들을 효율적이고 효과적으로 관리하는 것이다. 효과적인 인력배치의 원칙 중 다음 〈그림〉과 같은 분석 기준을 적용해야 하는 원칙은?

① 능력주의   ② 균형주의   ③ 합리주의

④ 적재적소주의   ⑤ 인재개발주의

41. H사는 업무 과정에서 낭비되는 시간을 줄이기 위해 컨설팅 회사에 조직진단을 의뢰하여 다음과 같은 진단보고서를 받았다. 보고서의 밑줄 친 내용 중 잘못된 것은?

보고서

1. 문제점

   회사의 경영진들의 낭비되는 시간을 파악하여, 시간관리 방식을 개선하려 해도 조직의 요구와 관행 등 여러 가지 문제점으로 인해 실행이 어려운 경우가 많다.

2. 해결책

   최근 일부 기업들이긴 하지만 새로운 접근방식을 취하는 경우가 늘어나고 있다. 이들 기업들은 시간을 희소한 자원으로 취급하고 자본예산만큼이나 시간 예산에도 많은 규율을 도입하기 시작했다.

3. 상세사항

   새로운 접근 방식은 아래와 같은 8가지 방법에 따른다.

   > ① <u>제로 기준의 시간 예산을 사용한다.</u>
   > ② <u>각각의 업무과제에 대한 사업안을 요구한다.</u>
   > ③ <u>조직을 정밀하고 복잡하게 설계한다.</u>
   > ④ <u>시간 투자를 위한 권한을 위임한다.</u>
   > ⑤ <u>의사결정 과정을 표준화한다.</u>
   > 의제를 신중하게 선별한다.
   > 조직 차원의 시간 규율을 확립한다.
   > 조직의 업무량 관리를 위한 피드백을 활용한다.

   이런 방법을 적용하면 회사는 임원들의 시간 압박감을 줄이고 비용을 낮추며 생산성을 끌어올릴 수 있을 것이라 판단된다.

1회 기출예상문제 2회 기출예상문제 3회 기출예상문제 4회 기출예상문제 5회 기출예상문제 6회 기출예상문제

42. ○○기업은 소속 직원들의 역량 강화를 위한 정기 해외 파견근무 대상자를 선정하고자 한다. 다음 내용을 참고하여 20X4년 10월 해외 파견근무에 선발될 직원을 고르면?

> ▫ 파견 인원 및 기간
>
> 　지원자 중 3명을 선발하여 1년간 이루어지며, 파견 기간은 변경되지 않는다.
>
> ▫ 선발 조건
>
> 　1) 업무능력에 대한 근무 평점이 80점(보통) 이상인 경우만 선발하고 업무능력 우수자가 반드시 1명 이상 선발되어야 한다.
>
> 　2) 직전 해외 파견근무가 종료된 이후 2년이 경과하지 않은 직원은 선발할 수 없다.
>
> 　3) 총무부 직원은 1명 이상 선발한다.
>
> 　4) 동일 부서에 근무하는 2명 이상의 팀장을 선발할 수 없다.
>
> 　5) 과장을 선발하는 경우 동일 부서에 근무하는 직원을 1명 이상 함께 선발한다.
>
> ▫ 지원자 현황
>
> | 직원 | 직위 | 근무부서 | 업무능력 | 직전 해외 파견근무 종료 시점 |
> |------|------|----------|----------|------------------------------|
> | 갑 | 과장 | 총무 | 보통 | 20X1년 3월 |
> | 을 | 과장 | 기획 | 미흡 | 20X2년 8월 |
> | 병 | 팀장 | 총무 | 보통 | 20X2년 11월 |
> | 정 | 팀장 | 영업 | 우수 | 20X1년 8월 |
> | 무 | 팀장 | 영업 | 보통 | 20X2년 5월 |
> | 기 | 사원 | 총무 | 보통 | 20X2년 5월 |
> | 경 | 사원 | 기획 | 미흡 | 20X1년 7월 |

① 갑, 을, 병　　　　② 갑, 정, 기　　　　③ 병, 정, 경

④ 정, 기, 경　　　　⑤ 무, 기, 경

43. ○○공제회 지역본부는 대출규모가 큰 10개 기업들 중 코로나바이러스 대유행으로 전년 대비 매출액이 50% 이상 감소한 기업을 대상으로 대출규모의 10%의 추가 대출자금을 지원하고자 한다. 자금지원 대상 기업의 매출액과 대출규모가 다음 표와 같고 대출자금 지원에 가용할 수 있는 예산이 1억 원이라면 공제회는 최대 몇 개의 기업을 지원할 수 있는가?

〈자금지원 대상 기업의 매출 현황〉

(단위 : 만 원)

대상기업	전년도 매출액	올해 매출액	대출 규모
A	30,000	10,000	20,000
B	50,000	20,000	20,000
C	10,000	8,000	20,000
D	10,000	4,000	18,000
E	40,000	21,000	17,000
F	30,000	12,000	15,000
G	25,000	10,000	15,000
H	20,000	22,000	13,000
I	10,000	2,000	10,000
J	8,000	3,000	8,000

① 4개   ② 5개   ③ 6개

④ 7개   ⑤ 8개

44. 다음의 내용과 가장 관련이 깊은 물품 보관의 원칙은?

　"수산물 유통을 전문으로 하는 저희 (주)아쿠아통운은 수산물을 보관함에 있어서 이 원칙을 철저히 준수합니다. 이 원칙은 주로 수명주기가 짧은 제품을 보관할 때 또는 보관 시 파손이나 감모가 생기기 쉬운 제품 등에 주로 사용됩니다."

① 중량특성의 원칙   ② 회전대응보관의 원칙

③ 선입선출의 원칙   ④ 유사성의 원칙

⑤ 통로대면보관의 원칙

1회 기출예상문제   2회 기출예상문제   3회 기출예상문제   4회 기출예상문제   5회 기출예상문제   6회 기출예상문제

45. 다음 〈그림〉은 기업의 이익을 최대화하기 위해 각 부서별 정보를 통합적으로 실시간 공유가
    가능하도록 돕는 시스템의 개념을 나타낸 것이며 〈보기〉는 해당 시스템의 정의를 나타낸 것이다.
    ⊙에 해당하는 용어는?

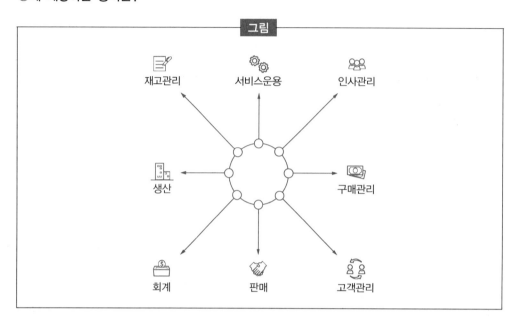

그림

재고관리　서비스운용　인사관리

생산　구매관리

회계　판매　고객관리

보기

　(　⊙　)은/는 회사의 모든 정보뿐만 아니라 공급 사슬관리, 고객의 주문정보까지 포함하
여 통합적으로 관리하는 시스템이다. 경영, 인사, 재무, 생산 등 기업의 전반적 시스템을 하나
로 통합함으로써 효율성을 극대화하는 경영 전략이다. (　⊙　)을 도입 시 생산부분이
마케팅을 실시간으로 조회하여 생산일정을 조회 및 변경할 수 있는 등 비용 낭비나 생산 지연
요인을 사전에 제거하는 일이 가능해진다.

① EKP　　　　　② ERP　　　　　③ KPI
④ MBO　　　　　⑤ SCM

[46 ~ 47] 다음 〈그림〉은 데이터 입력장치의 일종으로 개발된 무선인식 기술의 활용 개념도를 나타낸 것이다. 이어지는 질문에 답하시오.

46. 위 〈그림〉에서 나타낸 시스템의 특징으로 알맞지 않은 것을 〈보기〉에서 모두 고르면?

보기

㉠ 반복 재사용이 불가능　　　　　　㉡ 반영구적 사용 가능

㉢ 데이터 신뢰도 낮음.　　　　　　　㉣ 대용량의 메모리 내장

㉤ Tag/Label의 가격이 낮음.　　　　㉥ 다수의 Tag/Label 정보를 동시 인식 가능

㉦ 공간 제약이 없이 동작 가능

① ㉠, ㉢, ㉤　　　　　② ㉡, ㉣, ㉥　　　　　③ ㉢, ㉣, ㉦

④ ㉣, ㉤, ㉥　　　　　⑤ ㉤, ㉥, ㉦

47. 위 〈그림〉의 시스템을 물적자원관리에 도입할 경우 기대되는 효과로 알맞지 않은 것은?

① 사용자와 물품 등에 대하여 많은 정보를 제공하여 관리의 편리성과 경영 및 관리상 다양한 정보를 획득할 수 있다.

② 편리하고 신속하게 데이터를 수집하여 물품의 확인 작업을 효율적으로 개선할 수 있다.

③ 전자동으로 데이터를 인식하고 집계, 분류, 추적이 가능하여 인건비를 절감할 수 있다.

④ 작업자가 육안으로 데이터를 식별할 수 있어 현장 작업자들의 업무 편리성이 향상된다.

⑤ 상품제조상의 운영비와 생산비의 감소, 물류상의 작업공정 자동화로 비용을 절감할 수 있다.

48. 다음 〈그림〉은 조직차원에서의 인적자원의 특성을 나타낸 것이다. 〈보기〉는 〈그림〉의 ㉠에 대한 설명이라고 할 때 ㉠에 들어갈 인적자원의 특성으로 알맞은 것은?

| 그림 |

㉠

인적자원의 특성

개발가능성   전략적 자원

| 보기 |

　자원 자체의 양과 질에 따라 성과에 기여하는 정도가 다른 물적자원과 달리 인적자원은 그 욕구와 동기, 태도와 행동, 만족감 등에 의해 성과가 결정된다.

① 다양성　　　　　　② 보편성　　　　　　③ 자의성

④ 능동성　　　　　　⑤ 수동성

49. 다음 중 개인정보의 오·남용 피해를 방지하기 위하여 생활 속에서 실천해야 할 개인정보보호 수칙으로 알맞지 않은 것은?

① 회원가입을 하거나 개인정보를 제공할 때에는 개인정보취급방침 및 약관을 꼼꼼히 살핀다.

② 중요한 정보의 보관은 분실 위험이 있는 USB나 외장하드보다는 공유폴더를 사용하고, 비밀번호는 영어 알파벳, 숫자, 특수문자 등 3가지 종류 이상을 조합하는 것이 안전하다.

③ 자신이 가입한 사이트에 타인이 자신인 것처럼 로그인하기 어렵도록 비밀번호를 주기적으로 변경한다.

④ 금융거래 시 신용카드 번호와 같은 금융정보를 저장할 경우 암호화하여 저장하고 되도록 PC방 등의 개방된 환경에서 이용하지 않는다.

⑤ 아이핀(i-PIN)과 같이 가급적 안전성이 높은 주민번호 대체수단으로 회원가입을 하고, 꼭 필요하지 않은 개인정보는 입력하지 않는다.

50. 다음 〈보기〉는 조직 내 정보 자산에 대한 현재의 관리 체제를 혁신하여 앞으로의 개선방안을 도출하기 위한 AS-IS, TO-BE 분석이다. 이러한 정보 자산 관리에 대한 개선이 이루어지기 위해 진행되어야 할 내용으로 알맞지 않은 것은?

보기

AS-IS(현재 관리 체제)	TO-BE(앞으로의 개선 방안)
개인 PC 내 존재하는 문서로부터 업무 정보 유출	중요 문서의 등록관리 및 통합 로그 관리
PC 문서의 공유와 협업의 어려움 발생	비정형 정보 통합관리를 위한 단일 저장소를 구현하고 신속한 검색 환경 구축
문서유통, 사용에 대한 관리 및 통제의 부재	생성, 유통, 배포, 폐기에 대한 이력 추적관리
문서에 허가되지 않은 사용자로 인한 유출 피해 발생	문서에 대한 접근통제 및 권한 부여 가능

① 정보 자산의 보안 정책 위반에 대해 즉각적인 리프트를 받을 수 있게 하여 실시간으로 자산 유출을 파악할 수 있어야 한다.

② 문서를 출력할 때마다 워터마킹을 실시하되 작성자 개인 정보, IP의 기록 등이 출력물에 나타나지 않게 해야 한다.

③ 문서 중앙화를 통해 부서 간 자료 공유, 원활한 커뮤니케이션으로 중요 의사결정 지연의 방지, 효과적인 고객 서비스로 조직 경쟁력을 강화시켜야 한다.

④ 정보 자산을 만들고 저장할 때마다 실시간으로 암호화되어 잠금 설정이 되도록 하고, 유출되더라도 외부에선 절대 그 정보와 데이터를 확인할 수 없도록 해야 한다.

⑤ 문서나 파일을 반출 요청할 때 기록하고, 어떤 문서와 파일을 생성했는지, 또 파일은 저장했는지, 수정했는지, 인쇄는 했는지, 로그기록을 남겨 사내 파일의 유통과정이 다 파악되도록 해야 한다.

1회 기출예상문제

2회 기출예상문제

3회 기출예상문제

4회 기출예상문제

5회 기출예상문제

6회 기출예상문제

51. 다음은 신문기사의 내용 중 일부이다. 빈칸 ㉠에 공통으로 들어갈 내용으로 알맞은 것은?

> 코로나 바이러스 확산과 변이로 인한 국내 확진자 증가세가 연일 기록을 갱신하는 가운데 비대면 무인 (㉠) 이용이 증가 추세다. 사람을 직접 대면하지 않아도 결제를 할 수 있는 비대면 무인 (㉠) 플랫폼은 코로나 발생 이전부터 맥도널드, 버거킹 등 글로벌 브랜드를 중심으로 국내에 도입됐다. 코로나 바이러스 이후에는 장기간 지속된 경기침체에 따른 임대료, 인건비 등의 고정 비용 증가 부담을 낮추기 위해 무인 (㉠)을/를 이용하는 프랜차이즈, 카페, 병·의원, 주유소, 골프장 등이 급격히 늘어났다. (㉠)은/는 소비자가 외식업, 병원, 극장 등의 장소에서 간편하게 상품과 서비스를 주문할 수 있는 무인기기다. 오프라인 매장 사업자는 (㉠)와/과 연동된 프로그램을 통해 매출, 재고 등을 비롯한 다양한 현황 파악과 동영상 광고 송출 등이 가능하다.

① ATM(Automated Teller Machine)　　　② AVM(Automatic Vending Machine)

③ POS(Point of Sale)　　　④ 키오스크(Kiosk)

⑤ OTT(Over the Top) 서비스

52. 6T 산업 중 다음 〈보기〉에 해당되는 산업분야는?

보기

- 유전공학, 단백질공학, 세포공학, 효소공학, 생물공정 등
- 바이오신약, 의료생체공학, 뇌 과학, 유전자치료, 유전자 변형 생물체, 유전체 이용 육종기술, 식품생명공학기술 등 생명공학 응용기술
- 바이오칩기술, 생물정보학기술 등 생명공학기술 위주의 융합기술

① BT　　　　　② ET　　　　　③ NT

④ ST　　　　　⑤ CT

53. 한컴오피스에서 다음 〈그림〉과 같은 '다른 이름으로 저장하기' 화면을 출력하기 위하여 사용할 수 있는 단축키는 무엇인가?

① Ctrl+X ② Ctrl+Z ③ Alt+C
④ Alt+O ⑤ Alt+V

54. 다음 중 컴퓨터 바이러스 예방법으로 바람직하지 않은 것은?

① 중요한 자료는 별도의 보조 기억 장치에 백업해 둔다.

② 정품 소프트웨어를 구입하여 사용하고 프로그램을 복사할 때는 반드시 바이러스 감염 여부를 확인한다.

③ 사용 중인 백신 프로그램을 최신형으로 업데이트하고 수시로 점검하여 사전에 바이러스를 제거한다.

④ 공유폴더의 공유기능을 이용하여 바이러스를 유포하는 경우가 있으므로 공유폴더는 무조건 해제한다.

⑤ 수상한 전자메일은 확인 즉시 삭제하고 실수로 읽었어도 첨부파일을 열지 말고 곧바로 삭제한다.

55. 다음 〈그림〉이 나타내는 시스템의 특징과 장단점에 대한 설명으로 알맞지 않은 것은?

① 점포판매시스템이라고도 하며 상품을 판매한 바로 그 시장에서 판매정보가 중앙 컴퓨터로 전달되어 각종 사무처리는 물론 경영분석까지도 이루어지는 시스템이다.

② 일일이 사람의 손을 필요로 했던 재고 · 발주 · 배송관리 체계를 단순화, 표준화시켜 원가절감을 구현했다.

③ 주로 광학적인 방식으로 판독하는 QR코드를 이용한 자동판독방식의 레지스터에 의해 매입, 배송 등의 활동에서 발생하는 정보들을 컴퓨터로 처리하여 각 부분이 유용하게 활용할 수 있는 정보로 전달한다.

④ 자사제품의 판매흐름을 단위품목별로 확인할 수 있을 뿐 아니라 신제품과 판촉제품의 판매경향과 시간대, 매출부진 상품, 유사품이나 경쟁제품과의 판매경향 등을 세부적으로 파악할 수 있다.

⑤ 외식업, 유통업, 서비스업 등 각종 분야에서 활용하며 실시간으로 매출을 등록하고 등록된 매출자료의 자동 정산 및 집계를 가능하게 해 준다.

56. 다음 중 정보처리과정에 맞춰 각 단계에 대한 설명인 ㉠ ~ ㉣을 순서대로 나열한 것은?

> ㉠ 윤리의식을 바탕으로 합법적으로 활용 가능한 정보를 선정하고, 찾은 정보를 문제해결에 적용한다.
>
> ㉡ '무엇을', '어디에서', '언제까지', '왜', '누가', '어떻게', '얼마나' 등을 기준으로 정보활동을 기획한다.
>
> ㉢ 수집된 다양한 형태의 정보를 문제해결 및 결론 도출에 사용하기 쉬운 형태로 바꾼다.
>
> ㉣ 다양한 정보원으로부터 목적에 적합한 정보를 입수한다.

① ㉠-㉡-㉢-㉣   ② ㉠-㉢-㉣-㉡   ③ ㉡-㉠-㉣-㉢
④ ㉡-㉣-㉢-㉠   ⑤ ㉢-㉣-㉡-㉠

57. 다음 〈보기〉의 ㉠ ~ ㉢에 공통적으로 사용된 ICT의 명칭으로 알맞은 것은?

> **보기**
>
> ㉠ 최근 자동차 내비게이션은 무선 네트워크를 통해 주요 정보를 확보하기 때문에 초기 설치 용량을 최소화했으며, 별도의 업데이트 없이 최신 지도를 유지하고, 실시간 주행환경정보를 동시다발적으로 수집해 교통상황을 예측하고 대응할 수 있게 해 준다.
>
> ㉡ OTT 서비스는 스마트 디바이스를 통해 다양한 멀티미디어 콘텐츠를 실시간 관람할 수 있는 서비스이다. OTT 서비스를 이용하면 콘텐츠를 디바이스에 저장하지 않아도 된다는 것과 월정액 이용료만으로 무수한 콘텐츠를 즐길 수 있다는 장점이 있다.
>
> ㉢ ○○서비스는 콘솔이나 PC에 게임을 설치하지 않고도 서버에서 직접 게임을 구동하며 실시간으로 정보를 송수신하는 방식으로 게임을 즐길 수 있는 서비스이다. 데이터의 저장과 공유 역시 서버를 통해서 직접 처리하기 때문에 추가적인 비용 부담을 크게 줄일 수 있다.

① GPS   ② 블록체인   ③ 빅데이터 분석
④ 인공지능(AI)   ⑤ 클라우드 서비스

58. 시각적 정보의 중요성은 계속 증가하고 있고 우리가 시각 정보를 사용하는 방식도 빠르게 진화하고 있으며, 이를 통해 우리는 주변의 물리적 세계에 더 몰입할 수 있게 되었다. 다음 중 가상현실(VR ; Virtual Reality), 증강현실(AR ; Augmented Reality), 혼합현실(MR ; Mixed Reality)에 대한 설명으로 알맞지 않은 것은?

① VR은 인공현실(Artificial Reality), 사이버공간(Cyberspace), 가상세계(Virtual World)라고도 하는데 이러한 가상현실은 의학 분야에서는 수술 및 해부 연습에 사용되고 항공 · 군사 분야에서는 비행조종 훈련에 이용되는 등 각 분야에 도입, 활발히 응용되고 있다.

② VR은 현실이 아닌 가상의 이미지를 사용해 '새로운 디지털 환경'을 구축하는 기술로 현실과는 연계성이 없는 새로운 가상환경을 제공하는 기술이며 몰입도가 높다는 장점이 있다.

③ AR은 현실에 가상 이미지를 겹쳐 하나의 영상으로 보여 주므로 현실감이 뛰어나고 편리하다는 측면에서 방송은 물론 게임, 교육, 오락, 쇼핑 같은 다양한 분야에서 활용되고 있다.

④ MR은 VR과 AR의 단점을 극복하고자 한 기술이지만 이질감이 심하고 낮은 몰입도, 시야의 제한과 어지러움 등과 같은 단점이 있다.

⑤ MR은 현실과 가상이 자연스럽게 연결된 스마트 환경을 제공하여 사용자는 풍부한 체험을 할 수 있는데, 예를 들어 사용자의 손바닥에 놓인 가상의 애완동물과 교감한다거나, 현실의 방 안에 가상의 게임 환경을 구축해 게임을 할 수 있다.

59. A 씨가 보고서를 작성하는 과정을 서술한 〈보기〉의 ㉠ ～ ㉤ 중 2차 자료에 해당되는 것은 무엇인가?

> 보기
>
> A 씨는 보고서를 작성하기 위해 여러 가지 정보원을 통해 정보를 수집하고자 한다. 먼저 관련 주제에 대한 ㉠논문을 검색하기 위해 K 사이트 논문 데이터베이스에 접속하였고, 인터넷 검색 엔진을 이용해 관련 ㉡신문기사와 해당 분야의 ㉢특허 관계를 검색하였다. 또한 사무실에 비치되어 있는 정기구독 중인 관련분야의 ㉣잡지와 기관에서 발행하고 있는 ㉤색인지를 통해 관련 정보를 최대한 수집하였다.

① ㉠   ② ㉡   ③ ㉢

④ ㉣   ⑤ ㉤

60. 다음을 통해 알 수 있는 해킹 기법에 대한 설명으로 옳은 것은?

① 금융기관을 사칭한 위장 주소로 불특정 다수에게 이메일을 전송하고 위장된 홈페이지로 유인하여 인터넷상에서 신용카드번호, 사용자 아이디, 패스워드 등 개인의 금융정보를 획득하는 방법이다.

② 백도어 프로그램을 설치하고 컴퓨터 메모리에 상주하는 데이터를 변조하여 비밀번호를 빼내는 것뿐 아니라 데이터를 조작하여 받는 계좌와 금액까지 변경할 수 있는 해킹 방법이다.

③ 문자메시지(SMS)와 피싱(Phishing)의 합성어로, 문자메시지에 연결된 인터넷 주소로 접속하면 악성코드가 설치되어 버리며 이 악성코드를 통해 피해자가 모르는 사이에 소액결제가 이뤄지거나 개인 정보를 훔쳐가는 기법이다.

④ 합법적으로 소유하고 있던 사용자의 도메인을 탈취하거나 도메인 네임 시스템(DNS) 또는 프록시 서버의 주소를 변조함으로써 사용자들로 하여금 진짜 사이트로 오인하여 접속하도록 유도한 뒤에 개인정보를 훔치는 수법이다.

⑤ 주로 웹페이지, 이메일, P2P 다운로드 사이드 등에서 유용한 프로그램으로 가상해 업로드되어 사용자의 실행을 기다리는 방식으로 신용카드 번호나 게임 비밀번호를 빼내가기도 하고 파일을 지우거나 PC 성능을 저하시킬 수도 있다.

유형분석 »»

자기관리 이해하기 ●

공식적 의사소통 이해하기 ●

올바른 맞춤법 사용하기 ●

금액 계산하기 ●

수의 규칙 찾기 ●

명제 추론하기

- 8%
- 17%
- 17%
- 8%
- 25%
- 25%

분석 »» 사람인 의사소통능력에서는 문서의 종류를 구분하는 문제, 의사소통에서 경청하는 방법을 파악하는 문제, 제시된 글을 읽고 단어의 쓰임이 적절한지 파악하는 문제 등이 출제되었다. 수리능력에서는 숫자들의 배열 규칙을 파악 하는 문제, 방정식을 활용하여 적절한 값을 도출하는 문제, 도표의 내용을 해석하는 문제 등이 출제되었다. 문제 해결능력에서는 결과를 토대로 추론하는 문제, 유사한 논리적 오류의 유형을 찾아내는 문제, 조건에 따라 각각의 유형에 해당하는 특징을 판별하는 문제 등이 출제되었다. 자원관리능력에서는 자원을 효과적으로 관리하는 방법 에 대해 이해하고 있는지 묻는 문제, 인맥을 관리하는 방법에 대해 묻는 문제, 물적자원을 관리하는 원칙에 대해 파악하는 문제 등이 출제되었다. 자기개발능력에서는 기업 내에서의 역할을 파악하는 문제, 생산성을 향상시키는 방법에 대해 묻는 문제, 경력 개발과 관련된 문제 등이 출제되었다.

5회 기출예상모의고사

영역	총 문항 수
의사소통능력	
수리능력	
문제해결능력	60문항
자원관리능력	
자기개발능력	

- 수험번호 | _____
- 성   명 | _____

NCS란? 산업 현장에서 직무를 수행하기 위해 요구되는 각종 지식, 기술, 태도 등의 내용을 국가가 체계화한 것을 의미한다.

5회 기출예상문제

01. 다음 ○○발전 운영시스템을 바탕으로 이해한 내용 ㄱ ~ ㄹ 중 적절한 것을 모두 고르면?

---

1. 시스템 개요

　○○발전에서 계약 건별 데이터 입력 및 제출 분석 업로드/확인, 품질검사 승인 요청 건에 대하여 검토/승인, 승인 완료된 품질검사 건에 대한 공장검사 요청/승인 구축과 SMTP서버 및 SMS서버 연계를 구축함으로써 문서접수 창구 일원화로 협력업체와 발주부서의 업무에 기여하는 시스템

2. 시스템 구성

3. 단위시스템별 주요 기능

■ 품질문서 제출

• ERP 계약데이터를 연계하여 계약업체 확인

• 사업자 등록번호 관리를 통한 계약업체 및 담당자 관리

• 계약체결 후 구매·공사건에 대한 품질검사 요청 서류 업로드

• 품질검사 요청 건에 대하여 진행상황 확인 및 승인완료 여부 확인

■ 품질검사 검토/승인

• 감독자에게 상신된 품질검사 검토 및 승인 요청 확인/승인 기능

• R 등급의 자재일 경우 품질부서 확인 요청 기능

ㄱ. 품질검사 협업시스템 구축에 대한 사용자 안내서이다.

ㄴ. 모든 제품은 품질 담당부서의 품질에 대한 검토나 승인을 받는다.

ㄷ. 협력업체 담당자는 인터넷망을 통하여 품질업무를 요청할 수 있다.

ㄹ. ○○발전과 거래하고자 하는 업체는 우선 수의계약으로 담당자에게 승인을 받아야 한다.

① ㄱ, ㄴ   ② ㄱ, ㄷ   ③ ㄴ, ㄷ

④ ㄴ, ㄹ   ⑤ ㄷ, ㄹ

02. 다음 ㉠, ㉡에 들어갈 문서의 종류를 바르게 연결한 것은?

㉠	㉡
○ 리모컨의 올바른 사용법 아래의 리모컨 사용상의 주의사항을 읽고 올바르게 사용해 주시기 바랍니다. • 리모컨에 충격을 주지 마십시오. 습기가 많은 곳에 보관하지 마십시오. • 리모컨과 본체의 신호부 사이에 장애물이 있으면 오작동을 일으킬 수 있습니다. • 배터리가 소모되면 조작할 수 있는 거리가 점차 짧아지므로 신속히 새 배터리로 교환해 주십시오. • 형광등이 가까이 있는 경우에는 리모컨이 오작동을 일으킬 수 있습니다.	제1조 이는 A 회사(이하 "회사"라 한다)의 조직관리 및 사무분장을 대상으로 한다. 제2조 회사의 직제에 관하여 A 회사 설립 및 운영에 관한 조례 및 정관에 정하지 아니한 사항은 이 조문에 의한다. 제3조 ① 각 부서의 장은 소관 부서의 기구, 업무의 분장 및 직무 권한의 행사와 인력을 효율적으로 관리할 책임이 있다. ② 조직의 주관부서장은 제1항의 관리에 대하여 수시로 지도·감독하여야 하며 회사 전체의 조직·기구와 관련 체계의 개선에 관한 업무를 총괄한다.

    ㉠   ㉡   ㉠   ㉡

① 설명서   공고문   ② 설명서   규정집

③ 규정집   설명서   ④ 규정집   기안문

⑤ 기획서   규정집

03. 조언은 다른 사람에게 해 달라고 부탁하는 것보다 해 주는게 더 어렵다. 너무 가볍게 조언을 해 주면 자신의 고민을 진지하게 들어주지 않는다고 생각할 수 있고, 반대로 진지하게 조언을 해 주면 상대가 부담감을 느낄 수도 있기 때문이다. 다음 중 도움이 되는 조언을 하기 위해 알아 두어야 할 사항이 아닌 것은?

① 가장 좋은 조언은 상대가 원하는 것을 스스로 찾을 수 있도록 도움을 줄 수 있는 조언이다.

② 상대가 원치 않을 때 조언하려는 행동은 상대에게 잔소리나 참견이 될 수 있다.

③ 상대에게 도움이 되고 싶다는 생각에 과거의 일까지 언급하는 것은 적절한 조언 태도가 아니다.

④ 상대에게 도움이 되는 조언을 하고 싶다면 자신의 입장에서 상대의 이야기를 귀담아 들어야 한다.

⑤ 상대를 위해 조언해 주는 것은 좋지만 상대의 말을 제대로 다 듣지 않고 자신의 생각을 말하는 것은 상대의 기분을 상하게 할 수 있어 주의가 필요하다.

04. 경청은 대화의 과정에서 당신에 대한 신뢰를 쌓을 수 있는 최고의 방법이다. 다음 중 경청을 방해 하는 요인이 아닌 것은?

① 상대방의 말을 듣기는 하지만 상대방의 메시지를 온전하게 듣지 않는 것

② 상대방에 대한 부정적인 판단 때문에 상대방의 말을 제대로 듣지 않는 것

③ 상대방에게 관심을 기울이는 것을 힘들어하고 상대방이 말을 할 때 자꾸 다른 생각을 하는 것

④ 상대방이 말하는 의미 전체를 이해하기 위해 상대의 몸짓이나 표정에 관심을 기울이는 것

⑤ 상대방이 말할 때 자신이 다음에 할 말을 생각하느라 상대방의 말을 잘 듣지 않는 것

[05 ~ 06] 다음 글을 읽고 이어지는 질문에 답하시오.

(가) 인간에게서 육체적인 부분이나 육체를 이용한 행동들을 다 배제하고 나면 인간이라는 존재는 도대체 무엇일까? 프랑스의 철학자 데카르트는 "생각이야말로 나에게 속하는 것임을 발견한다."라고 결론 내린다. 이것만은 자신에게서 떼어 낼 수 없다. 감각이나 자연적 요소, 즉 육체적 요소는 떼어 낼 수 있지만 생각과 같은 정신적인 요소는 떼어 낼 수 없다. 이 생각만은 '존재한다'고 할 수 있고, '확실하다'고 할 수 있다. 인간이라는 존재는 오직 '하나의 생각', '하나의 정신', '하나의 이성'일 뿐임을 데카르트는 명확하게 규정한다. 인간의 정신과 이성만이 인간의 고유한 특성일 수 있다는 이야기다. 그가 말한 유명한 "(A)"가 그의 주장이 가장 잘 드러나 있는 예이다.

(나) 인간을 정신과 육체로 분리하는 사고는 더 나아가 인간과 자연을 분리하는 사고로 연결된다. 육체의 세계, 자연의 세계는 일종의 기계적 세계로, 이는 인간의 정신으로 하는 수학적 탐구에 종속된다. 정신을 특징으로 하는 인간은 주체가 되는데 비해 자연은 객체, 관찰과 이용의 대상이 되어 버린다. 정신과 육체, 인간과 자연을 분리한다는 의미에서 이러한 사고방식을 기계적 이원론이라고 부르기도 한다.

05. 윗글의 (가) 문단에 있는 빈칸 A에 들어갈 내용으로 옳은 것은?

① 의식은 반드시 경험을 전제하지만, 경험은 의식을 전제로 하지 않는다.

② 아는 것이 힘이다.

③ 나는 내가 모른다는 사실을 안다.

④ 나는 생각한다. 고로 존재한다.

⑤ 이 세상에서 영원히 변하지 않는 것은 변한다는 사실뿐이다.

06. 윗글의 (나) 문단의 이론을 만일 환경보호단체에서 비판해야 한다면 어떤 문구를 내세울 수 있겠는가?

① 자연은 사람을 기다려 주지 않습니다. 더 손쓸 수 없게 되기 전에 자연을 보호합시다.

② 자연은 잠시 후손에게 빌려 쓰는 것일 뿐, 우리만의 소유물이 아닙니다.

③ 환경을 아끼는 마음이 자연보호 문제를 해결하는 데 무엇보다 중요합니다.

④ 선진화된 기술로 환경문제를 해결할 수 있습니다. 위대한 인간의 지성을 믿읍시다.

⑤ 자연과 인간은 따로 살 수 없습니다. 자연은 인간이 이용해야 할 대상이 아닙니다.

1회 기출예상문제 2회 기출예상문제 3회 기출예상문제 4회 기출예상문제 5회 기출예상문제 6회 기출예상문제

[07 ~ 08] ○○기업 마케팅팀에서는 경쟁회사와의 협상전략 수립을 위해 다음 글을 참고하였다. 글을 읽고 이어지는 질문에 답하시오.

상호성의 법칙은 다른 사람이 우리에게 호의를 베푼 대로 우리도 그에게 되갚아야 한다는 것이다. 같은 개념으로 호의는 아니지만 상대방이 양보하면 우리도 양보해야 한다는 부담감을 이용하여 일 보 후퇴, 이 보 전진 전략이 가능하다. 일 보 후퇴, 이 보 전진 전략은 사람들로 하여금 요청에 쉽게 응하게 만들 뿐만 아니라 자신들의 구두 약속을 보다 ㉠충실히 이행하게 하고 한 걸음 더 나아가서 미래의 요청에도 ㉡기꺼히 응하게 한다.

㉢도데체 이 전략의 어떤 면이 사람들로 하여금 그 전략에 한 번 빠지면 헤어나지 못하게 만든단 말인가? 그 이유를 찾기 위해 우리는 이 전략의 핵심인 요청자의 양보 행위를 세심히 관찰할 필요가 있다. 상대방이 양보하면 그것이 ㉣계상된 행동이라는 인상을 주지 않는 한 나도 양보해야 한다는 의무감을 불러일으킨다는 사실은 상호성의 법칙을 통해 이미 설명했다.

그러나 상대방이 양보하면 그로 인해 두 가지의 긍정적 부산물이 발생한다는 사실은 아직 정확하게 설명되지 않았다. 일 보 후퇴, 이 보 전진 전략의 마력에 대한 열쇠인 이들 두 가지의 긍정적 부산물이란 '자신의 결정에 대한 책임감'과 '합의된 사항에 대한 만족감'이다.

(중략)

일 보 후퇴, 이 보 전진 전략은 상대방에게 승낙을 받아내는 ㉤확율이 높을 뿐 아니라 그들에게 합의된 최종결과에 대해서 더 책임감을 느끼게 할 수도 있다. 부탁이나 요구를 받는 쪽에서는 상대방을 성공적으로 설득하여 무리한 요구를 포기하게끔 만들었다고 생각하기 때문이다. 일 보 후퇴, 일 보 전진 전략으로 설득을 당한 사람들이 약속을 성실하게 이행하는 것도 이런 이유이다. 그 계약의 책임이 자신에게 있다고 느끼는 사람은 계약을 수행할 가능성이 더 높다.

07. 윗글의 밑줄 친 ㉠ ~ ㉤ 중 쓰임이 올바른 것은?

① ㉠   ② ㉡   ③ ㉢

④ ㉣   ⑤ ㉤

08. 윗글의 내용을 참고하여 제시한 협상전략으로 적절하지 않은 것은?

① A 사원 : 양보의 크기와 대상을 점점 줄여 나가며 양보가 더 이상 쉽지 않다는 것을 자연스럽게
　　　　　 상대 회사에게 알려야 해.

② B 사원 : 일 보 후퇴, 이 보 전진 전략을 통해 합의된 사항에 대한 만족감과 동시에 다음 요청에
　　　　　 대한 긍정적 결과를 이끌어 내야 해.

③ C 사원 : 거래처와의 계약 협상에서 단가를 양보하는 대신 수량이나 기간을 늘려 받고, 다음번
　　　　　 에는 다시 할 수 없는 어려운 결정이라는 점을 인식시켜야 해.

④ D 사원 : 협상은 싸움이며 상대와의 경쟁에서 승리해야 하는 게임이므로 한 쪽이 양보하면 다른
　　　　　 한 쪽도 반드시 양보해야 한다는 점을 약속받아야 해.

⑤ E 사원 : 고민의 시간을 길게 가지며 '쉽지 않은 결정'이라는 메시지와 함께 힘들게 얻어 낸 양보
　　　　　 라는 느낌을 주어 상대방에게 책임감과 성취감을 주는 게 필요해.

09. 의사소통에는 공식적인 경로와 과정을 거쳐 공식적으로 행하는 의사소통 방식과 공식적인 직책을
떠나 조직 구성원 간의 친분, 상호 신뢰와 현실적인 인간관계 등을 통하여 이루어지는 비공식적
의사소통 방식이 있다. 다음 〈보기〉 중 공식적 의사소통의 특징을 모두 고른 것은?

보기

　㉠ 개인적 욕구를 충족할 수 있으나, 자칫 잘못하면 개인 목적에 역이용될 수도 있음.
　㉡ 의사 전달의 융통성이 부족하고, 배후 사정을 소상히 전달하기 곤란함.
　㉢ 정보의 사전 입수로 의사 결정이 용이하고 정보나 근거의 보존이 용이함.
　㉣ 전달자와 피전달자가 분명하고 책임 소재가 명확하며 의사 전달이 확실하고 편리함.
　㉤ 신속한 전달이 가능하며 외적으로 나타나지 않는 배후 사정을 자세히 전달함.
　㉥ 변동하는 사태에 신속히 적응하기가 어렵고 기밀 유지가 곤란함.
　㉦ 책임 소재가 불분명하고 수직적 계층 하에서 상관의 권위가 손상될 수 있으며 조정, 통제
　　 가 곤란함.
　㉧ 관리자에 대한 조언의 역할이 가능하고 의견 교환의 융통성이 높아 일반적인 의견 전달을
　　 보완할 수 있음.

① ㉠, ㉡, ㉢, ㉣　　　　② ㉠, ㉢, ㉥, ㉧　　　　③ ㉡, ㉢, ㉣, ㉥

④ ㉡, ㉤, ㉥, ㉦　　　　⑤ ㉢, ㉤, ㉥, ㉧

[10 ~ 11] 다음은 N 전자 전략팀에 근무하는 한고은 사원이 작성한 회의 자료 일부이다. 이어지는 질문에 답하시오.

1. 회의 목적

　가. 수리 서비스 고객 불만 증가로 고객 수 감소가 우려됨.

　나. 대책의 토대를 마련하기 위해 수리직 업무 현황을 분석하고자 함.

2. 현재 실태

　가. 수리 건수의 증가

　　– 전년 대비 수리 기사 1인당 약 10건 증가(월평균)

(단위 : 건)

연도	20X1	20X2	20X3
수리 건수(월평균)	3,492	3,641	4,065
수리 건수(1인당 평균)	85.2	95.8	107.0

　나. 서비스 평가 점수의 감소

　　– 전년 대비 약 4점씩 평균 점수 감소(월평균)

(단위 : 점)

연도	20X1	20X2	20X3
서비스 총점	94.3	89.9	85.6

3. 주요 원인

　가. 인력이 감소하고, 건당 소요 시간이 증가함.

　　– 수리 업무직 전체 인력 감소(41명 → 38명)

　　– 수리 곤란 제품이 늘어나 건당 소요 시간 증가(20X2년 40분 → 20X3년 50분)

　나. 처리 절차가 비효율적임.

　　– 처리시간 제한제도에 따른 수리 기사들의 시간 압박

　　– 수리 요청이 같은 지역에서 발생하여도 배당된 것만 처리

4. 의견

　가. ＿＿＿＿＿(가)＿＿＿＿＿

　나. ＿＿＿＿＿(나)＿＿＿＿＿

　다. ＿＿＿＿＿(다)＿＿＿＿＿

　라. ＿＿＿＿＿(라)＿＿＿＿＿

10. 위 회의 자료의 제목으로 적절한 것은?

① N 전자 불만 고객 대응 계획
② N 전자 서비스 점수 향상 방안
③ N 전자 수리 업무 실태 보고
④ N 전자 처리 절차 개선 상황
⑤ N 전자 수리직 업무 효율 개선 방안

11. 위 회의 자료의 (가)~(라)에 들어갈 수 있는 내용으로 적절하지 않은 것은?

① 출장 시스템 개선 방안이 시급함.
② 수리를 고려한 제품 생산 방안이 필요함.
③ 필요 인력 산정 및 업무 적정화 방안을 마련해야 함.
④ 수리 기사의 피로도 증가로 업무 품질 저하가 우려됨.
⑤ 수리 기사의 고객 응대 기술에 대한 교육이 시급함.

12. 최근에 입사한 K 기업의 신입사원들이 공문서 작성에 대한 교육을 받고 아래와 같은 규정을 참고하여 문서를 작성하였다. 다음 중 이 규정에 맞게 쓴 문장은?

> 의존 명사는 띄어 쓴다.

① 김 사원은 프로젝트를 마치는 데 심 일이 걸렸다.
② 회사를 창립한지 벌써 십년이 지났다.
③ 직원들 모두 하는데 우리도 할수 있다.
④ 나는 사과 두개를 사서 주머니에 넣었다.
⑤ 부장님은 그저 웃고 있을뿐이었다.

13. 다음 숫자들의 배열 규칙을 찾아 '?'에 들어갈 알맞은 숫자를 고르면?

1	4	14	(?)	139

① 36   ② 41   ③ 45

④ 51   ⑤ 55

14. ☆☆백화점에서는 창립 80주년을 맞아 VIP고객들에게 감사 인사를 전할 엽서를 제작하였다. 엽서 디자인 선정을 위해 선별된 직원은 총 70명이었다. 1안, 2안에 대한 선호도 조사를 했더니 1안을 고른 직원은 28명, 2안을 고른 직원은 56명이었다. 1안과 2안을 모두 고른 직원 수의 최댓값을 x, 최솟값을 y라고 할 때, $\dfrac{x}{y}$의 값을 바르게 구한 것은? (단, 직원들은 둘 다 고르지 않을 수도 있다)

① 2   ② 3   ③ 5

④ 7   ⑤ 9

15. ○○공사 김 대리는 10만 원으로 개당 가격이 각각 4,500원인 A 제품과 3,500원인 B 제품을 구매하려고 한다. A 제품을 B 제품보다 8개 적게 구매하고자 할 때, 김 대리가 구매할 수 있는 A 제품은 최대 몇 개인가?

① 6개   ② 7개   ③ 8개

④ 9개   ⑤ 10개

16. ○○페인트 공장에서는 빨간색, 노란색, 파란색 페인트를 혼합하여 여러 가지 색의 페인트를 제조한다. 빨간색 페인트 2L와 노란색 페인트 1L를 섞으면 주황색 페인트가 3L가 만들어지고, 파란색 페인트 1L와 빨간색 페인트 1L를 섞으면 보라색 페인트 2L가 만들어지며, 파란색 페인트 2L와 노란색 페인트 3L를 섞으면 초록색 페인트 5L가 만들어진다. 빨간색, 노란색, 파란색 페인트의 가격이 다음과 같을 때, 주황색 페인트 15L, 보라색 페인트 10L, 초록색 페인트 25L를 만드는 데 드는 페인트 원료의 비용은 총 얼마인가? (단, 제시된 조합으로만 새로운 페인트 색을 만든다고 전제한다)

페인트 색	비용(원/L)
빨간색	5,000
노란색	3,000
파란색	4,500

① 202,500원 ② 217,500원 ③ 220,000원
④ 222,500원 ⑤ 225,000원

17. 다음 글을 기준으로 봤을 때, G 국가의 초고령사회가 시작되는 해는 언제인가?

총 인구 중 65세 이상 인구의 비율을 나타내는 고령화율이 7% 이상일 때 고령화 사회, 14% 이상일 때 고령사회, 20% 이상일 때 초고령사회라 한다.

G 국가는 출생률 감소, 평균 수명 연장 등의 이유로 2021년부터 매년 고령화율이 급격하게 증가하고 있다.

다음 표는 G 국가의 연도별 고령화율을 나타낸 것이다.

2021년	2022년	2023년	2024년	2025년	2026년
12%	12.7%	13.4%	14.1%	14.8%	15.5%

많은 전문가들은 G 국가의 고령화율은 2040년까지 매년 0.8%p씩 증가할 것으로 전망하고 있다.

① 2032년 ② 2033년 ③ 2034년
④ 2035년 ⑤ 2036년

18. S 기업의 판매사원 장 씨는 Y 기업의 구인광고를 보고 이직을 고민하고 있다. Y 기업으로 이직하는 것이 장 씨에게 더 유리한 조건이 되려면 장 씨의 월 판매액이 얼마를 초과해야 하는가? (단, S 기업과 Y 기업에서의 월 판매액은 같고, 급여 외에 다른 조건들은 동일하다)

S 기업의 판매사원 급여	Y 기업의 판매사원 급여
매달 160만 원의 기본급 + 월 판매액의 9%의 수당 지급	매달 140만 원의 기본급 + 월 판매액의 14%의 수당 지급

① 350만 원 ② 370만 원 ③ 400만 원
④ 450만 원 ⑤ 470만 원

19. Q 씨는 가로의 길이가 6m, 높이가 2.5m인 벽에 타일을 붙이기 위해 제품을 살펴보고 있다. 타일을 모두 사용하여 벽에 빈 공간이 없게 하면서도 되도록 적은 수의 타일을 구입하고자 할 때, Q 씨가 구입할 제품으로 적절한 것은? (단, 타일에는 무늬가 있어 가로와 세로를 바꿀 수 없으며 타일을 쪼갤 수도 없다)

구분	가로	세로
A 제품	30cm	25cm
B 제품	40cm	40cm
C 제품	50cm	50cm
D 제품	55cm	55cm
E 제품	45cm	60cm

① A 제품 ② B 제품 ③ C 제품
④ D 제품 ⑤ E 제품

20. 다음은 어느 연구소의 채용 직무분야별 지원 현황이다. 경쟁률이 가장 낮은 분야는?

직무분야	채용인원(명)	지원인원(명)
기계	4	130
토목	5	207
건축	5	159
화공	7	232
전산	9	292
전기	12	380

① 기계   ② 건축   ③ 화공
④ 전산   ⑤ 전기

21. 다음은 A 시의 에너지사용량을 가구원 수에 따라 정리한 자료이다. 이에 대한 설명으로 옳지 않은 것은?

구분＼가구원 수	1인	2인	3인	4인	5인 이상
전기(Mcal)	6,117	7,138	7,280	7,839	8,175
가스(Mcal)	3,797	4,126	4,270	4,651	5,629
수도(m^3)	95	118	144	172	219
지역난방(Mcal)	515	617	1,070	1,461	1,523
탄소배출량(kg-CO_2)	1,943	2,131	2,213	2,370	2,669

① 5인 이상 가구의 가스 사용량은 1인 가구의 가스 사용량의 약 1.5배인 것으로 나타났다.

② 5인 이상 가구의 전기 사용량은 1인 가구의 전기 사용량의 약 1.3배인 것으로 나타났다.

③ 가구원 1인당 전기 사용량, 탄소배출량은 각각 1인 가구가 5인 이상 가구의 3배 이상인 것으로 나타났다.

④ 5인 이상 가구의 수도와 지역난방 사용량은 각각 1인 가구의 약 2.3배, 약 3.0배인 것으로 나타났다.

⑤ 가구원 수가 증가할수록 1인당 에너지 사용량은 증가하며, 1인 가구의 증가는 전체 에너지 사용량 감소로 이어질 것이다.

[22 ~ 24] ○○공사는 직원들을 위해 원두커피 기계를 구입 혹은 렌탈하려고 한다. 다음 자료를 참고하여 이어지는 질문에 답하시오. (단, ○○공사에서 한 달에 소모하는 원두는 3kg이다)

구분	구입	A 렌탈업체	B 렌탈업체
기계값	800,000원	70,000원/월	90,000원/월
원두값	13,000원/kg	5,000원/kg	무료 제공

22. 원두커피 기계를 6개월 동안 사용하는 데 필요한 비용에 대한 설명으로 옳은 것은?

① 기계를 구입한다면 비용은 839,000원이다.

② A 렌탈업체를 이용한다면 비용은 510,000원이다.

③ B 렌탈업체를 이용한다면 비용은 560,000원이다.

④ B 렌탈업체를 이용하는 것이 기계를 구입하는 것보다 비싸다.

⑤ A 렌탈업체를 이용하는 것이 B 렌탈업체를 이용하는 것보다 50,000원 더 저렴하다.

23. 위 자료를 분석한 내용 중 옳지 않은 것은?

① 1개월 동안 사용한다면 A 렌탈업체를 이용하는 것이 가장 저렴하다.

② 3개월 동안 사용한다면 A 렌탈업체와 B 렌탈업체의 비용이 같다.

③ 3개월 동안 사용한다면 기계를 구입하는 것보다 렌탈하는 것이 더 저렴하다.

④ 1년 동안 사용한다면 기계를 구입하는 것보다 렌탈하는 것이 더 저렴하다.

⑤ 매달 5kg 이상의 원두를 소모하면서 3개월 동안 사용한다면 A 렌탈업체보다 B 렌탈업체를 이용하는 것이 더 저렴하다.

24. 기계를 구입하는 것이 A 렌탈업체를 이용하는 것보다 이득이 되려면 기계를 최소 몇 개월 사용해야 하는가?

① 16개월　　　　② 17개월　　　　③ 18개월

④ 19개월　　　　⑤ 20개월

25. 분석적 사고는 전체를 각각의 요소로 나누어 그 요소의 의미를 도출한 다음 우선순위를 부여해 구체적인 문제해결 방법을 실행하는 것으로, 문제의 성격에 따라 세 가지 사고가 요구된다. 세 가지 사고 중 〈보기〉에서 설명하고 있는 사고가 적용될 수 있는 상황이 아닌 것은?

보기

　　문제 접근 방법에서 개연성이 높은 가설을 설정함으로써 문제 해결을 시도한다. 아무 생각 없이 들여다보거나 무작정 정보를 수집하는 것이 아니라 현실타당성이 높은 가설을 미리 추론한다. 그리고 그 가설의 검증에 노력을 집중함으로써 분석의 초점을 맞추고 정보수집 비용과 시간을 절약하며, 문제 해결의 성공 가능성도 높일 수 있다. 이 사고는 시급한 문제를 신속하게 해결하고자 하는 시도로 문제 해결을 위한 일종의 선택과 집중 전략으로 이해할 수 있다. 핵심성공요인(CSF, Critical Success Factor)을 파악하는 기법이 여기에 근거하고 있다.

① 실험, 시행착오, 실패가 비교적 자유롭게 허용되는 경우
② 일반적으로 나타나는 정형적인 문제의 원인 분석이 필요한 경우
③ 여러 사안 및 그룹들이 감정적으로 대립하고 있는 경우
④ 사내 커뮤니케이션이나 정보공유가 제대로 이루어지지 않는 경우
⑤ 문제 해결을 위한 시간적 제약으로 인해 빠르게 해결방안을 수립해야 하는 경우

26. ○○기업 마케팅팀은 프랜차이즈 사업을 준비하는 창업지원자들을 대상으로 초기사업비용, 인지도, 제품 원가, 평균수익에 대하여 조사하였다. 조사 결과가 다음과 같을 때, 옳은 추론은?

* 평균수익에 관심 없는 사람은 인지도에도 관심 없다.
* 제품 원가를 따지지 않는 사람은 평균수익에도 관심 없다
* 초기사업비용을 중시하는 사람은 제품 원가도 따진다.

① 제품 원가를 따지지 않는 사람은 인지도에도 관심 없다.
② 평균수익에 관심 있는 사람은 초기사업비용을 중시하지 않는다.
③ 초기사업비용을 중시하는 사람은 인지도에는 관심 없다.
④ 인지도에 관심 없는 사람도 제품 원가는 따진다.
⑤ 인지도에 관심 없는 사람은 평균수익에도 관심 없다.

1회 기출예상문제
2회 기출예상문제
3회 기출예상문제
4회 기출예상문제
5회 기출예상문제
6회 기출예상문제

27. 다음 중 〈보기〉에 나타난 오류와 비슷한 오류를 범하고 있는 것은?

보기

김천은 경상북도의 도시이다.
김 대리는 김천에 살지 않는다.
그러므로 김 대리는 경상북도에 살지 않는다.

---

① 컴퓨터 게임에 몰두하면 눈이 나빠진다.

  양 사원은 컴퓨터 게임에 몰두하지 않는다.

  그러므로 양 사원은 눈이 나빠지지 않는다.

② 우리 팀원들이 회식 메뉴로 한식보다 중식을 선호하는 걸 보니 직장인들은 한식보다 중식을 더 선호한다.

③ 똥 묻은 개가 겨 묻은 개 나무란다더니, 몇십억대를 횡령한 사람이 내가 몇 백만 원 받았다고 비리라고 할 수 있어?

④ 운동을 열심히 하는 사람은 건강합니다.

  왜냐하면 건강한 사람은 운동을 열심히 하기 때문입니다.

⑤ 아버지는 흰색을 좋아하지 않는다.

  그러므로 아버지는 검정색을 좋아한다.

28. 고, 구, 마 세 명의 면접관이 앉아 있다. 이들 면접관의 넥타이 색깔은 물방울무늬, 줄무늬, 물결무늬이며 한 피면접자가 면접관을 바라볼 때 다음의 조건을 만족한다. 항상 참인 것은?

• 물결무늬 넥타이는 맨 오른쪽에 있는 면접관이 하고 있다.
• 구 면접관은 고 면접관 옆에 앉아 있다.
• 마 면접관 넥타이 무늬는 물방울무늬이다.

---

① 고 면접관 넥타이는 줄무늬이다.

② 고 면접관은 가운데 앉아 있다.

③ 마 면접관은 맨 왼쪽에 앉아 있다.

④ 구 면접관 넥타이는 물결무늬이다.

⑤ 구 면접관은 고 면접관 왼쪽에 앉아 있다.

[29 ~ 30] SWOT 분석은 기업 내부의 강점과 약점, 외부 환경의 기회와 위협 요인을 분석·평가하고 이들을 서로 연관 지어 전략과 문제해결 방안을 개발하는 방법이다. 이어지는 질문에 답하시오.

29. 다음 중 WO 전략에 해당하는 예시로 적절한 것은?

내부환경 ＼ 외부환경	강점(Strengths)	약점(Weaknesses)
기회(Opportunities)	SO	WO
위협(Threats)	ST	WT

① 사업 분야의 다각화
② 고수익 중심의 차별화 전략
③ 사업 다변화와 기술개발
④ 신규 유통채널 발굴 노력
⑤ 저수익 사업 철수 및 매각

30. 다음 중 SWOT 분석을 할 때 주의해야 할 사항으로 적절하지 않은 것은?

① 목표가 모호하면 정확한 분석이 이뤄질 수 없으므로 SWOT 분석에 앞서 목적과 목표를 명확히 세워야 한다.

② SWOT 분석을 할 때 강점은 경쟁우위에 있는 요소여야 하므로 경쟁사도 잘하고 우리도 잘하는 걸 강점이라고 불러서는 안 된다.

③ SWOT 분석은 현재 시점에서 환경과 우리를 바라보는 관점이기 때문에 시계열적인 변화나 가능성을 담을 수 없다.

④ SWOT 분석에는 여러 가지 상황이 펼쳐질 수 있는 시나리오가 돌이기야 여러 가능성을 반영할 수 있다.

⑤ 기회는 시장과 소비자의 경향을 나타내는 외부 요인으로 기업이 통제할 수 없는 영역이므로 기업 내부 요소인 강점과 혼동하지 않는다.

1회 기출예상문제
2회 기출예상문제
3회 기출예상문제
4회 기출예상문제
5회 기출예상문제
6회 기출예상문제

31. 다음 〈보기〉는 사업 환경 분석을 위한 3C 분석의 요소에 대한 상세 기준을 나타낸 것이다. 빈칸 ⓒ에 해당되는 분석 요소는?

보기

분석 요소	상세 기준
(㉠)	• 해당 서비스 · 상품 시장규모가 충분히 큰가? • 성장가능성이 높은 시장인가? • 시장의 성숙도는 어떠한가?
(㉡)	• 시장에서 경쟁이 치열한가? • 경쟁사의 시장점유율과 재무현황, 핵심경쟁력은 무엇인가? • 새로운 경쟁자들이 진입할 가능성은 큰가?
(㉢)	• 기업의 윤리규범 및 비전에 부합하는 서비스 · 상품인가? • 기업 내 인적, 물적, 기술적 자원수준은 어느 정도인가? • 기업 내 기존 서비스 · 상품들과 시너지 효과는 어느 정도인가?

① 자사 분석　　　　　② 고객 분석　　　　　③ 기술 분석
④ 업계 분석　　　　　⑤ 경쟁사 분석

32. 다음 기사에 대한 해석으로 적절하지 않은 것은?

　　○○연구소에 의하면 '보육, 등록금, 의료 등 복지를 대폭 확대하는 것에 대해 어떻게 생각하느냐'는 질문에 '재정 건전성을 유지하는 범위 내에서 서서히 복지를 확대해야 한다'는 응답이 75.9%로 대다수를 차지했다. '복지를 현 수준으로 유지해야 한다'는 응답은 8.2%였다. 반면 '재정이 다소 악화되더라도 복지를 대폭 확대해야 한다'는 응답은 11.1%에 그쳤다. '복지를 줄여야 한다'는 응답도 4.8%를 기록했다. '복지 확대를 위해 세금을 더 낼 의향이 있느냐'는 질문에는 있다(51%)와 없다(49%)가 팽팽하게 맞섰다. 추가 복지 확대를 위한 재원 조달 방안에 대해서는 '증세 없이 기존의 예산을 아끼고 세제를 개편해서 조달이 가능하다'는 응답이 60%로, '가능하지 않다'는 응답 40%를 웃돌았다.

① 복지 확대를 위한 증세는 쉽지 않을 것이다.
② 상당수의 응답자가 재정 건전성에 대해 생각하고 있다.
③ 대다수의 응답자는 현재의 복지 수준을 높게 평가하고 있다.
④ 많은 사람들이 증세 없이도 복지 확대가 가능하다고 판단하고 있다.
⑤ 많은 사람들이 복지 수준을 확대하더라도 재정에 무리가 가지 않는 방향이어야 한다고 생각하고 있다.

33. 〈보기〉의 ㉠ ~ ㉢은 기업이 접한 다양한 문제들을 해결하지 못한 사례이다. 각 사례에서 부족한 점을 알맞게 짝지은 것은?

> **보기**
>
> ㉠ 엔터테인먼트사인 O사는 음원시장 부진에 의한 매출급감 위기를 타개하기 위해 비용경감 대책으로 북미지사를 폐지하였다. 그러나 K-POP 열풍이 뜨거워지면서 O사는 북미지사 폐지로 인한 비용절감보다 더 큰 잠재수익을 잃었다.
>
> ㉡ 식품업체인 P사는 업계 1위였으나 최근 경쟁업체인 S사에게 그 자리를 빼앗겼다. P사에 근무하는 김 과장은 간편식 시장의 확대 트렌드를 감지하고 이른바 밀키트 제품을 출시하자는 아이디어를 제시하였으나 개발부서에서 밀키트는 맛을 내기 어렵다는 이유로 제안을 계속 미뤘고 결국 밀키트 제품의 흥행에 큰 수익을 얻지 못한 것이다.
>
> ㉢ Q사는 최근 경영 부진을 타개하기 위하여 통합회의를 실시하였으나 연구부서에서는 회사 기술력의 한계를 지적하였고, 영업부서에서는 제품력이 떨어져 매출 목표 달성이 어렵다는 불만을 표했으며, 고객관리부서에서는 고객의 클레임에 대한 대응이 너무 느리다고 지적하였다. 결국 회의에서 서로의 문제점만 지적하고 경영부진을 타개할 특별한 해결책은 제시되지 못한 채 끝나고 말았다.

	㉠	㉡	㉢
①	창의적 사고	분석적 사고	전략적 사고
②	전략적 사고	분석적 사고	창의적 사고
③	분석적 사고	내·외부자원 활용	전략적 사고
④	내·외부자원 활용	전략적 사고	분석적 사고
⑤	전략적 사고	내·외부자원 활용	분석적 사고

[34 ~ 35] 다음 글을 읽고 이어지는 질문에 답하시오.

'9988234 ~ ', '99세까지 팔팔하게 살다가 2 ~ 3일 만에 사망하자'는 뜻의 건강장수를 기원하는 건배사다. 90세를 훌쩍 넘기고도 건장한 어르신들이 있는 집안은 자식들도 오래 산다. 장수하는 집안이 따로 있을까? 있다. 가족력, 즉 DNA가 장수 여부를 10 ~ 25% 결정한다. 나머지는 환경이다. 특히 스트레스는 수명과 직결된다. 사촌이 땅을 사서 배가 아픈 게 오래간다면 그만큼 수명도 줄어든다. 그렇다고 스트레스가 건강에 나쁘기만 할까. 초등학교 운동회 시절, 달리기 출발선에 선 아이들의 '도전'에 대한 스트레스는 과연 수명에 영향을 미칠까.

최근 동물 연구는 어릴 적 '잽' 정도의 ㉠착한 스트레스는 이후 수명을 증가시킨다는 사실을 밝혀냈다. 게다가 그 효과는 DNA에 '꼬리표'로 각인되어 오래간다. 스트레스에 대한 맷집이 커져서 웬만한 일에도 끄떡없이 장수한다는 거다. 그렇다면 맷집을 늘리는 생활 속 비법은 무엇일까. 바로 운동이다.

미시간대학 연구진은 선충(1mm 작은 벌레)을 가지고 장수에 관한 연구를 하고 있었다. 연구진들은 선충들이 초기 스트레스에 따라 수명이 달라지는지 실험했다. 막 태어난 선충들에게 스트레스 물질농도를 달리 주었다. 그러자 낮은 스트레스를 받은 선충들의 수명이 1.7배 늘어났다. 사람이라면 수명이 83세에서 141세로 늘어난 셈이다. 반면 스트레스가 너무 높으면 수명이 줄었다. 즉 어릴 적 '약한' 스트레스가 이후 수명을 늘린 거다.

연구진은 선충 DNA 변화를 들여다보았다. '약한' 스트레스가 특정 DNA에 꼬리표(메틸기)를 붙였다. 덕분에 강한 스트레스가 와도 나쁜 영향을 덜 받는 '저항성'이 생긴 거다. 한 번 붙은 꼬리표는 오래간다. '젊어 고생은 사서 하라'는 말은 빈말이 아니다. 단, 고생이 너무 강하면 역효과다. 긍정적인 효과를 내는 스트레스는 '잽' 정도이다. 학자들은 이런 스트레스를 '착한 스트레스(Eustress)'라고 이름 붙였다.

---

34. 윗글의 중심 내용으로 가장 적절한 것은?

① 젊었을 때 크게 고생하여 맷집을 강하게 길러야한다.

② 낮은 스트레스를 받은 선충은 수명이 1.7배 늘어난다.

③ 운동을 통해 스트레스에 대한 저항성을 높일 수 있다.

④ 약한 스트레스는 저항성을 키우고 수명을 연장시킨다.

⑤ 90세가 넘도록 장수하는 사람은 집안의 가족력이 없는 경우이다.

35. 윗글의 ㉠을 아래의 그래프와 같이 나타낼 때, 다음 중 같은 원리가 적용된 사례가 아닌 것은?

① 1일 1식이나 폭식과 같은 극단적인 방법을 반복하고 실천하여 건강을 유지한다.

② 적당한 운동은 건강에 도움이 되지만 과도한 운동은 오히려 질병의 위험을 높인다.

③ 다량의 일산화탄소는 호흡을 마비시키는 치명적인 독이지만 소량의 일산화탄소는 폐기능을 향상시킨다.

④ 백신은 약한 항원을 미리 인체에 주입해 항체를 형성시켜서 진짜 항원이 들어왔을 때 재빠르게 대처할 수 있게 한다.

⑤ 보톡스에 사용하는 보툴리눔 독소는 천연독소 중 가장 강하지만 그 양을 적절하게 조절하여 치료제나 미용에 사용한다.

1회 기출예상문제

2회 기출예상문제

3회 기출예상문제

4회 기출예상문제

5회 기출예상문제

6회 기출예상문제

36. 다음은 유진이가 관람하려는 영화가 상영을 시작하는 시각을 나타낸 것이다. 유진이의 일정을 참고했을 때, 유진이가 선택할 수 있는 영화 시작 시각으로 옳은 것은? (단, 이동시간은 고려하지 않는다)

월	9:00, 11:20, 13:40, 16:30, 18:20, 20:40
화	9:00, 11:20, 13:40, 16:30, 18:20, 20:40
수	9:00, 11:20, 13:40, 16:30, 18:20, 20:40
목	9:00, 11:20, 13:40, 16:30, 18:20, 20:40
금	10:00, 12:30, 17:00, 19:20, 21:40
토	10:00, 12:30, 17:00, 19:20, 21:40
일	9:00, 11:20, 14:40, 17:00, 18:20, 20:40

〈유진이의 일정〉

• 주중 근무시간은 오전 9시 ~ 오후 6시 30분이다(주말에는 근무하지 않는다).
• 화요일, 목요일, 토요일에는 독일어 학원에서 오후 7시 ~ 9시까지 수업을 듣는다.
• 금요일 퇴근 후에는 다양한 행사에 참여하여 다른 일정을 잡기가 어렵다.
• 일요일은 휴식을 위해 오후 5시 이후에는 집에 머무른다.

① 수요일 - 20:40
② 화요일 - 20:40
③ 금요일 - 19:20
④ 일요일 - 17:00
⑤ 토요일 - 19:20

37. 다음은 사업의 타당성 분석과 관련된 기사이다. 이 기사에 나타난 타당성 분석요소로 적절한 것은?

최근 프랜차이즈 시장 규모가 점차 커지고 있다. 본사의 획일화된 매장운영 스타일에 부정적인 입장을 가진 사람들도 있지만 일정한 맛과 체계화된 시스템에 신뢰를 느껴 프랜차이즈를 선호하는 사람들이 많아지고 있는 추세다. ○○ 본사의 경우 가맹점마다 각 지역의 상권과 소비 행태, 경쟁사에 따른 맞춤형 창업을 제안하여 가맹점의 정보를 수집하기도 하고 지역 특성을 반영한 프로모션으로 각 지점의 특색을 살린 일률적이지 않은 홍보 방식을 활용하기도 한다. ○○ 관계자는 새로운 시도보단 안정적이고 익숙한 맛을 선호하는 고객층을 찾아내어 집중 공략할 계획이라고 밝혔다.

① 시장성 분석
② 수익성 분석
③ 재무 분석
④ 사업수행 능력 분석
⑤ 기술적 타당성 분석

38. 〈보기〉는 효과적인 과정을 나타낸 것이다. 빈칸 ㉠, ㉡에 들어갈 내용을 바르게 짝지은 것은?

	㉠	㉡
①	이용가능 자원 수집하기	해결안 개발하기
②	이용가능 자원 수집하기	계획대로 수행하기
③	성과 평가하기	계획대로 수행하기
④	계획대로 수행하기	성과 평가하기
⑤	핵심 문제 선정하기	성과 평가하기

39. 명함은 개인의 인맥관리에 좋은 수단이다. 다음 중 바람직한 명함관리에 대한 설명으로 옳지 않은 것은?

① 명함관리를 위해 명함 박스 등을 구비하고, 색인을 활용하는 등 자신만의 관리기법을 통해 관계를 맺은 사람의 명함을 분실하지 않도록 한다.

② 박람회나 발표회같이 여러 사람이 만나는 자리에서도 명함만 교환하는 것이 아니라, 충분한 대화를 나누고 이동한다.

③ 명함 교환 시 상대방에 대한 정보를 그 자리에서 바로 메모하여 관계 형성에 관심이 많다는 모습을 보여 준다.

④ 명함을 받자마자 지갑에 집어넣기보다는 명함을 보면서 상대방의 직무 등에 대해 이야기를 건네며 자연스럽게 대화를 이어간다.

⑤ 향후 원활한 의사소통을 위해 상대방에 대한 정보를 기입해 둔다.

1회 기출예상문제 2회 기출예상문제 3회 기출예상문제 4회 기출예상문제 5회 기출예상문제 6회 기출예상문제

40. 다음 〈보기〉는 효과적인 물적자원 관리의 과정을 나타낸 것이다. ㉠~㉢을 올바른 순서로 나열한 것은?

보기

㉠	㉡	㉢
사용 물품과 보관 물품의 구분	물품 특성에 맞는 보관 장소 선정	동일 및 유사 물품으로 분류

① ㉠-㉡-㉢

② ㉠-㉢-㉡

③ ㉡-㉠-㉢

④ ㉡-㉢-㉠

⑤ ㉢-㉠-㉡

41. 다음 〈보기〉에서 설명하는 물적자원 보관방법으로 알맞은 것은?

보기

입출하 빈도가 높은 물품은 출입구로부터 가까운 장소에 보관하고, 빈도가 낮은 물품은 출입구로부터 먼 장소에 보관하는 방법으로, 사용자의 동선을 줄이고, 물품이 상하지 않도록 하기 위해 적용하는 원칙이다.

① 회전대응 보관의 원칙

② 명료성의 원칙

③ 후입선출의 원칙

④ 위치 표시의 원칙

⑤ 통로대면 보관의 원칙

42. 시간 관리는 일과 여가의 균형 있는 삶에 있어 중요한 능력이다. 시간 관리에 실패한 일 중독자들은 종종 과도한 업무에 시달리는 모습을 보이는데, 이들의 특징으로 볼 수 없는 것은?

① 주어진 업무 중에서 가장 생산성이 낮은 일에 매달리며 그 일을 위해 전력을 다한다.

② 최우선 업무보다는 동료들이나 상사에게 가시적으로 돋보이는 업무에 전력을 다한다.

③ 시간 내 업무를 완수하고 일과 가정 또는 자신의 여가를 동시에 즐긴다.

④ 팀이나 해당 부서에 부여된 업무를 다른 사람과 나누지 않고 혼자 하려고 한다.

⑤ 업무 수행과정에서 발생한 위기 상황에 과잉 대처하면서 일을 침소봉대하는 경향이 있다.

43. 〈보기〉의 빈칸에 들어갈 내용으로 알맞은 것은?

> **보기**
>
> (   )의 중요성을 보여 준 사례가 있다. 바로 N사의 코스닥 상장과 관련된 이야기이다. N사는 코스닥 상장을 신청했을 당시, 바로 상장이 된 것이 아니라 한 차례 보류가 됐었다. 그 이유는 N사의 검색기법이 특허분쟁 중이었기 때문이다. 이에 N사의 회장은 후배경영인 L 사장에게 도움을 요청하였고 문제를 해결하기 위해 L 사장과 함께 코스닥 위원장을 만났다. 코스닥 위원장을 만나 로비를 하려던 것이 아니라 특허분쟁과 관련된 진실을 알리기 위해서였다. 이처럼 (   )은(는) 오해를 받아 어려움에 처하거나 위기를 겪고 있을 때 효과적으로 문제를 해결하는 데 도움을 주기 때문에 삶을 살아가는 데 있어서 매우 유용하다.

① 동일성의 원칙   ② 효과적인 예산 수립   ③ 인맥관리

④ 공정 인사의 원칙   ⑤ 업무의 우선순위 판단

[44 ~ 45] ○○무역 비서실에 근무하는 H 씨는 다음 휴가 신청 안내 사항을 고려하여 휴가를 신청하고자 한다. 이어지는 질문에 답하시오.

〈휴가 신청 안내〉

1. 휴가 신청 가능 기간 : 1월 5일 ~ 1월 28일

2. 휴가 기간 : 5일 (주말 포함)

3. 유의사항

　가. 비서실장과 교대로 근무하는 것을 원칙으로 함.

　나. 사장님 및 다른 팀 휴가 일정이 겹치지 않도록 함.

　다. 사장님 업무 일정이 있는 날은 모든 팀이 근무하는 것을 원칙으로 함.

　라. 휴가 일정을 나눠서 신청할 수는 없음.

〈1월 달력〉

일	월	화	수	목	금	토
	1	2	3	4	5	6
7	8	9	10	11	12	13
	사장님 중국 출장 (8 ~ 10)					비서실장 휴가
14	15	16	17	18	19	20
비서실장 휴가 (13 ~ 17)				사장님 거래처 대표 면담		
21	22	23	24	25	26	27
			총무팀 휴가 (24 ~ 27)			
28	29	30 사장님 국내지사 방문	31			

44. H 씨가 휴가를 신청하기 위해 고려해야 할 사항으로 거리가 먼 것은?

① 사장님 거래처 면담 일정
② 총무팀 휴가 일정
③ 비서실장 휴가 일정
④ 사장님 해외 출장 일정
⑤ 사장님 국내지사 방문 일정

45. H 씨가 휴가를 갈 수 있는 기간은?

① 1월 8일 ~ 1월 12일
② 1월 11일 ~ 1월 15일
③ 1월 19일 ~ 1월 23일
④ 1월 24일 ~ 1월 28일
⑤ 1월 27일 ~ 1월 31일

46. 다음은 ○○캐피탈 본사가 보유한 사업용 전기차의 8월 충전 내역에 대한 자료이다. 소형 A 차량의 1시간 충전 금액은 얼마인가?

〈사업용 전기차 충전 내역〉

일별	충전차량	합산금액(원)
202X년 9월 12일	소형 A, 중형 B	14,000
202X년 9월 13일	소형 B, 중형 A	15,000
202X년 9월 14일	소형 A, 중형 C	13,000
202X년 9월 15일	소형 B, 중형 B	16,000
202X년 9월 16일	중형 C, 중형 A	19,000

• 산출된 합산금액은 2시간을 기준으로 작성되었다.
• 충전금액에 제시된 합산금액은 차종별 각 1대를 기준으로 작성되었다.

① 1,250원
② 1,750원
③ 2,250원
④ 3,500원
⑤ 4,500원

47. 〈보기〉의 빈칸 ㉠과 ㉡에 들어갈 내용으로 모두 알맞은 것은?

> **보기**
>
> 어떤 활동이나 사업의 비용을 추정하거나 예산을 잡는 것은 쉽지 않다. 추산해야 할 많은 유형의 비용이 존재하기 때문이다. 예산의 구성요소는 대분류 원가항목으로 제품 또는 서비스를 창출하기 위해 소요되는 (㉠)와/과 생산에 직접 관련되지 않은 비용인 (㉡)로/으로 구분된다.

	㉠	㉡		㉠	㉡
①	인건비	시설비	②	시설비	관리비
③	본예산	추가예산	④	직접비용	간접비용
⑤	재료비용	예비비용			

48. 다음 보도 내용을 참고하여 ○○기업의 직무설계 목적으로 옳은 것을 모두 고른 것은?

> ○○기업은 20X1년부터 기존 연 2회 실시하던 정기 공채를 없애고 '직무중심 상시 공채'로 전환할 것이라고 밝혔다. ○○기업은 '현 2회 실시하는 정기 공채로는 미래 산업환경에 맞는 융합형 인재를 적기에 확보하기가 어렵고 4차 산업혁명 시대에 맞는 채용방식의 변화가 필요하다고 판단했다'고 설명했다. 이어 '연중 상시로 지원할 수 있어 채용기회도 넓어졌고 회사와 지원자 모두 윈윈(win-win)하는 효과가 있을 것'이라고 했다.
>
> 채용 주체도 본사가 주도하는 인사부서 선발에서 해당 현업부문이 주도하는 직무중심 선발로 바뀐다. 상시 공채에서는 채용 직무별로 세부정보와 회사가 요구하는 역량을 상세하게 공개한다. 지원자는 직무와 상관없는 '스펙 쌓기'식 지원 대신 회사가 필요로 하는 직무 역량을 쌓는 것이 더 중요하다. 'XX기업 공채 대비' 같은 취업 준비 프로그램 자체가 무의미해진 셈이다.

> ㄱ. 산업안전보건을 통한 삶의 질 개선　　ㄴ. 작업 조직의 제도화
> ㄷ. 성장과 안정을 위한 기회 제공　　ㄹ. 인간 능력의 이용과 개발 기회 활용

① ㄱ, ㄴ　　　　② ㄴ, ㄷ　　　　③ ㄷ, ㄹ
④ ㄱ, ㄴ, ㄷ　　　⑤ ㄴ, ㄷ, ㄹ

49. 다음 중 자기개발능력에 해당되는 것을 모두 고른 것은?

> 자기개발능력이란 자신의 능력과 적성 등의 이해를 바탕으로 업무와 관련된 자기 발전 목표를 스스로 수립하고 자신의 객관적 위치를 파악한 다음 본인이 맡은 업무와 스스로의 삶에 있어 최적의 방향과 전략을 제시할 수 있는 능력을 말한다.

> ㄱ. 합리적의사결정능력　　　　　　ㄴ. 자기관리능력
> ㄷ. 자아인식능력　　　　　　　　　ㄹ. 경력개발능력

① ㄱ, ㄴ　　　　　　② ㄱ, ㄷ　　　　　　③ ㄱ, ㄴ, ㄷ
④ ㄷ, ㄹ　　　　　　⑤ ㄴ, ㄷ, ㄹ

50. 다음 글에 드러난 제대로 된 휴식의 핵심 내용은 무엇인가?

> 　운동선수들이 가장 주시하는 것은 컨디션 조절이다. 아무리 실력이 좋아도 컨디션 조절에 실패하면 경기에서 흔들리기 쉽다. 사무실에서 일하는 직장인들도 마찬가지다. 컨디션 조절의 핵심은 휴식이다. 제대로 잘 쉬는 것이 중요하다.
> 　그런데 휴식에는 몇 가지 통념이 존재한다. "남들이 놀 때 나도 같이 놀아야 한다. 휴식을 위해서는 시간을 쪼개야 하고 그 시간을 제대로 즐기려면 많은 돈을 써야한다. 그리고 충분한 시간을 필요로 한다. 시간만 넉넉하게 주어진다면 나도 제대로 쉴 수 있다."
> 　하지만 이렇게 생각하는 사람들은 여가 시간을 제대로 즐기지 못하는 사람들이다. 남들과 비슷한 시기에, 비슷한 곳으로 휴가를 간다. 어딘가를 꼭 가야만 한다는 강박관념을 갖고 있다. 집에만 있는 것은 휴식이 아니라고 생각하는 사람도 있다. 그렇게 막상 휴가지에 가서도 쉬지 못하고 노동하듯이 뭔가를 한다. 쉬기는커녕 오히려 더 많은 에너지를 쓰고 오는 것이다.

① 자유 시간을 최대한 자주 갖도록 한다.
② 휴식시간을 주체적으로 보내도록 한다.
③ 시간 여유가 충분히 있을 때 휴식을 가진다.
④ 인터넷 등 외부에서 오는 정보를 다 차단하고 여유롭게 생활한다.
⑤ 최대한 사람들이 없는 곳에서 여가를 즐긴다.

51. 다음 글에서 강조하는 윤리의식은 무엇인가?

> 나는 소방관이다. 하루에도 몇 번씩 떨어지는 출동 지령, 생사의 갈림길에서 살려 달라고 울부짖는 사람들, 흩어지는 생명 가운데 구해낼 수 없었던 그 힘없고 늙은 노인. 소방관이 아니었다면 상상도 하지 못할 순간들을 나는 매일같이 경험하고 있다.
>
> 소방관으로 살아간다는 것은 참혹한 현실 속에서 기적과도 같은 희망을 발견해 낼 수 있기에 인생의 아름다움을 누구보다 절실하게 실감하는 일이다. 오직 타인의 손을 잡아 주는 일을 나의 사명으로 삼는 삶.
>
> 그리고 소방관들은 수많은 현장의 크고 작은 불길 속에 스스로 뛰어들면서 그 자신마저 불살라지는 희생의 순간을 맞이하기도 한다.

① 공동체의식　　　　② 책임의식　　　　③ 연대의식

④ 준법의식　　　　⑤ 생명존중의식

52. 다음과 같은 상황에서 김 부장이 경력개발계획을 세우기 위해 고민해야 할 내용이 아닌 것은?

> 제조업을 전공하여 현재 경력 10년차인 김 부장은 사내에서 줄곧 좋은 평가를 받아 왔지만 최근 다양한 분야에서 능력이 좋은 후배들이 빠르게 승진하자 곧 불안감을 느끼기 시작하였고 직장 내에서 자신의 가치를 높이기 위해 경력개발계획을 세우기 위한 준비를 시작하였다.

① 나는 전문가가 되기 위해 어떤 목표를 얼마나 구체적으로 세웠는가?

② 현재 직장에서 나의 위치는 어디인가?

③ 나는 나의 전공과 관련하여 무엇을 얼마만큼 알고 있는가?

④ 나의 경력개발과 관련하여 자신과 환경을 분석하고 있는가?

⑤ 나는 전문성을 높이기 위해 어떤 전략을 수립하고 실행하였는가?

53. 다음은 □□기업에 근무하는 윤 과장이 수행하는 역할에 대한 내용이다. Ⓐ에 들어갈 내용으로 적절한 것을 모두 고르면?

---

1. 직장 내에서 나의 지위 : 영업3팀 소속 과장

2. 직장 내 지위에 따른 역할 및 역할 행동

    가. 직위에 따른 나의 역할 : 기업의 영업 이익을 늘려 기업 발전을 도모해야 함.

    나. 나의 역할 행동 : (Ⓐ   )

3. 사회적 기관으로서 직장의 성격과 기능

    가. 사회생활을 하는 데 필요한 능력을 향상시킬 수 있음.

    나. 새로운 지식과 기술을 습득하고 2차적 사회화가 이루어지는 공간이기도 함.

ㄱ. 영업부 내의 부하 직원을 잘 통솔하고 직원 간의 협력을 유도하기 위해 노력한다.

ㄴ. 영업을 활성화하여 기업의 매출액을 증대하기 위해 노력한다.

ㄷ. 다른 부서와의 협력 업무가 조화롭게 이루어지도록 업무 협조를 한다.

ㄹ. 사내 동호회 활동에 적극적으로 참여하여 사원들의 관계를 원만하게 한다.

ㅁ. 대학 동창회 등 각종 사모임에 주도적으로 참석하여 기업을 홍보한다.

---

① ㄱ, ㄷ   ② ㄴ, ㄷ   ③ ㄱ, ㄴ, ㄷ

④ ㄴ, ㄷ, ㄹ   ⑤ ㄷ, ㄹ, ㅁ

54. 다음은 박 씨의 자아인식에 대한 내용이다. 빈칸에 들어갈 영역으로 옳은 것은?

    직장인 박 씨는 최근 눈치가 없다는 말을 자주 듣고 인간관계가 예전만 같지 않아 자아인식 방법 중 하나인 조하리의 창(Johari's Window)을 통해 자신이 분석하지 못한 영역이 있는지 확인하려고 한다. 조하리의 창에 의하면, 박 씨는 눈치가 없고 둔감한 사람으로 타인이 보기에는 개선할 점이 많으나 자신은 깨닫지 못하는 (   )에 속한다.

---

① 아무도 모르는 자아   ② 눈먼 자아   ③ 공개된 자아

④ 숨겨진 자아   ⑤ 타인이 아는 자아

1회 기출예상문제 2회 기출예상문제 3회 기출예상문제 4회 기출예상문제 5회 기출예상문제 6회 기출예상문제

55. 다음 글이 말하고자하는 바를 제대로 표현한 것은?

> 복잡한 일을 수월하게 할 수 있는 능력을 얻고 싶다면 어느 정도 수준의 연습량을 최소한 확보하는 것이 필수라는 사실은 수많은 연구를 통해 확인된 바 있다. 세계 각국의 연구자들은 진정한 전문가가 되기 위해 필요한 '매직 넘버'를 인정하는 추세다. '매직 넘버'가 뭐냐고 묻는다면 그건 바로 1만 시간이다. 독일의 신경과학자인 다니엘 레비틴(Daniel Levitin)박사는 어느 분야가 되었든 세계적인 실력을 갖춘 전문가, 즉 마스터가 되려면 1만 시간의 연습이 필요하다는 연구결과를 내놓았다.
>
> 작곡가, 야구선수, 소설가, 스케이트선수, 피아니스트, 체스선수, 숙달된 범죄자, 그밖에 어떤 분야에서든 연구를 하면 할수록 이 수치를 확인할 수 있었다. 1만 시간은 대략 하루에 세 시간, 일주일에 스무 시간씩 10년간 연습한 것과 같다. 물론 이 수치는 '왜 어떤 사람은 연습을 통해 남보다 많은 것을 얻어낼 수 있었는가'에 대해서는 아무것도 대답해주지 못한다. 그러나 어느 분야에서든 이보다 적은 수준을 연습하고서 세계적인 경지에 오른 전문가가 탄생한 경우는 보지 못했다. 어쩌면 인간의 두뇌는 진정한 숙련자의 경지에 접어들기 위해선 그 정도의 시간을 투자하도록 설계되었는지도 모른다.
>
> 신동이라 불리는 인물들도 예외는 아니다. 예를 들어 모차르트는 여섯 살에 작곡을 시작했다고 알려져 있지만, 영국의 인지심리학자 마이클 하우(Michael J. Howe)는 그의 저서 〈천재를 말하다 ; Genius Explained〉에서 이렇게 서술하고 있다. "숙달된 작곡가의 기준에서 볼 때 모차르트의 초기 작품은 별로 놀라울 만한 수준은 아니다. 초창기에 나온 작품은 보통 모차르트의 아버지가 작성했을 것으로 보이며 이후 점차 발전해 왔다. 모차르트가 어린 시절에 작곡한 협주곡, 특히 처음 선보인 일곱 편의 피아노 협주곡은 사실 다른 작곡가들의 작품을 재배열한 것에 불과하다. 현재 걸작으로 평가받는 진정한 모차르트의 협주곡(협주곡 9번, 작품번호 271)은 그의 나이 스물한 살 때부터 만들어졌다. 이는 모차르트가 협주곡을 만들기 시작한 지 10년이 지난 때였다." 미국의 음악평론가 해럴드 숀버그(Harold C. Schonberg)는 여기서 한 걸음 더 나아간다. 그는 모차르트의 위대한 작품들이 작곡을 시작한 지 20년이 지나서야 나오기 시작한 것을 볼 때, 모차르트의 재능은 '늦게 개발된 능력'이라고 평가했다. 마찬가지로 위대한 체스 그랜드마스터가 되려면 약 10년이 필요하다. 미국의 체스 영웅 바비 피셔(Bobby Fischer)는 그 시간을 좀 단축해 9년 만에 고수가 되었다. 대체 그 10년이 의미하는 것은 정확히 무엇이란 말인가? 1만 시간의 고된 연습을 견디려면 그만큼의 시간이 필요하다는 얘기다. 1만 시간은 위대해지기 위해 필요한 '매직 넘버'이다.
>
> 다만 '매직 넘버'를 기계적으로 맹신해서는 안 된다. 50년 동안 매일 체스를 둔 벤저민 프랭클린의 실력은 평범했다는 이야기로 1만 시간의 법칙은 '노력의 배신'을 간과하였다는 비판을 받는다. 1만 시간의 법칙은 재능을 가진 사람의 성공에는 의식적인 노력과 투자가 뒷받침되었음을 설명하는 것일 뿐, 단순히 시간을 채우면 성공한다는 기계적인 결론을 도출하지

않는다. 99%의 땀과 1%의 영감이라는 에디슨의 말 대신 99%의 노력의 끝에서 천재로 도약하는 1%의 순간이 존재하는 것이다. 역사상 그 어떤 천재에게도 도약을 위한 기나긴 여정에 지름길은 허용되지 않았다. 1만 시간의 법칙을 비판하는 '노력의 배신'은 있어도, 성공의 배경에는 1만 시간의 노력이 없는 것은 아닌 것이다.

① 어떤 것을 시작하든 1만 시간 이상 연습하면 세계 최고가 될 수 있다.

② 많은 세월이 흘러야 하므로 자신의 재능을 발휘할 때까지 기다린다.

③ 모든 부서를 경험하면서 자신이 잘할 수 있는 직무를 찾는다.

④ 자기 분야의 최고 수준에 도달하기 위해서는 많은 시간의 연습이 필요하다.

⑤ 한 분야에 연구를 집중해 짧은 시간에 성과를 낸다.

56. 다음은 음료 브랜드가 소구하는 사용자의 욕구를 나타낸 글이다. 밑줄 친 ④에 대한 설명으로 옳지 않은 것을 모두 고르면?

음료 브랜드가 소구하는 사용자의 욕구는 ④ 매슬로우의 욕구위계이론에서 보여주는 다섯 가지의 욕구를 통해서 비교·분류할 수 있는데, 이를 통해 기능적이고 감성적인 가치를 통합적인 시각으로 살펴볼 수 있다. 병입 음료 브랜드는 국내 브랜드의 경우, '생리적 욕구'로부터 '안전 욕구'와 '소속감과 사랑의 욕구'에 속하는 일반 음료 브랜드와 '소속감과 사랑의 욕구'로부터 '자아실현'의 욕구 범위에 해당하는 두 그룹으로 분류할 수 있다. (중략)

ㄱ. 어떤 욕구가 충족되면 그 욕구의 강도는 약해지며, 충족된 욕구는 동기유발 요인으로서의 의미를 상실한다.

ㄴ. 인간은 다섯 가지의 욕구를 가지고 있는데 이들은 우선순위의 계층을 이루고 있다.

ㄷ. 욕구는 순차적으로 나타나고 한 단계의 욕구가 완전히 충족되어야 다음 단계의 욕구가 나타날 수 있다.

ㄹ. 욕구의 계층은 생리적 욕구, 안전욕구, 사회적 욕구, 존경에 대한 욕구, 자아실현 욕구로 구성되어 있다.

① ㄱ ② ㄴ ③ ㄱ, ㄷ

④ ㄴ, ㄷ ⑤ ㄱ, ㄴ, ㄹ

[57 ~ 58] □□기업은 신입사원을 대상으로 '자아인식과 자기관리'를 주제로 다음과 같은 내용의 강의를 진행하였다. 글을 읽고 이어지는 질문에 답하시오.

회복탄력성에 필요한 자기조절능력이란 스스로의 감정을 인식하고 그것을 조절하는 능력을 말한다. 역경이나 어려움을 성공적으로 극복해 내는 사람들의 공통적인 특징이기도하다. 자기조절능력이 뛰어난 사람은 어려운 상황이 닥쳤을 때 부정적 감정을 통제하는 감정조절력과 충동적 반응을 억제하는 충동통제력, 그리고 자신이 처한 상황을 객관적으로 파악하여 대처하는 원인분석력을 가지고 있다. 이 세 가지 능력은 하워드 가드너가 다중지능이론에서 말하는 자기이해지능과 관련된다.

하워드 가드너가 말하는 9가지 지능 중 ④ 자기이해지능은 자신의 생각과 감정을 스스로 파악하고 통제하는 능력에 관한 것이다. 자기이해지능은 특정 분야나 직업에 관계된 것은 아니며 다른 지능이 효율적으로 발휘되도록 돕는 역할을 한다.

이러한 자기이해지능은 회복탄력성에 필요한 자기조절능력의 특징을 그대로 반영하고 있다. 먼저 높은 수준의 자기이해지능은 감정조절력으로 나타난다. 감정조절력은 스트레스 상황에서도 평온함을 유지 할 수 있는 능력이다. 회복탄력성이 높은 사람들은 스스로의 감정과 행동을 통제할 수 있는 능력을 지니고 있다. 감정조절력은 분노와 짜증처럼 부정적인 감정을 억누르는 것만을 의미하지 않는다. 필요할 때면 언제나 긍정적인 감정을 스스로 불러일으켜서 신나고 재미있게 일할 수 있는 능력도 의미한다.

충동통제력은 자신의 동기를 스스로 부여하고 조절할 수 있는 능력과 관계있다. 그것은 단순한 인내력과 참을성과는 다르다. 자율성을 바탕으로 오히려 고통을 즐기는 능력 혹은 고통의 과정을 즐거움으로 승화시키는 마음의 습관이라 할 수 있다. 이는 회복탄력성을 이루는 아주 중요한 요소다.

마지막으로 원인분석력은 내게 닥친 문제를 긍정적으로 바라보면서 그 문제를 제대로 해결하기 위한 원인을 정확히 진단해 내는 능력을 말한다. 부정적인 사건을 지나치게 비관적으로 받아들이다가 늘 좌절하는 사람이나 반대로 지나치게 낙관적으로만 바라보다가 제대로 대처하지 못하는 사람들은 모두 원인분석력이 부족한 것이다. 원인분석력은 자신에게 닥친 사건들을 긍정적이면서도 객관적이고 정확하게 바라볼 수 있는 능력이다.

57. 윗글을 읽고 나타난 반응으로 적절하지 않은 것은?

① 역경이나 어려움을 성공적으로 극복해 내는 사람들은 회복탄력성이 높나보다.

② 나는 인내력과 참을성이 좋으므로 충동통제력이 높다고 할 수 있구나.

③ 자기이해지능이 높은 사람은 회복탄력성도 높을 거야.

④ 감정과 행동을 통제하는 능력이 좋은 사람은 회복탄력성이 높다고 볼 수 있네.

⑤ 부정적인 일을 항상 비관적으로 바라보는 사람은 원인분석력이 부족해서군.

58. 윗글의 밑줄 친 Ⓐ에 대한 설명에 해당되는 것을 모두 고르면?

> ㄱ. 자기이해지능은 그 자체로 뚜렷한 능력 발휘의 징표가 되는 것으로 신체운동지능이 뛰어나 축구에 재능을 보이는 선수는 축구선수로 대성할 수 있다.
>
> ㄴ. 자기 분야에서 뛰어난 업적을 남기는 사람은 해당 분야와 관련된 지능과 함께 자기이해지능도 높을 가능성이 크다.
>
> ㄷ. 다른 지능과 결합함으로써 그 지능을 크게 발휘시키는 일종의 촉매 역할을 한다.
>
> ㄹ. 자기이해지능은 자신의 감정 상태에 대해 정확히 인지하고 자신의 감정 상태가 겉으로 드러나지 않도록 숨길 수 있는 능력이다.

① ㄴ, ㄷ   ② ㄷ, ㄹ   ③ ㄱ, ㄴ, ㄷ

④ ㄱ, ㄴ, ㄹ   ⑤ ㄴ, ㄷ, ㄹ

1회 기출예상문제

2회 기출예상문제

3회 기출예상문제

4회 기출예상문제

5회 기출예상문제

6회 기출예상문제

[59 ~ 60] △△기업은 신입사원에게 다음과 같은 내용으로 연수를 진행하였다. 글을 읽고 이어지는 질문에 답하시오.

일상에서 개인이 가진 강점을 발휘할 수 있는 사례로 나의 경험을 말해보겠다. 나는 강점 발견에 대한 설명과 문항을 통해 (가   ) 이렇게 네 가지가 나의 대표 강점임을 알게 되었다. 나는 일상생활 속에서 이 네 가지의 강점을 되도록 많이 수행하고 발휘할 수 있도록 다음과 같이 노력하는 중이다.

우선 학습욕구를 위해서 늘 새로운 것을 공부하고 새로운 연구 주제를 개발하는 데 주력하게 되었다. 늘 같은 주제에 대해 강의하거나 연구하는 것이 아니라 보다 새로운 것을 배울 수 있도록 다양한 주제에 대해 폭넓은 관심을 유지하는 데 주력하고 있다. 이를 위해서 다른 학과의 강의를 일부러 찾아가 듣기도 하고 경우에 따라서는 청강을 신청해서 학생들과 함께 한 학기 내내 수업을 듣기도 한다.

두 번째 강점인 통찰력을 발휘하기 위해서 나는 학생들과의 상담에 많은 시간을 할애하고 있다. 인생이나 진로 상담을 신청해 오는 학생들에게 따로 시간을 내어 이야기를 들어주고 내 경험에 비추어서 조언을 한다. 여러 학생과 짧은 시간을 나누기보다는 깊은 고민이 있는 학생들과 보다 오랜 시간 집중적인 상담을 하기 위해 노력한다. 이런 상담을 함께한 학생들은 졸업하거나 취업한 후에도 꾸준히 인사를 전해온다.

세 번째 강점인 심미안을 위해서 나는 미술 평론에 다시 힘을 쏟고자 한다. 수년 전까지는 꾸준히 미술 평론 일을 했었지만 지난 몇 년 동안은 연구와 논문 작성에 시간을 할애하느라 평론 활동을 제대로 하지 못했다. 하지만 심미안이 나의 강점 중 하나라는 것을 알게 되었으므로 앞으로는 지금보다 더 많은 시간을 미술 평론에 할애하려 한다. 물론 내 연구와 미술 평론 일을 연관시키는 노력도 해 볼 생각이다. 일상적으로 하는 연구의 한 부분을 심미안을 발휘할 수 있는 미술 평론이나 미디어 예술 작업과 연계시킨다면 일석이조의 결과가 나올 수 있을 것이다.

네 번째 강점인 열정을 발휘하기 위해서 우선 수업을 어떻게 더 열정적으로 진행할 수 있을지 끊임없이 고민하고 있다. 연구나 강의에 열정적으로 참여하는 것은 나 자신을 위한 일일 뿐만 아니라 내가 몸담고 있는 공동체를 위해 봉사할 수 있는 최선의 방법이라 믿는다. 그것은 의미 있는 삶과도 연결되는 일이다. 이러한 노력의 일환으로 나는 수백 명 규모의 대형 교양 과목을 새로이 개설하여 가르치고 있다. 수강생이 많을수록 학생들의 채점과 강의 질을 유지하는 데 품이 많이 들지만 내가 강의를 하는 목적은 무언가를 얻기 위해서가 아닌 내가 가진 지식을 최대한 많은 이들에게 전달하는 것이기에 이것이 내가 가진 열정을 발휘하고 행복해질 수 있는 길이라고 생각한다.

59. 빈칸 (가)에 들어갈 수 없는 단어는?

① 열정   ② 심미안   ③ 통찰력

④ 학습욕구   ⑤ 자기효능감

60. 윗글을 참고했을 때, 신입사원 이 씨가 자신의 강점을 발휘하기 위한 노력으로 적절하지 않은 것은?

① 이 씨는 최근 서점에 들러 신간 서적을 구경하다가 자신이 담당하는 업무와 관련이 깊은 AI에 대한 책이 눈에 들어와 관심을 갖고 구매하였다.

② 이 씨는 입사 후에도 고등학생들을 대상으로 진로 멘토링 활동을 하고 있는데, 이를 통해서 자신의 경험에 대한 성찰을 자주 한다.

③ 이 씨는 자신이 가지고 있는 미디어 아트 재능을 살리기 위하여 홍보 업무를 자원하였고 이후 홍보 분야에서 심미적 재능을 더욱 발휘할 수 있었다.

④ 이 씨는 입사가 확정되자 취업에 대한 심리적 안정을 취함과 농시에 고교동창모임 및 동아리 활동 등 각종 소모임에 열성적으로 참여하고 있다.

⑤ 이 씨는 자신의 업무에 열정적으로 참여하고 있으며 사내에서 이루어지는 각종 동호회 활동에도 적극적인 자세로 참여하여 다른 참가자들의 열정 지수를 높이는 데에 기여한다.

유형분석 》》

직장 내 예절 이해하기 ● 13%

진위 추론하기 ● 20%

협상 전략 이해하기 ● 7%

매뉴얼 이해하기 ● 20%

자료의 수치 분석하기 ● 27%

조직의 특징 이해하기 ● 13%

분석 》》　사람인 문제해결능력에서는 참인 명제를 토대로 참인 결론을 도출하는 문제, 제시된 조건에 따라 각각의 직업을 추론하는 문제 등이 출제되었다. 수리능력에서는 그래프를 해석하는 문제, 제시된 공식에 수치를 대입해 값을 산출해 내는 문제, 수식에 들어갈 숫자를 파악하는 문제 등이 출제되었다. 조직이해능력에서는 조직문화의 기능에 대해 묻는 문제, 조직 내 의사결정의 문제점을 파악하는 문제 등이 출제되었다. 기술능력에서는 산업재해 예방 대책의 과정을 이해하고 있는지 묻는 문제, 기술 선택에 대해 묻는 문제 등이 출제되었다. 대인관계능력에서는 분노의 감정을 표출하는 방법을 구분하는 문제, 조직 내 갈등에 영향을 주는 성격에 대해 묻는 문제 등이 출제되었다. 직업윤리에서는 직업인이 갖추어야 할 기본자세에 대해 묻는 문제, 공리주의적 관점에서 바라보는 직업윤리를 파악하는 문제, 기업의 사회적 책임에 대해 묻는 문제 등이 출제되었다.

사람인형

6회 기출예상모의고사

영역	총 문항 수
문제해결능력	
수리능력	
조직이해능력	60문항
기술능력	
대인관계능력	
직업윤리	

- 수험번호 | _____
- 성 명 | _____

NCS란? 산업 현장에서 직무를 수행하기 위해 요구되는 각종 지식, 기술, 태도 등의 내용을 국가가 체계화한 것을 의미한다.

6회 기출예상문제

01. 다음은 5개 팀으로 구성된 △△프로야구리그의 2021 시즌 팀별 상대전적을 시즌 종료 후 종합한 것이다. 이에 대한 설명으로 옳지 않은 것은?

〈2021 시즌 팀별 상대전적〉

팀＼상대팀	A	B	C	D	E
A	－	( )	( )	( )	( )
B	7－0－9	－	(가)	( )	( )
C	5－1－10	9－0－7	－	7－0－9	( )
D	9－3－4	6－1－9	9－0－7	－	6－0－10
E	8－0－8	9－1－6	8－0－8	10－0－6	－

1) 표 안의 수는 승리－무승부－패배의 순서로 표시된다. 예를 들어 B팀의 A팀에 대한 전적 (7－0－9)은 7승 9패 0무임.

2) 팀의 시즌 승률(%)$= \dfrac{\text{해당 팀의 시즌 승리 경기 수}}{\text{해당 팀의 시즌 경기 수}} \times 100$

3) 해당 팀의 시즌 경기 수는 팀의 전체 경기 수에서 무승부 경기 수를 뺀 값이다.

① (가)에 들어갈 내용은 7－0－9이다.

② 시즌 승률이 50% 이상인 팀은 두 팀이다.

③ B팀의 시즌 승률은 50% 이하이다.

④ E팀은 D팀을 상대로 승리한 경기가 패배한 경기보다 많다.

⑤ 가장 낮은 승률을 보인 팀은 C팀이다.

02. 다음 내용이 모두 참일 때, 반드시 참이라고 추론할 수 없는 것은?

> • 클라이밍을 좋아하는 사람은 고양이를 좋아하지 않는다.
> • 루지를 좋아하는 사람은 달리기를 잘한다.
> • 달리기를 잘하는 사람은 클라이밍을 좋아한다.
> • 고양이를 좋아하는 사람은 서핑을 할 수 있다.

① 고양이를 좋아하는 사람은 클라이밍을 좋아하지 않는다.

② 서핑을 할 수 없는 사람은 달리기를 잘하지 않는다.

③ 달리기를 잘하지 않는 사람은 루지를 좋아하지 않는다.

④ 루지를 좋아하는 사람은 고양이를 좋아하지 않는다.

⑤ 달리기를 잘하는 사람은 고양이를 좋아하지 않는다.

03. 다음 자료를 참고하여 수심이 가장 깊은 관측지점을 구하면? (단, 해수에서의 초음파 속도는 1,500m/s이다)

> • 해수면에서 해저면을 향히여 발사힌 초음파가 해저면에 반사되어 되돌아 오기까지 걸리는 시간을 이용하여 해저 지형의 높낮이를 측정할 수 있다. 초음파의 속도가 v, 발사되어 되돌아오는 데 걸리는 시간이 t라면 수심 d는 다음과 같다.
>
> $$수심(d) = \frac{1}{2}vt$$
>
> • 아래의 표는 유라시아판의 경계를 가로지르면서 각 관측 지점의 해수면에서 초음파를 발사하여 지면에 반사되어 되돌아오는 데 걸리는 시간을 나타낸 것이다.

관측지점	시간(초)
갑	5.2
을	9.5
병	7.7
정	9.0
무	6.8

① 갑   ② 을   ③ 병

④ 정   ⑤ 무

04. 유정, 수연, 세이, 루아, 도연 다섯 명은 가위바위보 게임을 한 결과에 대해 각각 두 개의 진술을 했으며, 진술은 하나의 진실과 하나의 거짓으로 이루어져 있다. 다음 중 옳은 설명은? (단, 가위바위보 게임에서 가위는 보를 이기고, 보는 바위를 이기고, 바위는 가위를 이기며, 같은 것을 냈을 땐 비긴다. 또한 다섯 사람은 반드시 가위, 바위, 보 중 하나를 낸다)

유정 : 나는 보를 냈고, 수연이는 가위를 냈다.
수연 : 나는 가위를 냈고, 세이는 보를 냈다.
도연 : 나는 가위를 냈고, 유정이는 바위를 냈다.
세이 : 나는 가위를 냈고, 수연이도 가위를 냈다.
루아 : 나는 보를 냈고, 도연이는 바위를 냈다.

① 유정은 가위를 냈다.
② 유정이와 세이만 비교하면, 유정이가 항상 진다.
③ 루아와 도연만 비교하면 항상 승패가 정해진다.
④ 세이와 루아만 비교하면 항상 승패가 정해진다.
⑤ 수연이와 세이만 비교하면 항상 승패가 정해진다.

05. 나래, 미르, 해안 세 명의 직업은 사진작가, 프로그래머, 엔지니어 중 하나이다. 다음 〈정보〉를 통해 추론할 때, 미르의 직업은 무엇인가?

정보

• 세 명의 나이는 모두 다르다.
• 나래는 미르의 동생과 친구이다.
• 나래는 사진작가보다 수입이 많다.
• 프로그래머는 나이가 가장 어리고 수입도 가장 적다.

① 사진작가   ② 프로그래머
③ 엔지니어   ④ 사진작가 겸 엔지니어
⑤ 프로그래머 겸 엔지니어

06. 전하를 축적하는 여러 콘덴서의 합성 정전용량(C)을 다음과 같이 구할 수 있을 때, 〈보기〉의 회로에 있는 콘덴서의 합성 정전용량(C)은?

$C_1 = 40\,[F],\ C_2 = 24\,[F],\ C_3 = 16\,[F]$

① 10$[F]$　　　　　　　② 16.8$[F]$　　　　　　　③ 18.9$[F]$
④ 20$[F]$　　　　　　　⑤ 35$[F]$

07. ○○기업 신입사원인 윤슬, 도담, 아름, 들찬, 벼리는 건강검진을 받았다. 다음의 검진 결과에 대한 진술이 모두 참일 때, 키가 작은 순서대로 바르게 나열한 것은?

- 도담이가 가장 작다.
- 들찬이는 아름이보다 크다.
- 윤슬이는 들찬이보다 크지만 가장 큰 사람은 아니다.

① 도담＜벼리＜아름＜들찬＜윤슬　　　② 도담＜들찬＜아름＜윤슬＜벼리
③ 도담＜아름＜들찬＜윤슬＜벼리　　　④ 도담＜아름＜들찬＜벼리＜윤슬
⑤ 도담＜벼리＜윤슬＜아름＜들찬

08. 다음은 □□기업의 인기상품 ○○과자에 관한 인터뷰이다. 답변을 통해 추론할 수 있는 질문으로 적절하지 않은 것은?

Q1. _____

A1. ○○과자 개발은 201×년에 시작됐습니다. 떡을 찔 때 전분이 진득한 상태가 돼 서로 달라붙는 걸 경험해본 적 있으실 겁니다. 4겹이 특징인 ○○과자를 개발할 때도 여러 겹의 반죽이 달라붙는 것이 난제였습니다. 두께가 두꺼워지면 딱딱해져 바삭한 식감을 구현하는 것이 어렵기 때문입니다. 개발 초기 3겹까지는 반죽이 달라붙는 문제가 해결됐지만 4겹은 차원이 다른 어려움으로 번번이 실패에 부딪히고 있었습니다. 연구 당시 현재 기술로는 4겹 과자를 만드는 것이 불가능하다는 결론을 내고 개발 시작 3년 만에 중단할 수밖에 없었습니다. 하지만 그 이후로도 끊임없이 원료부터 생산기술, 설비까지 고민을 거듭해 오다가 201×년 2월 '다시 한 번 해보자'는 미션이 떨어졌고 결국 지난해 ○○과자를 출시할 수 있었습니다."

Q2. _____

A2. ○○과자의 성공에 힘입은 □□의 올 상반기 연결기준 영업이익은 1,332억 원으로 지난해 상반기에 비해 120% 증가했습니다. 매출도 같은 기간 15.6% 증가한 9,400억 원을 기록했습니다.

Q3. _____

A3. 진정한 맛은 어디서나 통하는 법이 아닐까 합니다. ○○과자는 지난 5월 인도에 첫 선을 보인 이후 약 두 달 만에 1,350만 봉지가 판매됐습니다. 이러한 인기를 두고 지난 달 인도의 유력 매체에서는 '치열한 인도 제과 시장에서 □□기업의 ○○과자가 인도 소비자들의 마음을 사로잡으며 승승장구하고 있다'라고 보도하기도 했죠. 이 매체에서는 ○○과자가 인도인의 입맛을 사로잡은 이유로 '쇼트 클립(SNS용 영상)을 활용한 홍보마케팅'과 '젊은 소비자 타깃' 그리고 무엇보다 따라올 수 없는 '바삭바삭한 식감'을 꼽았습니다."

Q4. _____

A4. 4겹의 ○○과자 개발에는 성공했지만 이를 대량 생산으로 옮기는 과정에서 또 다른 난관에 봉착하였습니다. 이 위기를 극복하기 위해 동료들과 함께 아이디어를 모으고 연구하며 문제 해결을 할 수 있었습니다. 대략 제품 테스트만 2,000회, 제품 개발부터 출시까지 8년의 시간이 걸렸네요. 과정은 힘들었지만 문제점들을 해결하면서 느꼈던 성취감과 기쁨은 그 어떤 때보다 컸습니다.

Q5. _____

A5. ○○과자는 공정과정이 까다로워 모방품이 쉽게 나올 수 없는 제품입니다. 그래서 더욱 더 ○○과자에 대한 자부심이 큽니다. 또한 요즘은 신제품의 라이프 사이클(Life Cycle)이 짧아지고 있습니다. 그래서 장수제품 만들기가 갈수록 어려워진다고들 합니다. 저는 오랫동안 소비자들에게 사랑 받을 수 있도록 맛있으면서도 쉽게 모방할 수 없는 경쟁력을 갖춘 과자를 개발하는 것이 목표입니다. 더 나아가 국내뿐 아니라 중국, 베트남 등 글로벌 시장에서도 폭넓게 사랑 받는 과자를 만들어 내고 싶습니다.

① 앞으로의 이루고자 하는 목표는?

② 회사 매출 증대에도 큰 역할을 했을 텐데.

③ 개발과정에서 에피소드도 많았을 것 같은데.

④ 출시하자마자 대박이 났다던데.

⑤ 인도에서도 인정받아 ○○과자의 인기가 치솟는다는데.

09. 다음은 △△백화점의 분야별 매출액 비중을 나타낸 자료이다. 2020년과 2021년 총 매출액은 각각 77억 원, 94억 원이었다. 이에 대한 설명으로 옳은 것은?

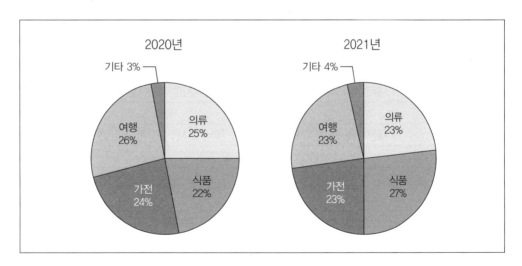

① 2020년과 2021년 기타의 매출액 차이는 가전의 차이보다 크다.

② 여행과 의류 매출액의 합은 2020년이 2021년보다 크다.

③ 2020년 대비 2021년 가전의 매출액 차이는 약 2억 원 이하이다.

④ 2021년 매출액이 2020년과 비교해서 세 번째로 크게 변한 것은 여행이다.

⑤ 2021년 대비 2020년 매출액 변화 폭이 가장 큰 분야는 식품이다.

1회 기출예상문제
2회 기출예상문제
3회 기출예상문제
4회 기출예상문제
5회 기출예상문제
6회 기출예상문제

10. 다음 글을 바탕으로 환경 문제의 해결 과정을 순서에 맞춰 정리하였다. 빈칸에 들어갈 적절한 내용은?

지구 곳곳에서 이상 기후가 지속되고 있는 가운데 토론토 기후 회의에서는 지구 온난화로 인하여 발생할 기후·환경적 변화를 '핵전쟁에 버금가는 재난'이라고 규정한 바 있다. 이렇듯 기후 문제의 심각성을 인식한 각국 정부와 관련 단체들은 지구 온난화를 방지하고 극복하기 위해 여러 가지 방안을 모색하고 있다. 지구 온난화의 주된 원인은 에너지를 생산하고 소비하는 과정에서 발생하는 다량의 이산화탄소로 알려져 있다. 이를 줄이기 위해서는 태양열, 풍력, 수력, 지열 등의 '재생 가능한 에너지원'이라고 불리는 새로운 에너지원을 이용해야 한다. 재생에너지는 이산화탄소 뿐 아니라 다른 오염 물질도 발생시키지 않아 기존의 화석연료를 대체할 수 있는 에너지원으로 주목받고 있다.

지구 환경 파괴의 주범인 이산화탄소를 줄이기 위해서는 이산화탄소를 발생시키지 않을 뿐 아니라 다른 오염 물질을 발생시키지도 않는 태양열, 풍력, 수력, 지열 등의 '재생 가능한 에너지원'이라고 불리는 새로운 에너지원을 찾아야 한다.

그러나 재생 가능한 에너지원에 의존하는 것만으로는 문제를 완전히 해결할 수 없다. 현대인의 풍요로운 생활과 그 근간을 이루는 산업 체제가 엄청나게 많은 에너지 소비에 바탕을 두고 있기 때문이다. 대량 생산·대량 소비에 기초한 미국식 산업 체제가 전 지구적으로 관철되고 있는 현실을 살펴볼 때, 전 세계가 미국식 산업 체제를 따른다면 머지않아 에너지 소비량은 현재보다 수십 배 증가할 것임을 쉽게 예측할 수 있다. 그렇게 된다면 재생 가능한 에너지원이 아니라 그 어떤 에너지를 도입하더라도 에너지 수요를 감당하기 어렵기는 마찬가지이다. 결국 산업과 생활에서 에너지를 과다하게 사용할 수밖에 없는 에너지 사용 방식을 바꾸어야 한다는 것이다.

환경 문제가 곧 에너지 문제임을 깨닫는다.

↓

환경 파괴의 주범을 배출하지 않는 에너지를 찾는 데 힘쓴다.

↓

재생 가능한 에너지원을 도입하는 에너지 시스템으로 전환한다.

↓

(   )

↓

에너지 시스템의 전환과 아울러 에너지 소비를
감소시키는 방향으로 산업 체제의 변화를 도모한다.

① 급격히 늘고 있는 수요를 감당할 수 있는 에너지원 개발에 주력한다.

② 현 산업 체계에서 사용하는 에너지를 재생 가능한 에너지로 전면 교체한다.

③ 정부가 각 개인들의 에너지 소비를 지속적으로 억제하는 정책을 실시한다.

④ 이산화탄소 발생이 적은 에너지의 생산량을 획기적으로 증가시킬 수 있는 방안을 연구한다.

⑤ 현재의 산업 체제나 생활로는 에너지 수급의 불균형을 해소할 수 없음을 인식한다.

11. ○○재단은 〈승진자격〉을 바탕으로 승진시험 성적을 평가하여 3월 정기 승진자를 발표했다. 다음 중 3월 승진자로만 짝지어진 것은?

〈승진자격〉

- 평균 점수가 높은 순으로 두 명을 선정한다.
- 승진시험 항목별 과락점수는 75점이며, 과락점수 미만은 승진할 수 없다.
- 개인 성과점수가 90점 이상인 사람 중 최소 한 명은 무조건 승진해야 한다.
- 승진자는 승진탈락자보다 평균점수가 높거나 같다.

〈대상자별 승진시험 성적〉

구분	개인 성과점수(점)	팀 성과점수(점)	외국어 성적(점)
A	90	80	80
B	85	80	90
C	80	90	70
D	80	90	80
E	75	80	95
F	95	85	80

① A, C ② A, E ③ B, D
④ B, F ⑤ C, E

12. dpi는 프린터가 인치당 찍을 수 있는 점의 수를 나타낸다. dpi가 서로 다른 프린터로 한 변의 길이가 1inch인 정사각형을 채울 때, 각각의 점의 개수에 대한 설명으로 옳은 것은? (단, 200dpi의 프린터는 한 변의 길이가 1inch인 정사각형을 채울 때 가로 200개, 세로 200개, 총 4만 개의 점을 찍는다)

① 500dpi로 인쇄하면 300dpi로 인쇄할 때보다 150,000개 많은 점을 넣을 수 있다.
② 1,200dpi로 인쇄할 때 점의 개수는 300dpi로 인쇄할 때 점 개수의 16배이다.
③ 600dpi로 인쇄할 때 점의 개수는 200dpi로 인쇄할 때 점 개수의 4배이다.
④ 1,400dpi로 인쇄할 때 점의 개수는 700dpi로 인쇄할 때 점의 개수의 7배이다.
⑤ 1,200dpi로 인쇄하면 600dpi로 인쇄할 때보다 360,000개 많은 점을 찍어 넣을 수 있다.

13. 다음 수식에서 A, B의 합은? (단, A와 B는 한 자리 자연수이다)

$$\frac{A}{13} + \frac{B}{169} = \frac{31}{169}$$

① 4   ② 5   ③ 6
④ 7   ⑤ 8

14. 다음을 보고 연산기호 ▷와 ◁의 규칙을 찾아 〈보기〉의 값을 구하면?

$1 ▷ 3 = 8$ $5 ▷ 4 = 30$ $7 ▷ 2 = 24$ $9 ▷ 5 = 60$
$5 ◁ 4 = 12$ $6 ◁ 3 = 10$ $7 ◁ 5 = 24$ $10 ◁ 9 = 72$

보기

$(4 ▷ 4) ◁ (3 ◁ 8) = ?$

① 300   ② 312   ③ 352
④ 385   ⑤ 393

15. 한국대학교 자원봉사 동아리에 소속된 A ~ E는 다음 주중에 급식 봉사활동에 참여하고자 한다. 하루에 한 명씩 모두 식사당번을 한다고 할 때, E가 수요일에 식사당번을 하지 않을 확률은?

① $\frac{4}{5}$ ② $\frac{3}{5}$ ③ $\frac{2}{5}$
④ $\frac{1}{4}$ ⑤ $\frac{1}{5}$

1회 기출예상문제

2회 기출예상문제

3회 기출예상문제

4회 기출예상문제

5회 기출예상문제

6회 기출예상문제

16. 1부터 9까지의 자연수가 하나씩 적힌 카드 9장이 있다. 승호는 1, 5, 8이 적힌 카드를, 정민은 2, 7, 9가 적힌 카드를, 선우는 3, 4, 6이 적힌 카드를 나눠 가졌다. 세 사람이 동시에 카드를 한 장씩 꺼낼 때, 선우가 꺼낸 카드의 숫자가 가장 클 확률은?

① $\dfrac{2}{27}$ ② $\dfrac{4}{27}$ ③ $\dfrac{1}{9}$

④ $\dfrac{2}{9}$ ⑤ $\dfrac{3}{9}$

17. 6개의 자연수가 〈보기〉의 규칙으로 나열되어 있다. 나열된 숫자의 평균값은?

> 보기
>
> • 가장 작은 수는 6, 가장 큰 수는 110이다.
> • 중앙값은 8, 최빈값은 7이다.

① $\dfrac{25}{3}$ ② $\dfrac{15}{2}$ ③ $\dfrac{17}{2}$

④ $\dfrac{26}{3}$ ⑤ $\dfrac{51}{6}$

18. 10월 19일 A 미술관에 7명이 함께 방문하였다. 10월의 수요일 날짜를 모두 더한 값이 58이고 요금이 총 30,000원이었다면, 이 중 학생 요금을 지불하고 입장한 사람은 몇 명인가?

〈A 미술관 요금 안내〉

구분	평일	주말
성인	5,000원	6,000원
학생	4,000원	5,000원

① 2명 ② 3명 ③ 4명
④ 5명 ⑤ 6명

19. 다음 자료를 참고할 때, 최 사원이 집에서 회사까지 출근하는 데 소비하는 휘발유는 몇 ℓ인가?

〈부피 단위환산〉

단위	cm³	m³	ℓ
cm³	1	0.000001	0.001
m³	1,000,000	1	1,000
ℓ	1,000	0.001	1

정보

- 최 사원의 집에서 회사까지의 거리는 90km이다.
- 최 사원의 승용차는 12m 이동 시 8cm³의 휘발유를 소비한다.

① 3 ℓ   ② 6 ℓ   ③ 30 ℓ

④ 60 ℓ   ⑤ 300 ℓ

20. 달러 대비 원화환율은 2020년 1월에 $1＝₩1,000였으나 2022년에 1월 $1＝₩1,100로 상승했다고 한다. 2021년 1월 환율이 전년 대비 5% 상승했다면 2022년 1월에는 전년 대비 몇 % 상승했는가? (단, 소수점 아래 둘째 자리에서 반올림한다)

① 4.0%   ② 4.2%   ③ 4.4%

④ 4.6%   ⑤ 4.8%

21. K 씨는 건강검진 결과 의사로부터 하루에 최소 칼슘 0.3g, 마그네슘 0.54g을 섭취하도록 처방받았다. 다음 A, B 영양제의 성분 및 비용에 대한 표를 참고할 때, K 씨가 하루에 필요한 칼슘과 마그네슘을 섭취하는 데 발생하는 최소 비용은 얼마인가?

구분	1g당 칼슘 포함량	1g당 마그네슘 포함량	10g당 비용
A 영양제	0.05g	0.06g	20,000원
B 영양제	0.03g	0.09g	30,000원

① 15,000원   ② 16,000원   ③ 17,000원

④ 18,000원   ⑤ 19,000원

22. S 기업의 재직자 중 55%는 여자 직원이고, 남자 직원의 70%와 여자 직원의 30%는 연수에 참여했다. S 기업에서 연수에 참여한 직원과 참여하지 않은 직원의 비를 구하면?

① 7:3   ② 5:4   ③ 4:5

④ 12:13   ⑤ 13:12

23. 아래 자료는 2021년 A, B기업의 2 ～ 3분기 매출액 증감지수를 나타낸 것이다. A, B 기업의 2021년 1분기 매출액이 각각 200억 원, 150억 원일 때, 다음 설명 중 옳지 않은 것은?

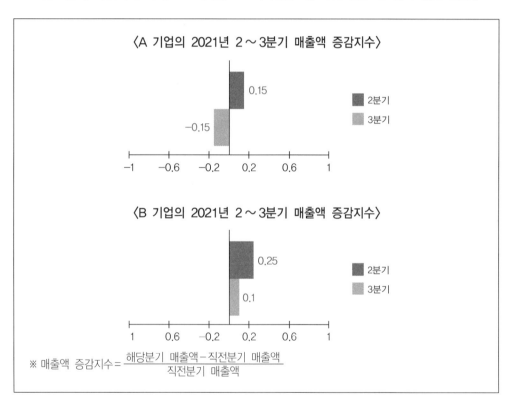

① A 기업의 2021년 3분기 매출액은 200억 원 미만이다.

② B 기업의 2021년 3분기 매출액은 A 기업의 2021년 3분기 매출액보다 많다.

③ 두 기업의 3분기 매출액 합계는 2분기 매출액 합계보다 작다.

④ A 기업의 2021년 매출액이 800억 원을 초과하려면 4분기 매출액은 3분기 대비 10% 이상 증가해야 한다.

⑤ 2021년 1 ～ 3분기 매출액의 총합은 A 기업이 B 기업보다 크다.

24. 다음 자료에 대한 설명으로 옳지 않은 것은?

〈2020 ～ 2021년 감자, 고구마 생산량〉

(단위 : 톤)

구분	2020년		2021년	
	감자	고구마	감자	고구마
A 지역	71,743	12,406	48,411	12,704
B 지역	89,617	73,674	63,391	70,437
C 지역	5,219	100,699	5,049	83,020
D 지역	18,503	97,925	14,807	97,511
E 지역	9,007	28,491	7,893	31,291

① 2020년 대비 2021년에 고구마 생산량이 증가한 지역은 두 곳이다.

② 2020년 대비 2021년에 감자, 고구마의 총 생산량이 증가한 지역은 E 지역뿐이다.

③ 2020년 대비 2021년 감자 생산량 증감률의 절댓값이 가장 큰 지역은 A 지역이다.

④ 5개 지역 고구마 총 생산량의 2021년 전년 대비 증감률은 약 −2%이다.

⑤ 2020년 대비 2021년 고구마 생산량 증감률의 절댓값이 가장 작은 지역은 D 지역이다.

25. 신입사원 공채 면접 과정에서 면접관이 지원자에게 다음과 같이 질문하였다. 답변 내용이 옳지 않은 지원자는?

> 면접관 : 공원에 서로 모르는 사람 3명이 산책 중입니다. 이들을 왜 조직이라 할 수 없는지 말해볼까요?
>
> 김종로 : 공원에서 산책을 하는 사람들은 공동의 목적이 존재하지 않기 때문에 조직이라 할 수 없습니다.
>
> 이송파 : 공원에서 산책을 하는 사람들은 조직의 구조를 갖고 있지 않습니다. 그래서 조직이 아닙니다.
>
> 박은평 : 저 3명은 하나의 집합체가 되어 외부 환경과 긴밀한 상호작용을 하고 있지 않으므로 조직이라 할 수 없습니다.
>
> 최용산 : 산책을 하는 사람들은 재화와 서비스의 생산이라는 사회적 기능을 갖고 있지 않으므로 조직이라 할 수 없습니다.
>
> 정마포 : 공원에서 산책을 하는 3명은 협동적인 노력을 하지 않고 있습니다. 따라서 조직이 아닙니다.

① 김종로   ② 이송파   ③ 박은평   ④ 최용산   ⑤ 정마포

26. 다음 글의 빈칸에 들어갈 개념에 대한 설명으로 옳지 않은 것은?

> (   )는/은 구성원들의 가치관, 신념, 그리고 원칙들의 총합을 나타내는 것으로써, 조직의 역사, 제품, 시장, 기술, 전략, 구성원들의 성격, 경영 스타일, 그리고 소속 국가의 문화 같은 요소들의 영향을 받는다. (   )에는 조직의 비전, 가치관, 규범, 체계, 상징, 언어, 전제, 환경, 위치, 신념, 그리고 습관 등이 포함된다. 즉, 조직 구성원이 조직 생활을 통하여 학습하고 공유하며 전수하는 신념, 규범, 관행으로써 조직 구성원들의 생각과 의사결정 및 행동에 영향을 주는 것이다.

① 변화를 전제로 하는 조직의 운영에 대해 상대적으로 점진적이고 연속적인 변화원리를 제공해 준다.

② 구성원들이 공유하는 가치와 신념이므로 구성원들에게 그 조직의 개성을 부여해 준다.

③ 조직의 경영층으로 하여금 리더십을 발휘하는 도구로써 활용할 수 있도록 한다.

④ 인사평가, 승진, 보상 등 인사관리활동에 영향을 끼치기는 하지만, 직접적으로 평가기준이 되는 것은 아니다.

⑤ 조직의 대외 이미지를 개선시켜 대외홍보를 용이하게 하고 이를 통해 우수한 인재들을 쉽게 선발할 수 있도록 해준다.

27. 리터러(Litterer)가 주장한 갈등의 원인 중 다음 〈상황〉에서 나타난 것은 무엇인가?

> **상황**
>
> 윤경영 과장은 6개월 간 휴직 후 회사에 복직하였다. 윤 과장이 기존에 근무하던 경영전략부가 팀제로 바뀌게 되면서 홍보팀으로 부서를 옮기게 되었다. 경영전략부에서 인사업무를 담당하던 윤 과장은 홍보팀에서 새롭게 일을 배우면서 자신보다 입사연차가 3년이나 늦은 이홍보 대리의 지시를 받게 되었다.
>
> 이홍보 대리 : 윤 과장님은 SNS에 올릴 새로운 문구를 준비해 주세요.
> 윤경영 과장 : 문구는 어떻게 작성하면 좋을까요?
> 이홍보 대리 : 새로운 사업에 대한 내용이 들어가야 할 것 같습니다.

① 희소자원에 대한 경쟁

② 상충되는 자원의 배분

③ 지위 부조화

④ 통합 메커니즘

⑤ 선명한 격리 메커니즘

1회 기출예상문제 2회 기출예상문제 3회 기출예상문제 4회 기출예상문제 5회 기출예상문제 **6회 기출예상문제**

28. 다음 글의 밑줄 친 ㉠에 들어갈 개념의 특징으로 옳지 않은 것은?

> 부(父)로부터 두둑한 지원금을 받고 이론적 지식으로 무장된 랭글리 박사와 하늘을 날고 싶다는 꿈은 있지만 이렇다 할 전문지식도, 연구를 위한 자금도 충분치 않았던 라이트 형제가 인류 최초의 비행기를 만들어 보겠다는 하나의 목표에 뛰어들어 경쟁을 하게 되었다. 안 봐도 뻔한 것 같은 결과이지만 소위 '돈 있고 빽 있는' 랭글리 박사가 아닌 라이트 형제가 승리했다. 랭글리 박사는 비행기를 '떠서 나는 것'이라고 정의했다. 그래서 어떻게 띄울 것인가에 집중해 가볍고 동력이 센 엔진 개발에 몰두했다. 본인이 정립한 비행 이론에 따라 계획을 세우고 문제를 풀고자 했다. 반면 라이트 형제는 비행기를 '날다 보면 뜨는 것'이라고 생각했다. 그래서 공중에서 어떻게 하면 조종이 쉬워질까를 생각했다. 라이트 형제는 이들이 운영했던 자전거 가게에서 힌트를 얻어, '가만히 서 있으면' 넘어지는 자전거처럼 비행기에도 같은 원리를 접목시켜 3개월 동안 천 번이 넘는 시행착오를 겪으며 날고 떨어지고를 반복했다. 그리고 1903년 12월 17일, 플라이어 호가 하늘을 날았다.
>
> 어린 시절 한 번쯤 읽어봤을 '라이트 형제'의 작업 방식은 현재 많은 기업들이 관심을 갖고 있는 ＿＿㉠＿＿의 모습이다. 이 조직의 핵심을 한 마디로 얘기하면 '작게 시도해서 빨리 피드백을 받고 다시 실행해 보는 것'이다. 이는 특히나 요즘처럼 불확실성이 큰 비즈니스 환경에서 중요하다. 고객의 니즈는 시시각각 변하고, 생각지도 못한 경쟁자가 수시로 등장한다. 그래서 거창한 계획을 통한 업무 추진이 아닌, 작은 실행이 이어져 성과를 만들어 내는 ＿＿㉠＿＿이 필요하다.

① 최신 기술의 활용 　　　　② 민첩하면서도 효과적인 의사결정
③ 조직 전체에 공유되는 정보 　　④ 권한을 위임받은 네트워크 팀 구조
⑤ 조직 내부에서 시작하는 소규모 사내 벤처

29. 다음 〈자료〉를 참고하여 아래 〈상황〉의 (가), (나)가 ㉠～㉢ 중 어느 단계에 해당하는지 찾아 바르게 연결한 것을 고르면?

자료

> 미국의 변화 관리 컨설턴트 윌리엄 브리지스는 조직 변화는 눈에 보이는 조직 구조나 제도보다 구성원들의 일하는 방식, 추구하는 가치와 같이 눈에 보이지 않는 것들이 중요하다고 하였다. 실질적이고 본질적인 변화를 강조한 그는 'Change(변화)' 대신 'Transit(변환)'이라는 용어를 사용하였다. 브리지스의 정의에 따르면 Change는 조직 규모, 사업 구조 등 겉으로 보여지는 변화에 해당한다. 반면 Transit은 구성원들의 심리와 정서, 일을 대하는 자세와 추구하는 핵심가치의 변화다. 속도도 빠르고 관리하기도 쉬운 Change와 달리 Transit은 시간이 오래 걸리는 데다 지시나 강요로 이루어지지 않는 특성이 있다.

〈변환 관리(Transition Management) 모델〉

⊙ Endings (Saying Goodbye)	⇨	ⓒ The Neutral Zone (Explorations)	⇨	ⓒ New Beginnings (Moving Forward)
기존의 것들을 있는 그대로 두고 새로운 업무, 환경, 관계로 떠남		과거 정체성과 현재 모습과의 혼돈과 불확실성이 강한 시기		새로운 행동과 사고가 시작되는 단계

상황

1990년대 초반 역사상 최악의 후퇴를 경험하던 IBM의 변신은 기업 변화관리의 가장 성공적인 사례로 회자된다. 루 거스너의 지휘 아래 IBM은 메인 프레임 제조업체에서 하드웨어와 네트워크, 소프트웨어 솔루션을 통합 제공하는 기업으로 변신하였다. 2000년대로 접어들자 IBM은 'Big Blue'라는 애칭으로 불릴 정도로 도약하고 있었다.

(가) IBM은 다시 CEO를 교체한다. 2002년 CEO로 취임한 팔미사노는 맥킨지 출신의 전임 CEO 루 거스너와 달리 영업사원에서 출발하여 30년간 조직을 위해 헌신한 진정한 IBM 맨이었다. 그에게는 침몰하는 배를 살려낸 루 거스너에 이어 새로운 대양으로 배를 인도하는 임무가 주어졌다. 팔미사노는 가장 먼저 새로운 환경에 맞는 새로운 가치가 필요하다고 판단했다. 즉시 고위 임원 300명과 1,000명이 넘는 직원들과 대화를 시작했다. 취임 후 1년이 지난 2003년 7월 전 직원이 참여한 72시간의 인트라넷 토론 '밸류스 잼(Value's Jam)'은 중간 점검과 같은 행사였다. 그 해 11월 마침내 '모든 고객의 성공을 위한 헌신', '우리 회사와 세상을 위한 혁신', '모든 관계에 있어서의 신뢰와 개인적인 책임감'이라는 IBM의 새로운 가치가 선포되었다.

(나) IBM에 새로운 변화의 바람을 불어 넣은 팔미사노가 가장 먼저 직면한 문제는 변화에 대한 저항이었다. 변화를 지지하는 이들도 적지 않았지만 인트라넷에는 직원들로부터 수천 개의 날카로운 비판이 포스팅 되었고, 셀 수 없이 많은 이메일이 CEO에게 날아들었다. 팔미사노는 "피드백을 모두 인쇄했더니 높이가 약 90센티미터나 되었고 1주일 내내 읽었다"고 밝혔다.

	(가)	(나)			(가)	(나)
①	⊙	ⓒ		②	⊙	ⓒ
③	ⓒ	⊙		④	ⓒ	ⓒ
⑤	ⓒ	⊙				

30. 다음 글을 읽고 잘못된 의사결정의 원인으로 적절한 것을 고르면?

> Polaroid사는 탁월한 사진 기술을 기반으로 한 전통적인 R&D 회사였다. 그러나 R&D 회사라는 너무 강한 가치관은 기업 전체의 의사결정에 오히려 부정적인 영향을 미쳤다. 개발된 제품을 효과적으로 생산, 판매하기 위해서는 마케팅이나 자금 조달 등과 같이 다른 부문도 충분히 고려하여 의사결정을 내려야 했음에도 불구하고 항상 R&D를 투자의 우선순위로 삼았다. 시장, 경쟁사, 고객의 변화나 추세는 그다지 중요한 점이 아니었다. 그 결과, 점차 매출이 감소하고 자금이 원활히 흐르지 않게 되어 서서히 기업이 위축되는 결과를 초래하였다.

① 나의 능력을 믿는다.
② 눈으로 보는 것만이 현실이다.
③ 과거 자료나 추세만을 중시한다.
④ 결정한 것은 끝까지 성공시켜야 한다.
⑤ 늘 하던 대로 자신에게 편한 방식을 고수한다.

31. 다음 글의 이내근 과장에게서 받을 수 있는 느낌으로 적절한 설명은?

> 중견 무역회사에서 근무하는 김외근 대리는 바로 위 선임자인 이내근 과장 때문에 괴로운 회사생활을 하고 있다. 이내근 과장은 부서 내의 모든 직원들에게 업무뿐만 아니라 사적인 일에도 사사건건 참견이다. 김외근 대리도 처음에는 이내근 과장의 친절함에 고마움을 느꼈다. 하지만 이제는 귀찮음을 넘어 한심하다는 생각마저 든다. 김외근 대리는 점점 이내근 과장의 말을 무시하고 관계를 조금씩 멀리하고 있다.

① 이내근 과장과 같은 성향의 사람을 대하는 상대방은 잘난 척한다는 느낌을 받는다.
② 이내근 과장과 같은 성향의 사람을 대하는 상대방은 이를 아첨으로 받아들일 수 있다.
③ 이내근 과장과 같은 성향의 사람을 대하는 상대방은 답답함을 느낄 수도 있다.
④ 이내근 과장과 같은 성향의 사람을 대하는 상대방은 꼬투리 잡힌다는 느낌을 받는다.
⑤ 이내근 과장과 같은 성향의 사람을 대하는 상대방은 강요를 받는다는 느낌을 받는다.

32. 다음 자료를 참고했을 때, 제시된 인물의 팔로워십 유형은 무엇인가?

> 1961년 12월, 이스라엘의 재판장
>
> 구름같이 몰려든 기자들이 한 남자를 찍고 있었다.
>
> 작은 키에 듬성듬성한 머리카락과 주름진 얼굴..... 평범한 50대 중반의 백인 남자로 보이는 그는 무슨 죄를 지었길래 전 세계에서 몰려든 기자들이 이렇게 난리였던 것일까?
>
> 이 남자의 이름은 아돌프 아이히만.
>
> 아이히만은 나치 친위대 대령으로 독일이 점령한 유럽 여러 지역에 살고 있는 유대인을 체포하고 강제로 이주시키는 일을 하였다.
>
> 강제수용소에서 살아남은 100여 명의 증인들이 자신들을 강제 수용소로 보낸 사람은 아이히만이라 증언하였다. 이러한 아이히만에게 적용된 죄만 15가지가 넘었다. 재판장은 아이히만에게 스스로 변론할 수 있는 시간을 주었다.
>
> 그는 다음과 같이 말했다.
>
> "나는 명령에 따랐을 뿐이오. 나는 죄가 없습니다."
>
> "나는 유대인에 대한 증오나 연민 등 사사로운 감정이나 판단으로 행동한 것이 아닙니다. 오직 국가의 명령을 따랐습니다."

① 소외형 팔로워   ② 모범형 팔로워   ③ 수동형 팔로워

④ 순응형 팔로워   ⑤ 실무형 팔로워

33. 다음 글에서 설명하는 조직도로 옳은 것은?

> 녹색의 직사각형을 보여줬을 때 대다수의 사람은 바로 국내 1위 포털사이트인 N사를 떠올릴 것이다. N사가 업계 선두가 될 수 있었던 것은 고객이 원하는 다양한 콘텐츠를 제공했을 뿐 아니라 조직구조의 혁신도 게을리 하지 않았기 때문이다. N사는 타 기업들과는 다른 조직구조 형태를 가지고 있다. 바로 'Cell 조직' 형태이다. N사는 개별 사업으로 글로벌 진출이 가능하다고 판단된 웹툰, 동영상, 사전, 클라우드 등의 분야를 'Cell'이라는 독립조직으로 분리하였다. 관료제적 성향이 짙었던 팀제 내에서의 수직적 의사결정을 구성원 전체가 할 수 있는 형태로 바꾼 것이다. 'Cell 제도' 내에서는 연중행사나 프로젝트에 따라 유연하게 조직 형태를 바꿀 수 있다. 따라서 예측하지 못한 상황에도 신속하게 반응할 수 있었으며 직책에 얽매이지 않아 구성원 모두가 자신의 의견을 피력할 수 있었다. 또한, 수직적인 구조를 탈피해 직급이나 연공에 상관없이 각 'Cell'의 리더를 뽑아 구성원들과 논의하여 원하는 방향으로 의사결정이 손쉽고 빠르게 이루어질 수 있도록 변화를 꾀하였다. 이러한 점을 배경으로 현재 N사는 약 15년 동안 포털사이트 점유율 1위를 차지하고 있다. N사의 콘텐츠는 점점 늘어나고 있으며, 우리 삶에 편안함을 가져다준다. 또한, 직원들도 그 누구든지 회사 내에서 자신의 꿈을 실현할 수 있는 바탕을 가지고 있다. 앞으로 N사가 어떤 새로운 콘텐츠로 소비자들을 찾아갈지, 그 콘텐츠를 탄생시킨 사람은 누구인지 주목해 보아도 좋을 듯하다.

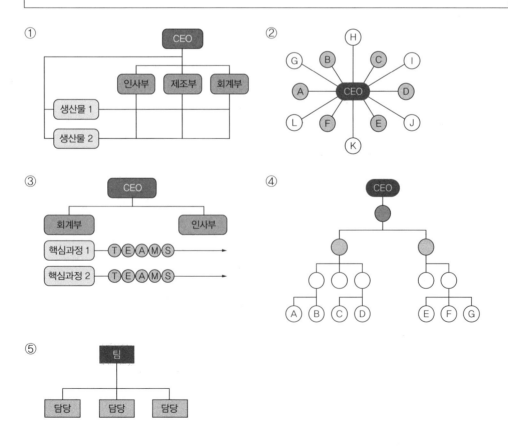

34. 다음은 P 공사에 다니는 가 ~ 마 직원의 사내 건강검진 결과이다. 위험요인을 개인적 위험요인과 직업 관련 위험요인으로 구분할 때, 개인적 위험요인에 해당하는 직원은?

① 가 직원은 고혈압과 당뇨가 있어 위험하다는 지적을 받았다.

② 나 직원은 평소 과도한 업무량에 시달리고 있어 업무를 줄이라는 지적을 받았다.

③ 다 직원은 평소 직장 상사와의 인간관계에서 과도한 스트레스를 받고 있음이 지적되었다.

④ 라 직원은 평소 이황화탄소와 일산화탄소가 너무 많은 작업장에서 일하고 있음이 지적되었다.

⑤ 마 직원은 일하는 장소가 소음이 심하고, 온도가 높아 특히 여름철에는 많은 위험이 있음이 지적되었다.

35. 다음 산업재해 예방대책 단계의 빈칸에 해당하는 단계의 내용으로 적절하지 않은 것은?

> 안전 관리 조직 → 사실의 발견 → 원인 분석 → 시정책 선정 → (　　　　　)

① 안전 감독 실시

② 컨테이너 조작법 교육

③ 컨테이너 문 개폐방법 개선

④ 건설업 기초 안전·보건 교육의 실시

⑤ 컨테이너 내부 적재물의 무너짐 방지조치 실시

36. ○○기업 A 사원은 유사한 역할을 하는 기술 중 하나를 선택하는 데 어려움을 겪고 있다. 이에 B 대리가 A 사원에게 할 수 있는 조언으로 적절하지 않은 것은?

① 보다 쉽게 구할 수 없는 기술을 선택하는 것이 좋습니다.

② 최신 기술이면서 진부화될 가능성이 낮은 기술을 우선적으로 선택해야 합니다.

③ 제품의 성능이나 원가에 미치는 영향이 적은 기술을 우선적으로 선택해야 합니다.

④ 기술을 활용한 제품의 매출 및 이익 증대를 꾀할 수 있는 기술을 선택해야 합니다.

⑤ 기업이 생산하는 제품에 보다 광범위하게 활용할 수 있는 기술을 선택해야 합니다.

37. ○○공사에서 근무하는 김 대리는 '저탄소 녹색도시로 탈바꿈하기 위한 계획'과 관련하여 보고서를 작성중이다. (A)에 들어갈 계획기법으로 적절한 것은?

구분		계획지표	계획기법
탄소 저감	에너지 절약 (Energy Saving)	토지이용	
		녹색교통	(A)
	에너지 순환 (Energy Recycling)	자원순환	
	에너지 창출 (Energy Cleaning)	에너지	
탄소 흡수	에너지 절약 (Energy Saving)	공원녹지	
		생태공간	

① 빗물 이용
② 태양광, 태양열, 지열
③ 자연형 하천조성
④ 자전거 활성화 시스템
⑤ 바람길을 고려한 단지배치

38. 4차 산업혁명의 디지털 전환은 두 가지 유형으로 구분할 수 있다. (A)에 해당하는 사례로 적절한 것은?

구분	유형 Ⅰ	유형 Ⅱ
혁신의 성격	존속성	파괴적 혹은 보완적
혁신의 주도	기존 업체(제조업체)	외부의 ICT 기업과 스타트업
주요 사례	(A)	파괴적 : (B)
		보완적 : (C)
혁신의 주안점	하드웨어 장비 제조역량과 소프트웨어의 결합	주로 소프트웨어적 혁신

① 핀테크
② O2O
③ 스마트공장
④ 스마트 에너지
⑤ 디지털 헬스케어

[39 ~ 40] 다음 프레젠터의 제품 매뉴얼을 보고 이어지는 질문에 답하시오.

〈GQ-8700 제품 매뉴얼〉

[제품특징]

• 효과적인 프레젠테이션 지원

정확한 파워포인트 제어를 위한 2.4GHz 주파수 사용 및 선명한 레이저 포인터와 페이지 UP&Down, F5, Esc, Blank 기능으로 성공적인 프레젠테이션을 지원합니다.

• 트랙볼 마우스 기능

프레젠터의 트랙볼을 이용하여 보다 손쉽고 편안하게 커서를 움직일 수 있는 마우스 기능을 지원합니다.

• 멀티미디어 제어

재생, 일시정지, 음량 조절, 이전 곡 및 다음 곡 이동 기능을 지원합니다.

*W 프로그램과 I 프로그램 기준이며 타 미디어 플레이어에서는 다른 기능이 적용될 수 있습니다.

• LED 라이트

백색 LED 라이트 기능을 지원합니다.

• 인체공학적 버튼 배열

인체공학적으로 버튼이 배열되어 편리하고 효율적인 프레젠테이션을 돕습니다.

• Plug&Play

별도의 드라이버 설치 없이 수신기를 컴퓨터이 USB 포트에 연결한 후 바로 사용할 수 있습니다.

※ Mac OS 이용 시 'Mac OS 이용 시 설치방법' 참조

• 수신기 수납 기능

수신기의 분실 방지 및 보관상의 편이를 위하여 송신기 내부에 수신기를 수납할 수 있는 기능을 지원합니다.

• 절전 모드 지원

제품을 멀티미디어 모드와 마우스 모드에서 30분 이상 미사용 시 절전 모드로 자동 전환되며, 버튼을 누르면 다시 작동이 가능합니다.

※ 프레젠테이션 모드에서는 미사용 시 바로 절전 모드가 적용됩니다.

[사용설명]

• 운영시스템

Windows 2000 이상 버전의 OS, Mac OS

• 설치방법

– PC에 수신기를 장착합니다.

– 시스템이 Plug&Play 기능으로 새로운 하드웨어를 찾고 자동으로 설치됩니다.

1회 기출예상문제

2회 기출예상문제

3회 기출예상문제

4회 기출예상문제

5회 기출예상문제

6회 기출예상문제

• Mac OS 이용 시 설치방법

Mac OS에서 첫 사용 시 다음 절차에 따라서 설정한 후 사용해 주십시오.

1. 수신기를 노트북이나 컴퓨터에 장착합니다.

2. 키보드 설정 지원 창에서 '계속'을 선택합니다.

3. 키보드 확인 창에서 키보드의 'Z' 키를 누르고 '건너뜀'을 선택합니다.

4. 다음 언어 선택 창에서 'ANSI' 선택 후 '완료' 합니다.

5. 첫 설정 후, 다음 사용 시부터 별도의 설정 없이 Plug&Play 기능이 적용됩니다.

• ID 설정(주파수 설정)

본 프레젠터는 Plug&Play 기능을 지원하지만 만일 제품이 작동하지 않거나 다른 주파수에 의하여 방해 받을 경우 다음 절차를 따라서 설정한 후 사용해 주십시오.

1. 수신기를 노트북이나 컴퓨터에 장착합니다.

2. 수신기의 Link 버튼을 누르고 적색 LED를 확인합니다.

3. 수신기의 적색 LED가 점등한 상태에서 송신기의 Mode와 Link 버튼을 동시에 2초 이상 누릅니다.

4. 수신기의 적색 LED가 깜박이면 ID 설정이 완료되었습니다.

• 배터리 설치

송신기 후면의 배터리 커버를 열고 AAA 배터리 2개를 장착합니다.

39. 위 프레젠터 제품 매뉴얼을 참고했을 때 다음 〈상황〉에서 김 대리가 잘못된 행동을 한 횟수는?

상황

　김 대리는 프레젠테이션 발표를 하기 전에 GQ-8700 프레젠터의 작동을 점검하였다. 하지만 프레젠터가 작동되지 않았다. 프레젠터의 건전지를 2개 다 새 AA 건전지로 바꿔 보았으나, 여전히 작동되지 않았다. 위 상황을 해결하기 위해 김 대리는 우선 프레젠터의 수신기를 Mac OS가 설치된 노트북에 장착하고, 수신기의 Link 버튼을 눌러 적색 LED를 확인하였다. 그리고 수신기의 적색 LED가 점등된 상태에서 송신기의 Mode와 Link 버튼을 연달아 2초 이상 눌렀다. 수신기의 적색 LED가 깜빡인 것을 보고 ID 설정이 완료되었다고 생각했지만, 프레젠터를 작동시켰을 때 정상적으로 작동되지 않았다.

① 0번　　　　　　② 1번　　　　　　③ 2번

④ 3번　　　　　　⑤ 4번

40. 위 프레젠터 매뉴얼을 이해한 것으로 옳지 않은 것은?

① Mac OS 이용자는 Plug&Play 사용을 위해 최초 1회 설정이 필요하다.

② 프레젠터 GQ-8700은 Windows 2000 이상 버전의 OS에서 이용이 가능하다.

③ 프레젠터 GQ-8700은 다른 주파수에 의하여 방해를 받을 경우 주파수 설정이 추가적으로 필요하다.

④ 프레젠터 GQ-8700은 절전 모드를 지원하며, 프레젠테이션 모드에서 30분 이상 기다려야 절전 모드로 전환된다.

⑤ 프레젠터 GQ-8700은 멀티미디어 제어 기능도 지원하며, 재생, 일시정지, 음량 조절, 이전 곡 및 다음 곡 이동을 가능하게 해 준다.

41. 다음 사례와 같은 폭발사고의 원인으로 적절한 것은?

> 지난 1월 ○○시에 위치한 A 공장 폭발사고로 하청업체 직원 6명이 숨지고 경비원 1명이 다치는 대형 참사가 발생했다. 경찰과 노동계에 따르면 A 공장 폭발사고는 폐수처리장 시설 확충을 위해 가로 17미터, 세로 10미터, 높이 5미터, 총 700세제곱미터 규모의 폐수 저장조 상부에 설치된 펌프 용량을 늘리기 위해 배관을 설치하는 용접 작업 중 발생했다. 용접 불티가 저장조 내부에서 새어 나온 메탄가스로 추정되는 잔류가스와 만나 폭발이 발생했을 가능성이 유력하게 지목되고 있다.
>
> 사고의 원인으로 추정되는 물질인 메탄가스는 무색·무취의 극인화성가스이자 고압가스다. 주로 부유물·폐수 등에서 자연발생하는 화학물질인데, 열이나 스파크·화염에 쉽게 점화된다. 폭발이나 화재 시 자극성·부식성·독성 가스가 발생하고 흡입할 경우 구토·호흡곤란·두통·질식·경련·의식불명·혼수상태에 빠질 수 있는 위험물질이다.
>
> 이 사고는 몇 년 전 발생한 B 공장의 폴리에틸렌 저장조 보강판 보수 용접 과정에서 발생한 폭발사고를 떠올리게 한다. 당시 저장조 내부 폴리에틸렌 잔류가스를 없애는 퍼지작업(가스 청소) 등 필요한 안전조치를 소홀히 하면서 용접 불티가 잔류가스에 착화돼 폭발했다. 폴리에틸렌은 유독물질은 아니지만 인화물질을 함유하고 있다. 작업에 투입되는 노동자들은 취급 전 안전교육을 받아야 하지만 작업에 투입된 하청업체 노동자들은 작업과 관련한 안내·교육을 받지 못했다. 피해자들이 하청업체 노동자인 것도 똑같다. B 공장 폭발사고도 하청업체 노동자 6명이 목숨을 잃었다.

① 불안전한 행동   ② 신체적 원인   ③ 기술적 원인

④ 불안전한 상태   ⑤ 교육적 원인

42. 다음은 스마트카 사업에 대한 기술선택절차이다. 여기에 추가적으로 필요한 기술선택절차는?

〈기술선택절차〉

(가)	• 스마트 자동차에 대한 관심 급증 • 산업 간 융합으로 인한 자동차 산업의 가치 상승 • 자동차와 융합된 ICT 현실화
(나)	• 2022년 28조 원 (10%) 100억 달러, 2026년 180조 원 (15%) 730억 달러 매출 목표
(다)	• 아마존과의 기술 제휴로 자동차와 가전 간 연동시스템을 구축 • 주행 중인 차를 블루투스를 이용하여 스마트폰과 연결시키고 스마트폰을 연결한 차의 정보를 서버로 전송하는 기술 구축
(라)	• 정부 주도로 IntelliDrive, VSC, CICAS 등의 스마트카 관련 사업 14개 수행 중 • 외부표시 및 알람장치와 방향지시, 특수 애플리케이션, 내비게이션 등의 특허 경쟁력이 우수한 상태
(마)	• 경로탐색, 고정 지물 인식, 변동·이동 물체 인식을 위한 고해상도 지도 및 고정밀 GPS 기기 습득 • 고정 지물 인식을 위한 V2X 통신기술 습득

① 외부환경 분석   ② 사업전략 수립   ③ 기술전략 수립
④ 내부역량 분석   ⑤ 요구기술 분석

43. 부정적인 성격은 조직 내 갈등 유발, 반생산적 업무 행동, 리더의 실패 등과 같은 결과를 초래하기도 한다. 다음 〈사례〉에 나타난 부정적인 성격 유형은?

사례

　변호사로 승승장구하는 김출세(40세) 씨는 늘 자신감에 차 있고 자기 관리도 뛰어나다. 하지만 조금이라도 자신의 의견에 동의하지 않거나 지시대로 따르지 않으면 화를 내고 따지려 든다. 김출세 씨 주변에 사람이 없는 이유도 바로 이 때문이다. 윗사람, 아랫사람 할 것 없이 자신보다 급이 떨어진다고 생각하고 상대하려 들지 않는다. 또 인정, 출세에 대한 욕구도 남달라서 주변 사람들의 성과조차도 자신의 것으로 가로채기 일쑤이다. 하지만 죄책감도 없고, 자신에게 이득이 되는 일이라면 주변 사람을 이용하는 일이 허다해 악명이 높다.

① 자기애성(Narcissistic)   ② 반사회성(Antisocial)
③ 강박성(Obsessive Compulsive)   ④ 편집성(Paranoid)
⑤ 의존성(Dependent)

44. 자신의 부정적 감정을 부드럽게 표현할 수 있는 방법으로 '나−전달법(I-message)'이 있다. 이와 관련한 설명의 ⓐ ~ ⓓ에 들어갈 말을 순서대로 나열한 것은?

나−전달법(I-message)이란 의사소통을 할 때 '나'를 주어로 하는 표현이다. 상대방의 행동을 비난하지 않으면서 나의 감정을 표현하는 대화법이다. 나−전달법의 4가지 구성요소는 (ⓐ), (ⓑ), (ⓒ), (ⓓ)이다. 다음은 '너−전달법'식 대화를 '나−전달법'으로 바꾼 것이다.

〈너−전달법〉

재경 : 야! 너 뭐하는 거야. 지금 몇 시야?

수호 : 오는 길에 친구를 만나서 얘기 좀 하느라.

재경 : 뭐라고? 나는 시간이 남아서 이렇게 너 기다리는 줄 알아?

수호 : 그럼 너도 일찍 나오지 말든가.

재경 : 너 말 다했니?

〈나−전달법〉

재경 : 약속 시간이 20분이나 지났는데 네가 나타나지 않으니까(ⓐ) 네가 나를 무시하는 것 같아 화가 났어(ⓑ) 늦을 수는 있지만 연락이라도 해주길 바랐거든(ⓒ) 다음에는 연락 없이 늦지 않겠다고 말해 줘.(ⓓ)

수호 : 미안, 절대로 너를 무시해서 늦은 게 아니야. 다음부터는 늦지도 않고 연락도 잘 할게.

재경 : 그래 그렇게 말해 줘서 고마워.

---

① 질책−느낌−바람−부탁
② 질책−느낌−부탁−욕구
③ 관찰−느낌−부탁−욕구
④ 관찰−느낌−욕구−부탁
⑤ 사건−바람−느낌−부탁

1회 기출예상문제

2회 기출예상문제

3회 기출예상문제

4회 기출예상문제

5회 기출예상문제

6회 기출예상문제

45. 분노의 감정은 직접적인 공격 활동 외에 다양한 방법으로 표현될 수 있다. 다음 중 공 대리의 행동은 무엇과 관련 깊은가?

> 공 대리는 결재를 올린 기획서 건으로 상사인 박 과장에게 혼이 났다. 이런 저런 트집을 잡힌 공 대리는 박 과장 앞에서는 아무 말도 하지 못하고 진 사원에게 화풀이를 했다. 동료인 김 대리는 박 과장에게 혼이 난 후 자신보다 약한 진 사원에 분풀이를 한 공 대리가 한심스러웠다.

① Sublimation(승화)   ② Forgiveness(용서)

③ Introjection(내적 투사)   ④ Passive Aggression(수동 공격)

⑤ Displacement Activity(전위(戰位) 행동)

46. 다음은 K 은행 박○○ 팀장이 바라본 팀원 4명의 상황이다. 이와 같은 상황에 공통적으로 대응할 수 있는 가장 효과적인 방법은?

> • 상황 1 : 갑은 업무를 완료하는 시간이 점차 길어지고 있고 업무에 대한 열의도 많이 식은 듯하며 최근에는 업무 자체를 버거워하는 것처럼 보인다.
> • 상황 2 : 상사와 동료들로부터 성실성을 인정받고 있는 을은 업무 성과도 높아서 믿음직스럽다. 그런데 최근 한 직원으로부터 을이 이직 준비를 하는 것 같다는 이야기를 전해 들었다.
> • 상황 3 : 병은 영업실적 면에서 가장 상위권인 직원이지만 그에게 한 가지 문제가 있다. 서류 작업을 항상 미뤄 다른 직원들과 팀 전체 생산성에 부정적인 영향을 주고 있다.
> • 상황 4 : 업무 능력의 질이 급격히 떨어지고 있다. 일주일 전에 제출한 업계 동향 보고서에 오타가 많고 체계가 엉망이다.

① 경고   ② 설득   ③ 경청
④ 동기부여   ⑤ 권한위임

47. 다음 글에서 윤 씨가 성공적인 협상을 위해 제시한 대안으로 적절한 것은?

> 대학생 윤 씨는 800만 원의 예산으로 자취방을 도배하기로 계획했다. 하지만 주변 친구들에게 수소문하여 몇몇 업체에 문의한 결과 모두 800만 원이 훌쩍 넘는 가격을 제시하였다. 그때 마침 윤 씨와 함께 팀 과제를 하고 있는 ○○학과 학생 한 명이 학교를 다니면서 도배업을 전문으로 하고 있다는 소식을 우연히 알게 되었다.
>
> 윤 씨는 괜찮은 가격을 제시받기 위해서는 먼저 그와 친해질 필요가 있다고 생각했다. 일과 학교를 병행하느라 그가 종종 수업에 빠지는 것을 목격한 윤 씨는 그에게 다가가서 빠진 수업 시간에 대한 필기노트를 보여주었고, 학업과 과제에 대해 대화하며 조금씩 가까워질 수 있었다.
>
> 어느 정도 친해졌을 무렵 윤 씨는 조심스레 도배 이야기를 꺼냈고 그를 집에 초대해 견적을 내보기로 했다. 집을 꼼꼼히 검토한 그는 820만 원을 제시하며 비교적 저렴한 가격이라는 점을 강조했다. 윤 씨는 그의 견적이 앞서 문의한 업체와 비교했을 때 나름 합리적이라고 생각했지만 여전히 자신이 정한 예산을 벗어난 금액이었기 때문에 쉽게 결정을 내릴 수 없었다.
>
> 윤 씨는 좀 더 만족할 만한 금액이 나올 수 있도록 그와 협상을 하기 시작했다. 윤 씨가 처음에 제안한 금액 역시 할인된 가격이었기 때문에 여기서 무리하게 가격을 더 깎아달라고 요구한다면 오히려 역효과가 날 것 같았다. 머리를 굴리던 윤 씨는 그가 학업에 어려움을 겪고 있다는 사실을 생각해냈다. 특히 법률문장론 수업 과제에서 늘 A+를 받는 윤 씨와 달리 그는 늘 낙제점을 받아 곤욕을 치렀다.
>
> 마침내 윤 씨는 좀 더 할인된 가격으로 도배를 받는 대신 그에게 학기가 끝날 때까지 일주일에 한 번 법률문장론 수업에 관한 개인 과외를 해주겠다고 제안하였다. 잠시 고민하던 그는 자신이 얻을 이익을 따져본 후 그 제안을 받아들이기로 했다.

① 개인교습을 한다.

② 다른 도배 업체를 알아본다.

③ 집으로 초대해 식사를 대접한다.

④ 본인의 사정을 솔직하게 설명한다.

⑤ 공사를 하는 사람에 대한 친밀감을 드러낸다.

48. 다음 글에서 ㉠과 관련 있는 용어는?

> 노자는 중국 춘추시대 말기 ~ 전국시대 초기(기원전 570 ~ 479년)를 산 인물로 알려진다. 주나라가 쇠락해 생산수단, 세계관, 계급 질서가 밑바탕부터 흔들리던 혼란의 시대다. 노자는 무위(無爲)의 통치와 관련해 「도덕경(道德經)」에 이렇게 썼다.
>
> "㉠최고의 단계에서는 백성들이 지도자가 있다는 것만 안다. 그 다음 단계에선 백성이 통치자에게 친밀함을 느끼고 칭송한다. 그 아래에선 백성이 지도자를 두려워한다. 그보다 못한 것은 아랫사람이 통치자를 비웃는 것이다."
>
> 광복 70년 만에 가난을 극복하고 선진국 그룹 말석을 차지하는 성취를 이뤘는데도 왜 행복하지 않다고 느끼는 이가 많을까. 미래는 왜 불안할까. 채우지 못한 욕망에 목말라하고, 경쟁의 강박에 시달리는 까닭은 뭘까. 최 교수는 2500년 전 노자가 쓴 200자 원고지 25장 분량의 길지 않은 글(도덕경)에서 오늘날 한국 사회가 안은 문제를 완화하거나 풀어낼 해법을 찾을 수 있다고 여긴다.

① 팔로워십   ② 변혁적 리더십   ③ 임파워먼트
④ 퍼실리테이션   ⑤ 카리스마 리더십

49. 미국의 한 대학이 졸업생을 추적 조사하여 성공의 요소를 물어본 결과, 지식과 기술의 비중은 15%인 반면 대인관계능력은 85%를 차지할 정도로 대인관계능력의 비중이 현저히 높았다. 이는 성적(지식과 기술)이 우선시되는 학교에서는 단독 플레이가 가능하지만, 직장에서는 대인관계능력이 어떤 역량 요소보다 중요한 것임을 보여주는 하나의 사례이다. 다음 중 대인관계능력을 향상시키기 위한 실천 방법으로 옳지 않은 것은?

① 약속의 이행   ② 진정성 있는 태도
③ 상대방에 대한 이해   ④ 사소한 일에 관한 관심
⑤ 역할에 대한 애매한 기대

50. 다음 글은 안중근 의사가 쓴 '동양평화론' 중 일부이다. 이 글에서 교훈을 얻어 직장생활에 적용하려고 할 때, 〈보기〉 중 적절한 것을 모두 고르면?

> 무릇 '합하면 성공하고 흩어지면 실패한다.'는 말은 만고불변의 진리이다. 지금 세계는 지역이 동쪽과 서쪽으로 갈라지고 인종도 제각기 달라 서로 경쟁하기를 마치 차 마시고 밥 먹는 것처럼 한다. 농사짓고 장사하는 일보다 무기를 연구하는 일에 더 열중하여 전기포·비행선·잠수함을 새롭게 발명하니 이것들은 모두 사람을 해치고 사물을 손상시키는 기계이다. 청년을 훈련시켜 전쟁터로 몰아넣어 수많은 귀중한 생명을 희생물처럼 버리니 핏물이 내를 이루고 살점이 땅을 덮는 일이 하루도 끊이지 않는다. 살기를 좋아하고 죽기를 싫어하는 것은 모든 사람의 보통 마음이거늘 맑고 깨끗한 세상에 이 무슨 광경이란 말인가? 말과 생각이 여기에 미치자 등골이 오싹하고 마음이 싸늘해진다.

보기

> ㉠ 동료와 협력하고 화합하라.
> ㉡ 가까운 사람과 좋은 관계를 유지하라.
> ㉢ 창의적인 아이디어로 문제를 해결하라.
> ㉣ 경쟁에서 살아남을 수 있는 역량을 키워라.

① ㉠, ㉡   ② ㉠, ㉢   ③ ㉡, ㉣
④ ㉠, ㉡, ㉢   ⑤ ㉡, ㉢, ㉣

51. 다음 글에서 드러난 직장인이 갖춰야 할 기본자세로 적절한 것은?

> 영업부 김 과장은 평소보다 일이 많아 일찍 출근하는 중이었다. 해도 채 뜨지 않은 새벽에 길을 지나가는데 환경미화원이 콧노래를 부르면서 청소하고 있어 뭐가 그렇게 즐거우시냐고, 매일 일찍 나와서 청소하면 힘들지 않느냐고 묻자 그 환경미화원은 "지금 나로 인해 지구의 일부분이 깨끗해지고 있으니 오히려 즐겁다."라고 말했다.

① 전문가의식   ② 소명의식   ③ 직분의식
④ 천직의식   ⑤ 준법의식

52. 기업의 사회적 책임은 사회의 관점에서 바람직하다고 동의되는 가치 향상에 힘써야 할 의무를 말하며, 그 책임의 궁극적 표는 기업의 지속가능한 성장과 사회적 가치 추구를 모두 충족시키는 것이다. 미국의 경영학자 필립 코틀러(Philip Kotler)는 CSR을 공익캠페인, 공익연계마케팅, 사회마케팅, 사회공헌(자선)활동, 지역사회 자원봉사, 사회책임경영 실천 영역으로 구분하고 있다. 다음의 사례는 어디에 해당하는가?

> - ○○카페는 투명하고 윤리적인 커피 원두 구매에 있어서 전 세계 커피 산업을 선도하며 그동안 친환경, 윤리적 커피 원두 구매 방식을 구축해 왔습니다. 30여 년 전부터 국제 환경 보호 단체(Conservation International)와의 협약을 통해 원두 구매 방식에 환경 보호 원칙을 결합시켰으며, 사회적·환경적 책임을 다하는 이러한 노력을 바탕으로 윤리적 커피 원두 구매 프로그램인 C.A.F.E(Coffee and Farmer Equity)가 탄생될 수 있었습니다.
> - △△마트는 자사에 제품을 납품하는 모든 공급업체의 그린의무화로 20X5년까지 2,000만 톤의 탄소감축 계획을 수립했습니다. 에너지 고가시대를 대비해 공통의 생산비용을 절감하고 탄소규제 하에서도 낮은 제품가격을 유지하기 위한 조치입니다.

① 공익캠페인   ② 사회책임경영 실천   ③ 공익연계마케팅
④ 지역사회 자원봉사   ⑤ 사회공헌(자선)활동

53. 직업윤리는 공리주의적 관점에서 '직장 본위의 직업윤리', '자기 본위의 직업윤리', '국가 본위의 직업윤리', '일 본위의 직업윤리'의 4유형으로 분류된다. 다음 빈칸에 들어갈 유형은?

> '(   )'란 자기 자신을 위해서도 아니고 자신이 소속된 사회나 조직을 위해서도 아닌 일 바로 그 자체를 위해 헌신하고, 보다 완벽한 일의 성과와 창의적인 업적을 남기려고 노력하는 것이 직업인으로서의 사명이자 본분이라고 생각하는 직업관이다. 장인정신(匠人精神)이나 금욕적 직업윤리 의식은 이 유형에 속하는 것으로서 일의 헌신이 올바르게 수행될 경우 그것은 궁극적으로 자기실현에 도달할 수 있게 된다. 또한 업무의 성과가 모든 주위 사람에게 이익과 행복을 가져다준다고 하면 이 윤리는 넓은 의미로 '사회본위의 직업관'이라고도 볼 수 있다.

① 일 본위의 직업윤리   ② 자기 본위의 직업윤리   ③ 직장 본위의 직업윤리
④ 국가 본위의 직업윤리   ⑤ 정답 없음.

54. 다음 중 아래 기사를 읽은 후 보인 반응으로 적절한 것은?

> 골프는 대부분 심판원의 감독 없이 양심에 따라 경기를 진행한다. '신사의 스포츠'라 불리는 이유다. 하지만 감독이 없는 만큼 골퍼들이 유혹에 흔들릴 때도 잦다. 공을 치기 좋은 위치로 슬쩍 옮겨 놓거나 스코어를 속이는 골퍼가 적지 않다. 규칙을 자신에게 유리하게 해석했다가 망신을 당하는 프로골퍼도 나온다.
>
> 스페인에서도 이런 얌체 골퍼가 많았던 걸까. 유소년 골프 대회에서 우승한 어린이가 성적 계산에 착오가 있었다며 우승컵을 반납한 사실이 알려지자 스페인 전체가 열광했다. 해당 기사가 실린 일간지에 따르면 한 어린이 선수가 지난 12일 열린 어린이 골프 대회에서 52타로 1위에 올랐다. 집에 가서 자신이 직접 작성한 스코어 카드를 본 아이는 가슴이 철렁 내려앉았다. 타수 계산이 잘못돼 원래 성적이 53타였던 것이다. 아무에게도 말하지 않으면 우승컵을 그대로 차지할 수 있는 상황. 그는 거짓 우승을 택하는 대신 대회를 주최한 골프협회에 편지를 썼다. "실수로라도 타수를 잘못 기록하는 건 실격의 이유가 된다고 배웠어요. 우승컵은 받을 자격이 있는 다른 선수에게 돌아가야 해요." 아이가 연필로 꾹꾹 눌러 쓴 손편지를 받은 협회는 성명서를 내고 "진정한 신사임을 입증한 이 선수의 아름다운 행동을 받아들인다."며 화답했다.
>
> 이 사연을 접한 많은 사람이 "일곱 살 선수가 진정한 스포츠맨십이 무엇인지를 보여줬다."며 꼬마 골퍼를 향한 찬사를 쏟아 냈다. 협회 관계자는 "그 아이는 우리가 골프에서 배울 수 있는 가장 중요한 것을 이미 배웠다."며 그것은 '정직'과 '규칙에 대한 존중'이라고 말했다.

① 때로는 거짓말이 필요하다.

② 부정부패와 타협하며 살지 말자.

③ 정직과 신뢰는 조금씩 쌓아가는 것이다.

④ 부정직한 관행을 더 이상 묵인하지 말자.

⑤ 손해를 보더라도 정직하게 잘못을 밝히자.

55. 다음 〈상황〉에 적절한 전략인 A에 들어갈 갈등관리 유형은?

상황

• 양측의 목표가 다른 경우

• 양측의 힘이 비슷한 경우

• 목표 달성이 중요하지만 시간이 없는 경우

〈토마스와 킬만(Thomas & Kilman)의 갈등관리 유형〉

자기지향

A

타인지향

① 경쟁형　　　　　② 통합형　　　　　③ 회피형
④ 수용형　　　　　⑤ 타협형

56. 다음 중 직장에서의 전화예절에 대한 설명으로 적절하지 않은 것은?

① 전화를 걸기 전 미리 메모할 종이와 필기구를 준비한다.

② 전화는 정상업무가 이루어지고 있는 근무 시간에 걸도록 한다.

③ 전화를 받을 때는 자신의 부서명, 성명, 직급 등의 신분을 밝힌다.

④ 회신을 부탁한다는 전화를 받았다면 가능한 한 빨리 하려고 노력한다.

⑤ 원활한 소통을 위하여 준비한 멘트를 상대방의 대답을 듣기 전에 빨리 말한다.

57. 다음 〈보기〉에서 강조하고 있는 직업윤리의 요소로 적절한 것은?

> **보기**
>
> 일본 미쓰비시자동차와 닛산자동차의 연비·배출가스 조작 의혹에 이어 스즈키자동차까지 연비 조작에 휩쓸리면서 파문이 커지고 있다. 말이 조작이지 비열한 사기행각이다. 미쓰비시는 4개 차종, 62만 대에 대한 연비 조작 사실을 인정했다. 무려 25년 동안 부정한 실험방법으로 연비를 거짓 측정한 것이다. 미쓰비시의 연비 조작 파문에 이어 일본 자동차업계 4위인 스즈키도 연비 테스트 과정에서 부적절한 수단을 사용한 것으로 드러났다. 뿐만 아니라 미쓰비시를 인수한 닛산 역시 한국에서 배출가스 조작 판정을 받아 궁지에 몰렸다. 환경부는 국내에서 팔린 디젤(경유)차 20개 차종을 조사한 결과 닛산이 캐시카이에 배출가스인 질소산화물(NOX) 저감장치 작동을 중단시키는 임의 설정을 한 것으로 판단했다. 이들이 전 세계 소비자들을 상대로 저지른 사기 액수를 계산한다면 천문학적일 것이다.

① 예절   ② 근면   ③ 정직
④ 준법   ⑤ 봉사

58. 요즘처럼 생산기술이 발전하고 물질이 풍부해진 때에 고객만족의 성패는 서비스에 의해서 결정된다고 할 수 있다. 영어단어 서비스 "SERVICE"에서 각 이니셜에 해당하는 단어와 의미가 맞지 않은 것은?

① S(Special) : 서비스는 고객에게 특별함을 제공하는 것
② R(Respect) : 서비스는 고객을 존중하는 것
③ V(Value) : 서비스는 고객에게 가치를 제공하는 것
④ I(Image) : 서비스는 고객에게 좋은 이미지를 심어주는 것
⑤ C(Courtesy) : 서비스는 예의를 갖추고 정중하게 하는 것

59. 우리 사회의 낮은 정직성 수준의 원인에 대한 설명으로 옳지 않은 것은?

① 한국 사회에서는 사적 신뢰보다 공적 신뢰를 더 중요시하기 때문이다.

② 부정직한 사람이 정치인, 기업인이 되어 성공하는 사례가 많기 때문이다.

③ 진실이 필요한 상황에서 친분관계로 인해 위증을 하는 경우가 많기 때문이다.

④ 원칙보다 조직원들 간의 정을 더 우선시하는 문화적 요소도 하나의 원인이다.

⑤ 정직하면 손해 본다는 인식이 팽배하기 때문이다.

60. 다음 중 직장 내 괴롭힘으로 볼 수 없는 것은?

① 육아휴직 후 복직한 정 씨는 원래 담당하던 업무가 아닌 다른 업무로 배치되었으며 부장이 의도적으로 회의에 정 씨를 배제시키기도 했다. 이후 자리배치를 할 때도 구석으로 책상을 몰아내어 정 씨에게 모욕감을 주었다. 이를 견디지 못한 정 씨는 우울증에 빠져 결국 퇴사하였다.

② 영업사원 이 씨는 본래 업무와 상관없는 대표의 운전기사, 수행비서 일을 도맡아 했으며 폭설이 내린 날에는 대표의 아들 자동차에 쌓인 눈을 맨손으로 치우라는 지시를 받기도 했다. 대표는 직원들을 동원해 개인 텃밭의 채소 수확까지 시켰지만 문제제기를 할 수 없는 분위기였다.

③ 똑같은 업무를 수년 동안 해온 김 씨는 갑자기 기존의 업무와 전혀 관련 없는 일을 배정받았다. 바뀐 업무에 필요한 단말기를 요청했으나 회사는 계속 무시하였고 업무 실적에 대한 압박만 지속했다.

④ 입사 10년차 영업부 과장 윤 씨는 곧 있을 근무평가 성적을 기다리고 있다. 승진평가에 합격하기 위해선 꼭 A등급을 받아야하기 때문이다. 그러나 객관적으로 실적이 좋지 못했던 윤 씨는 본부장으로부터 B등급을 받았고, 승진을 앞두고 상사의 배려를 기대했던 윤 씨는 본부장이 자신의 승진을 고의로 막은 게 아닐까하는 생각에 괴로워졌다.

⑤ 황 사원은 회사 선배의 지속적인 술자리 강요로 큰 스트레스를 받았다. 고민 끝에 회식자리를 마련한 그는 끝까지 자리를 지키며 선배들과 이런저런 이야기를 나눴다. 도움 되는 조언도 얻고 관계도 한층 돈독해진 것 같아 한결 기분이 좋아졌다. 그러나 집으로 돌아오는 길, 팀장은 팀원들이 모여 있는 모바일 메신저에 하소연을 쏟아내며 끊임없이 말을 시키고 답장을 강요했다. 밤 12시가 넘는 시각이었지만 황 사원은 아직 퇴근하지 못한 기분이었다.

사람인형 NCS

1회 기출예상문제

성명표기란

수험번호

직무능력평가

문번	답란					문번	답란					문번	답란				
1	①	②	③	④	⑤	21	①	②	③	④	⑤	41	①	②	③	④	⑤
2	①	②	③	④	⑤	22	①	②	③	④	⑤	42	①	②	③	④	⑤
3	①	②	③	④	⑤	23	①	②	③	④	⑤	43	①	②	③	④	⑤
4	①	②	③	④	⑤	24	①	②	③	④	⑤	44	①	②	③	④	⑤
5	①	②	③	④	⑤	25	①	②	③	④	⑤	45	①	②	③	④	⑤
6	①	②	③	④	⑤	26	①	②	③	④	⑤	46	①	②	③	④	⑤
7	①	②	③	④	⑤	27	①	②	③	④	⑤	47	①	②	③	④	⑤
8	①	②	③	④	⑤	28	①	②	③	④	⑤	48	①	②	③	④	⑤
9	①	②	③	④	⑤	29	①	②	③	④	⑤	49	①	②	③	④	⑤
10	①	②	③	④	⑤	30	①	②	③	④	⑤	50	①	②	③	④	⑤
11	①	②	③	④	⑤	31	①	②	③	④	⑤						
12	①	②	③	④	⑤	32	①	②	③	④	⑤						
13	①	②	③	④	⑤	33	①	②	③	④	⑤						
14	①	②	③	④	⑤	34	①	②	③	④	⑤						
15	①	②	③	④	⑤	35	①	②	③	④	⑤						
16	①	②	③	④	⑤	36	①	②	③	④	⑤						
17	①	②	③	④	⑤	37	①	②	③	④	⑤						
18	①	②	③	④	⑤	38	①	②	③	④	⑤						
19	①	②	③	④	⑤	39	①	②	③	④	⑤						
20	①	②	③	④	⑤	40	①	②	③	④	⑤						

수험생 유의사항

※ 답안은 반드시 컴퓨터용 사인펜으로 보기와 같이 바르게 표기해야 합니다.
〈보기〉 ① ② ③ ❹ ⑤

※ 성명표기란 위 칸에는 성명을 한글로 쓰고 아래 칸에는 성명을 정확하게 표기하십시오. (맨 왼쪽 칸부터 표기하며 성과 이름은 붙여 씁니다.)

※ 수험번호란 위 칸에는 숫자로 쓰고 아래 칸에는 숫자와 일치하게 표기하십시오.

※ 월일은 반드시 본인 주민등록번호의 생년월일을 제외한 월 두 자리, 일 두 자리를 표기하십시오.
(예) 2002년 4월 1일 → 0401

잘라서 활용하세요.

gosi net (주)고시넷

직무능력평가

사람인형 NCS

2회 기출예상문제

성명표기란

수험번호

주민등록 앞자리 생년제외 월일

수험생 유의사항

※ 답안은 반드시 컴퓨터용 사인펜을 보기와 같이 바르게 표기해야 합니다.
　〈보기〉 ① ② ③ ❹ ⑤

※ 성명표기란 위 칸에는 성명을 한글로 쓰고 아래 칸에는 성명을 정확하게 표기하십시오. (맨 왼쪽 칸부터 표기하며 성과 이름은 붙여 씁니다)

※ 수험번호/월일 위 칸에는 아라비아 숫자로 쓰고 아래 칸에는 숫자와 일치하게 표기하십시오.

※ 월일은 반드시 본인 주민등록번호의 생년을 제외한 월 두 자리, 일 두 자리를 표기하십시오.
　〈예〉 2002년 4월 1일 → 0401

문번	답란	문번	답란	문번	답란	문번	답란
1	① ② ③ ④ ⑤	21	① ② ③ ④ ⑤	41	① ② ③ ④ ⑤		
2	① ② ③ ④ ⑤	22	① ② ③ ④ ⑤	42	① ② ③ ④ ⑤		
3	① ② ③ ④ ⑤	23	① ② ③ ④ ⑤	43	① ② ③ ④ ⑤		
4	① ② ③ ④ ⑤	24	① ② ③ ④ ⑤	44	① ② ③ ④ ⑤		
5	① ② ③ ④ ⑤	25	① ② ③ ④ ⑤	45	① ② ③ ④ ⑤		
6	① ② ③ ④ ⑤	26	① ② ③ ④ ⑤	46	① ② ③ ④ ⑤		
7	① ② ③ ④ ⑤	27	① ② ③ ④ ⑤	47	① ② ③ ④ ⑤		
8	① ② ③ ④ ⑤	28	① ② ③ ④ ⑤	48	① ② ③ ④ ⑤		
9	① ② ③ ④ ⑤	29	① ② ③ ④ ⑤	49	① ② ③ ④ ⑤		
10	① ② ③ ④ ⑤	30	① ② ③ ④ ⑤	50	① ② ③ ④ ⑤		
11	① ② ③ ④ ⑤	31	① ② ③ ④ ⑤				
12	① ② ③ ④ ⑤	32	① ② ③ ④ ⑤				
13	① ② ③ ④ ⑤	33	① ② ③ ④ ⑤				
14	① ② ③ ④ ⑤	34	① ② ③ ④ ⑤				
15	① ② ③ ④ ⑤	35	① ② ③ ④ ⑤				
16	① ② ③ ④ ⑤	36	① ② ③ ④ ⑤				
17	① ② ③ ④ ⑤	37	① ② ③ ④ ⑤				
18	① ② ③ ④ ⑤	38	① ② ③ ④ ⑤				
19	① ② ③ ④ ⑤	39	① ② ③ ④ ⑤				
20	① ② ③ ④ ⑤	40	① ② ③ ④ ⑤				

성명표기란

수험번호

직무능력평가

수험생 유의사항

문번	답란	문번	답란	문번	답란
1	① ② ③ ④	21	① ② ③ ④	41	① ② ③ ④
2	① ② ③ ④	22	① ② ③ ④	42	① ② ③ ④
3	① ② ③ ④	23	① ② ③ ④	43	① ② ③ ④
4	① ② ③ ④	24	① ② ③ ④	44	① ② ③ ④
5	① ② ③ ④	25	① ② ③ ④	45	① ② ③ ④
6	① ② ③ ④	26	① ② ③ ④	46	① ② ③ ④
7	① ② ③ ④	27	① ② ③ ④	47	① ② ③ ④
8	① ② ③ ④	28	① ② ③ ④	48	① ② ③ ④
9	① ② ③ ④	29	① ② ③ ④	49	① ② ③ ④
10	① ② ③ ④	30	① ② ③ ④	50	① ② ③ ④
11	① ② ③ ④	31	① ② ③ ④		
12	① ② ③ ④	32	① ② ③ ④		
13	① ② ③ ④	33	① ② ③ ④		
14	① ② ③ ④	34	① ② ③ ④		
15	① ② ③ ④	35	① ② ③ ④		
16	① ② ③ ④	36	① ② ③ ④		
17	① ② ③ ④	37	① ② ③ ④		
18	① ② ③ ④	38	① ② ③ ④		
19	① ② ③ ④	39	① ② ③ ④		
20	① ② ③ ④	40	① ② ③ ④		

직무능력평가

사람인형 NCS

4회 기출예상문제

감독관
확인란

성명표기란

수험번호

(주민등록 앞자리 생년제외) 월일

수험생 유의사항

문번	답란	문번	답란	문번	답란	문번	답란
1	① ② ③ ④ ⑤	21	① ② ③ ④ ⑤	41	① ② ③ ④ ⑤		
2	① ② ③ ④ ⑤	22	① ② ③ ④ ⑤	42	① ② ③ ④ ⑤		
3	① ② ③ ④ ⑤	23	① ② ③ ④ ⑤	43	① ② ③ ④ ⑤		
4	① ② ③ ④ ⑤	24	① ② ③ ④ ⑤	44	① ② ③ ④ ⑤		
5	① ② ③ ④ ⑤	25	① ② ③ ④ ⑤	45	① ② ③ ④ ⑤		
6	① ② ③ ④ ⑤	26	① ② ③ ④ ⑤	46	① ② ③ ④ ⑤		
7	① ② ③ ④ ⑤	27	① ② ③ ④ ⑤	47	① ② ③ ④ ⑤		
8	① ② ③ ④ ⑤	28	① ② ③ ④ ⑤	48	① ② ③ ④ ⑤		
9	① ② ③ ④ ⑤	29	① ② ③ ④ ⑤	49	① ② ③ ④ ⑤		
10	① ② ③ ④ ⑤	30	① ② ③ ④ ⑤	50	① ② ③ ④ ⑤		
11	① ② ③ ④ ⑤	31	① ② ③ ④ ⑤	51	① ② ③ ④ ⑤		
12	① ② ③ ④ ⑤	32	① ② ③ ④ ⑤	52	① ② ③ ④ ⑤		
13	① ② ③ ④ ⑤	33	① ② ③ ④ ⑤	53	① ② ③ ④ ⑤		
14	① ② ③ ④ ⑤	34	① ② ③ ④ ⑤	54	① ② ③ ④ ⑤		
15	① ② ③ ④ ⑤	35	① ② ③ ④ ⑤	55	① ② ③ ④ ⑤		
16	① ② ③ ④ ⑤	36	① ② ③ ④ ⑤	56	① ② ③ ④ ⑤		
17	① ② ③ ④ ⑤	37	① ② ③ ④ ⑤	57	① ② ③ ④ ⑤		
18	① ② ③ ④ ⑤	38	① ② ③ ④ ⑤	58	① ② ③ ④ ⑤		
19	① ② ③ ④ ⑤	39	① ② ③ ④ ⑤	59	① ② ③ ④ ⑤		
20	① ② ③ ④ ⑤	40	① ② ③ ④ ⑤	60	① ② ③ ④ ⑤		

사람인형 NCS

5회 기출예상문제

감독관 확인란

성명표기란

수험번호

직무능력평가

문번	답란				
1	①	②	③	④	⑤
2	①	②	③	④	⑤
3	①	②	③	④	⑤
4	①	②	③	④	⑤
5	①	②	③	④	⑤
6	①	②	③	④	⑤
7	①	②	③	④	⑤
8	①	②	③	④	⑤
9	①	②	③	④	⑤
10	①	②	③	④	⑤
11	①	②	③	④	⑤
12	①	②	③	④	⑤
13	①	②	③	④	⑤
14	①	②	③	④	⑤
15	①	②	③	④	⑤
16	①	②	③	④	⑤
17	①	②	③	④	⑤
18	①	②	③	④	⑤
19	①	②	③	④	⑤
20	①	②	③	④	⑤

문번	답란				
21	①	②	③	④	⑤
22	①	②	③	④	⑤
23	①	②	③	④	⑤
24	①	②	③	④	⑤
25	①	②	③	④	⑤
26	①	②	③	④	⑤
27	①	②	③	④	⑤
28	①	②	③	④	⑤
29	①	②	③	④	⑤
30	①	②	③	④	⑤
31	①	②	③	④	⑤
32	①	②	③	④	⑤
33	①	②	③	④	⑤
34	①	②	③	④	⑤
35	①	②	③	④	⑤
36	①	②	③	④	⑤
37	①	②	③	④	⑤
38	①	②	③	④	⑤
39	①	②	③	④	⑤
40	①	②	③	④	⑤

문번	답란				
41	①	②	③	④	⑤
42	①	②	③	④	⑤
43	①	②	③	④	⑤
44	①	②	③	④	⑤
45	①	②	③	④	⑤
46	①	②	③	④	⑤
47	①	②	③	④	⑤
48	①	②	③	④	⑤
49	①	②	③	④	⑤
50	①	②	③	④	⑤
51	①	②	③	④	⑤
52	①	②	③	④	⑤
53	①	②	③	④	⑤
54	①	②	③	④	⑤
55	①	②	③	④	⑤
56	①	②	③	④	⑤
57	①	②	③	④	⑤
58	①	②	③	④	⑤
59	①	②	③	④	⑤
60	①	②	③	④	⑤

잘라서 활용하세요

gosinet (주)고시넷

사람인형 NCS

6회 기출예상문제

감독관
확인란

성명 기재란

수험번호

(주민등록 앞자리 생년제외) 월일

수험생 유의사항

※ 답안은 반드시 컴퓨터용 사인펜으로 보기와 같이 바르게 표기해야 합니다.
〈보기〉 ① ② ③ ● ⑤

※ 성명표기란 위 칸에는 성명을 한글로 쓰고 아래 칸에는 성명을 정확하게 표기하십시오. (맨 왼쪽 칸부터 표기하며 성과 이름은 붙여 씁니다)

※ 수험번호/월일 위 칸에는 아라비아 숫자로 쓰고 아래 칸에는 숫자와 일치하게 표기하십시오.

※ 월일은 반드시 본인 주민등록번호의 생년을 제외한 월 두 자리, 일 두 자리를 표기하십시오.
〈예〉 2002년 4월 1일 → 0401

문번	답란	문번	답란	문번	답란	문번	답란
1	① ② ③ ④ ⑤	21	① ② ③ ④ ⑤	41	① ② ③ ④ ⑤		
2	① ② ③ ④ ⑤	22	① ② ③ ④ ⑤	42	① ② ③ ④ ⑤		
3	① ② ③ ④ ⑤	23	① ② ③ ④ ⑤	43	① ② ③ ④ ⑤		
4	① ② ③ ④ ⑤	24	① ② ③ ④ ⑤	44	① ② ③ ④ ⑤		
5	① ② ③ ④ ⑤	25	① ② ③ ④ ⑤	45	① ② ③ ④ ⑤		
6	① ② ③ ④ ⑤	26	① ② ③ ④ ⑤	46	① ② ③ ④ ⑤		
7	① ② ③ ④ ⑤	27	① ② ③ ④ ⑤	47	① ② ③ ④ ⑤		
8	① ② ③ ④ ⑤	28	① ② ③ ④ ⑤	48	① ② ③ ④ ⑤		
9	① ② ③ ④ ⑤	29	① ② ③ ④ ⑤	49	① ② ③ ④ ⑤		
10	① ② ③ ④ ⑤	30	① ② ③ ④ ⑤	50	① ② ③ ④ ⑤		
11	① ② ③ ④ ⑤	31	① ② ③ ④ ⑤	51	① ② ③ ④ ⑤		
12	① ② ③ ④ ⑤	32	① ② ③ ④ ⑤	52	① ② ③ ④ ⑤		
13	① ② ③ ④ ⑤	33	① ② ③ ④ ⑤	53	① ② ③ ④ ⑤		
14	① ② ③ ④ ⑤	34	① ② ③ ④ ⑤	54	① ② ③ ④ ⑤		
15	① ② ③ ④ ⑤	35	① ② ③ ④ ⑤	55	① ② ③ ④ ⑤		
16	① ② ③ ④ ⑤	36	① ② ③ ④ ⑤	56	① ② ③ ④ ⑤		
17	① ② ③ ④ ⑤	37	① ② ③ ④ ⑤	57	① ② ③ ④ ⑤		
18	① ② ③ ④ ⑤	38	① ② ③ ④ ⑤	58	① ② ③ ④ ⑤		
19	① ② ③ ④ ⑤	39	① ② ③ ④ ⑤	59	① ② ③ ④ ⑤		
20	① ② ③ ④ ⑤	40	① ② ③ ④ ⑤	60	① ② ③ ④ ⑤		

사람인형 NCS

연습용_50문항

성명표기란

수험번호

(주민등록 앞자리 생년제외) 월일

수험생 유의사항

※ 답안은 반드시 컴퓨터용 사인펜으로 보기와 같이 바르게 표기해야 합니다.
　〈보기〉 ① ② ③ ❹ ⑤
※ 성명표기란 위 칸에는 성명을 한글로 쓰고 아래 칸에는 성명을 정확하게 표기하십시오. (맨 왼쪽 칸부터 표기하며 성과 이름은 붙여 씁니다)
※ 수험번호 표기란 위 칸에는 아라비아 숫자로 쓰고 아래 칸에는 숫자와 일치하게 표기하십시오.
※ 월일은 반드시 본인 주민등록번호의 생년월일 제외한 월 두 자리, 일 두 자리를 표기하십시오.
　(예) 2002년 4월 1일 → 0401

성명표기란

(주민등록 앞자리 생년제외) 월일

감독관
확인란

직무능력평가

문번	답란				
1	①	②	③	④	⑤
2	①	②	③	④	⑤
3	①	②	③	④	⑤
4	①	②	③	④	⑤
5	①	②	③	④	⑤
6	①	②	③	④	⑤
7	①	②	③	④	⑤
8	①	②	③	④	⑤
9	①	②	③	④	⑤
10	①	②	③	④	⑤
11	①	②	③	④	⑤
12	①	②	③	④	⑤
13	①	②	③	④	⑤
14	①	②	③	④	⑤
15	①	②	③	④	⑤
16	①	②	③	④	⑤
17	①	②	③	④	⑤
18	①	②	③	④	⑤
19	①	②	③	④	⑤
20	①	②	③	④	⑤

문번	답란				
21	①	②	③	④	⑤
22	①	②	③	④	⑤
23	①	②	③	④	⑤
24	①	②	③	④	⑤
25	①	②	③	④	⑤
26	①	②	③	④	⑤
27	①	②	③	④	⑤
28	①	②	③	④	⑤
29	①	②	③	④	⑤
30	①	②	③	④	⑤
31	①	②	③	④	⑤
32	①	②	③	④	⑤
33	①	②	③	④	⑤
34	①	②	③	④	⑤
35	①	②	③	④	⑤
36	①	②	③	④	⑤
37	①	②	③	④	⑤
38	①	②	③	④	⑤
39	①	②	③	④	⑤
40	①	②	③	④	⑤

문번	답란				
41	①	②	③	④	⑤
42	①	②	③	④	⑤
43	①	②	③	④	⑤
44	①	②	③	④	⑤
45	①	②	③	④	⑤
46	①	②	③	④	⑤
47	①	②	③	④	⑤
48	①	②	③	④	⑤
49	①	②	③	④	⑤
50	①	②	③	④	⑤

잘라서 활용하세요.

직무능력평가

사람인형 NCS

연습용_50문항

수험번호

성명표기란

(주민등록 앞자리 생년제외) 월일

수험생 유의사항

※ 답안은 반드시 컴퓨터용 사인펜으로 보기와 같이 바르게 표기해야 합니다.
〈보기〉① ② ③ ❹ ⑤

※ 성명표기란 위 칸에는 성명을 한글로 쓰고 아래 칸에는 성명을 정확하게 표기하십시오. (맨 왼쪽
칸부터 표기하며 성과 이름은 붙여 씁니다)

※ 수험번호/월일 위 칸에는 아라비아 숫자로 쓰고 아래 칸에는 숫자와 일치하게 표기하십시오.

※ 월일은 반드시 본인 주민등록번호의 생년을 제외한 월 두 자리, 일 두 자리를 표기하십시오.
〈예〉2002년 4월 1일 → 0401

문번	답란	문번	답란	문번	답란
1	① ② ③ ④ ⑤	21	① ② ③ ④ ⑤	41	① ② ③ ④ ⑤
2	① ② ③ ④ ⑤	22	① ② ③ ④ ⑤	42	① ② ③ ④ ⑤
3	① ② ③ ④ ⑤	23	① ② ③ ④ ⑤	43	① ② ③ ④ ⑤
4	① ② ③ ④ ⑤	24	① ② ③ ④ ⑤	44	① ② ③ ④ ⑤
5	① ② ③ ④ ⑤	25	① ② ③ ④ ⑤	45	① ② ③ ④ ⑤
6	① ② ③ ④ ⑤	26	① ② ③ ④ ⑤	46	① ② ③ ④ ⑤
7	① ② ③ ④ ⑤	27	① ② ③ ④ ⑤	47	① ② ③ ④ ⑤
8	① ② ③ ④ ⑤	28	① ② ③ ④ ⑤	48	① ② ③ ④ ⑤
9	① ② ③ ④ ⑤	29	① ② ③ ④ ⑤	49	① ② ③ ④ ⑤
10	① ② ③ ④ ⑤	30	① ② ③ ④ ⑤	50	① ② ③ ④ ⑤
11	① ② ③ ④ ⑤	31	① ② ③ ④ ⑤		
12	① ② ③ ④ ⑤	32	① ② ③ ④ ⑤		
13	① ② ③ ④ ⑤	33	① ② ③ ④ ⑤		
14	① ② ③ ④ ⑤	34	① ② ③ ④ ⑤		
15	① ② ③ ④ ⑤	35	① ② ③ ④ ⑤		
16	① ② ③ ④ ⑤	36	① ② ③ ④ ⑤		
17	① ② ③ ④ ⑤	37	① ② ③ ④ ⑤		
18	① ② ③ ④ ⑤	38	① ② ③ ④ ⑤		
19	① ② ③ ④ ⑤	39	① ② ③ ④ ⑤		
20	① ② ③ ④ ⑤	40	① ② ③ ④ ⑤		

직무능력평가

gosi.net (주)고시넷

성명표기란

연습용_60문항

수험번호

(주민등록 앞자리 생년월일) 월일

성명표기란

(주민등록 앞자리 생년월일) 월일

수험생 유의사항

※ 답안은 반드시 컴퓨터용 사인펜으로 보기와 같이 바르게 표기해야 합니다.
〈보기〉① ② ③ ❹ ⑤

※ 성명표기란 위 칸에는 성명을 한글로 쓰고 아래 칸에는 성명을 정확하게 표기하십시오. (맨 왼쪽
칸부터 표기하며 성과 이름은 붙여 씁니다)

※ 수험번호란 위 칸에는 아라비아 숫자로 쓰고 아래 칸에는 숫자와 일치하게 표기하십시오.

※ 출생월일은 반드시 본인 주민등록번호의 생년을 제외한 월 두 자리, 일 두 자리를 표기하십시오.
(예) 2002년 4월 1일 → 0401

문번	답란	문번	답란	문번	답란
1	① ② ③ ④ ⑤	21	① ② ③ ④ ⑤	41	① ② ③ ④ ⑤
2	① ② ③ ④ ⑤	22	① ② ③ ④ ⑤	42	① ② ③ ④ ⑤
3	① ② ③ ④ ⑤	23	① ② ③ ④ ⑤	43	① ② ③ ④ ⑤
4	① ② ③ ④ ⑤	24	① ② ③ ④ ⑤	44	① ② ③ ④ ⑤
5	① ② ③ ④ ⑤	25	① ② ③ ④ ⑤	45	① ② ③ ④ ⑤
6	① ② ③ ④ ⑤	26	① ② ③ ④ ⑤	46	① ② ③ ④ ⑤
7	① ② ③ ④ ⑤	27	① ② ③ ④ ⑤	47	① ② ③ ④ ⑤
8	① ② ③ ④ ⑤	28	① ② ③ ④ ⑤	48	① ② ③ ④ ⑤
9	① ② ③ ④ ⑤	29	① ② ③ ④ ⑤	49	① ② ③ ④ ⑤
10	① ② ③ ④ ⑤	30	① ② ③ ④ ⑤	50	① ② ③ ④ ⑤
11	① ② ③ ④ ⑤	31	① ② ③ ④ ⑤	51	① ② ③ ④ ⑤
12	① ② ③ ④ ⑤	32	① ② ③ ④ ⑤	52	① ② ③ ④ ⑤
13	① ② ③ ④ ⑤	33	① ② ③ ④ ⑤	53	① ② ③ ④ ⑤
14	① ② ③ ④ ⑤	34	① ② ③ ④ ⑤	54	① ② ③ ④ ⑤
15	① ② ③ ④ ⑤	35	① ② ③ ④ ⑤	55	① ② ③ ④ ⑤
16	① ② ③ ④ ⑤	36	① ② ③ ④ ⑤	56	① ② ③ ④ ⑤
17	① ② ③ ④ ⑤	37	① ② ③ ④ ⑤	57	① ② ③ ④ ⑤
18	① ② ③ ④ ⑤	38	① ② ③ ④ ⑤	58	① ② ③ ④ ⑤
19	① ② ③ ④ ⑤	39	① ② ③ ④ ⑤	59	① ② ③ ④ ⑤
20	① ② ③ ④ ⑤	40	① ② ③ ④ ⑤	60	① ② ③ ④ ⑤

사람인형 NCS

연습용_60문항

직무능력평가

감독관
확인란

성명표기란

수험번호

(주민등록 앞자리 생년제외) 월일

수험생 유의사항

※ 답안은 반드시 컴퓨터용 사인펜으로 보기와 같이 바르게 표기하여야 합니다.
〈보기〉 ① ② ③ ● ⑤

※ 성명표기란 위 칸에는 성명을 한글로 쓰고 아래 칸에는 성명을 정확하게 표기하십시오. (맨 왼쪽 칸부터 표기하며 성과 이름은 붙여 씁니다)

※ 수험번호/월일 위 칸에는 아라비아 숫자로 쓰고 아래 칸에는 숫자와 일치하게 표기하십시오.

※ 월일은 반드시 본인 주민등록번호의 생년월일을 제외한 월 두 자리, 일 두 자리를 표기하십시오.
(예) 2002년 4월 1일 → 0401

문번	답란	문번	답란	문번	답란	문번	답란
1	① ② ③ ④ ⑤	21	① ② ③ ④ ⑤	41	① ② ③ ④ ⑤		
2	① ② ③ ④ ⑤	22	① ② ③ ④ ⑤	42	① ② ③ ④ ⑤		
3	① ② ③ ④ ⑤	23	① ② ③ ④ ⑤	43	① ② ③ ④ ⑤		
4	① ② ③ ④ ⑤	24	① ② ③ ④ ⑤	44	① ② ③ ④ ⑤		
5	① ② ③ ④ ⑤	25	① ② ③ ④ ⑤	45	① ② ③ ④ ⑤		
6	① ② ③ ④ ⑤	26	① ② ③ ④ ⑤	46	① ② ③ ④ ⑤		
7	① ② ③ ④ ⑤	27	① ② ③ ④ ⑤	47	① ② ③ ④ ⑤		
8	① ② ③ ④ ⑤	28	① ② ③ ④ ⑤	48	① ② ③ ④ ⑤		
9	① ② ③ ④ ⑤	29	① ② ③ ④ ⑤	49	① ② ③ ④ ⑤		
10	① ② ③ ④ ⑤	30	① ② ③ ④ ⑤	50	① ② ③ ④ ⑤		
11	① ② ③ ④ ⑤	31	① ② ③ ④ ⑤	51	① ② ③ ④ ⑤		
12	① ② ③ ④ ⑤	32	① ② ③ ④ ⑤	52	① ② ③ ④ ⑤		
13	① ② ③ ④ ⑤	33	① ② ③ ④ ⑤	53	① ② ③ ④ ⑤		
14	① ② ③ ④ ⑤	34	① ② ③ ④ ⑤	54	① ② ③ ④ ⑤		
15	① ② ③ ④ ⑤	35	① ② ③ ④ ⑤	55	① ② ③ ④ ⑤		
16	① ② ③ ④ ⑤	36	① ② ③ ④ ⑤	56	① ② ③ ④ ⑤		
17	① ② ③ ④ ⑤	37	① ② ③ ④ ⑤	57	① ② ③ ④ ⑤		
18	① ② ③ ④ ⑤	38	① ② ③ ④ ⑤	58	① ② ③ ④ ⑤		
19	① ② ③ ④ ⑤	39	① ② ③ ④ ⑤	59	① ② ③ ④ ⑤		
20	① ② ③ ④ ⑤	40	① ② ③ ④ ⑤	60	① ② ③ ④ ⑤		

gosi net (주)고시넷

고용보건복지_NCS

SOC_NCS

금융_NCS

저마다의 일생에는,

특히 그 일생이 동터 오르는 여명기에는

모든 것을 결정짓는 한 순간이 있다.

그 순간을 다시 찾아내는 것은 어렵다.

그것은 다른 수많은 순간들의 퇴적 속에

깊이 묻혀있다.

– 장 그르니에, 섬 LES ILES

직업기초능력평가

2022

고시넷 NCS

주요출제대행사 2

사람인형

(주)사람인HR

기출예상모의고사

| 직업기초능력평가 |

6회분

[주요출제기관] 한국중부발전, 한국전력거래소, 한국가스공사, 한국남부발전, 한전KPS, 국민연금공단, 경기도·부산·경상북도·전라남도 공공기관 통합채용 등

2쇄

정답과 해설

직업기초능력평가

2022

고시넷 NCS

사람인형

(주)사람인HR

기출예상모의고사

| 직업기초능력평가 |

2쇄

6회분

[주요출제기관] 한국중부발전, 한국전력거래소, 한국가스공사, 한국남부발전, 한전KPS, 국민연금공단, 경기도·부산·경상북도·전라남도 공공기관 통합채용 등

정답과 해설

gosinet
(주)고시넷

1회 기출예상모의고사
문제 20쪽

01	③	02	①	03	②	04	④	05	⑤
06	④	07	②	08	⑤	09	②	10	③
11	②	12	②	13	⑤	14	①	15	④
16	③	17	③	18	①	19	④	20	①
21	②	22	④	23	④	24	⑤	25	④
26	②	27	②	28	②	29	③	30	④
31	④	32	③	33	①	34	①	35	②
36	②	37	①	38	①	39	②	40	④
41	③	42	①	43	②	44	②	45	①
46	④	47	②	48	①	49	③	50	③

---

01 | 시간관리능력 | 효과적인 시간관리 방법 알기

| 정답 | ③

| 해설 | 이 팀장은 김 대리에게 일찍 일어나서 하루의 일정을 정리하고 생활리듬 속에서 일정을 꾸준히 관리하는 방법에 대해 소개하고 있다. 따라서 ③이 가장 적절하다.

---

02 | 시간관리능력 | 시간관리 방법 이해하기

| 정답 | ①

| 해설 | 김 과장은 잘못 걸린 전화에 끝까지 대화를 하거나, 이메일에 필요 없는 내용을 작성하거나, 이미 끝난 프로젝트에 관한 작업을 하는 등 불필요한 일에 시간을 소비하고 있다는 것을 알 수 있다. 따라서 김 과장에게는 불필요하게 낭비되는 시간을 줄여야 한다는 조언을 하는 것이 적절하다.

---

03 | 물적자원관리능력 | ERP 프로그램 이해하기

| 정답 | ②

| 해설 | ERP(전사적 자원관리)는 인사, 재무, 생산 등 기업의 전 부문에 걸쳐 독립적으로 운영되던 각종 관리시스템의 경영자원을 하나의 통합 시스템으로 재구축함으로써 생산성을 극대화하는 경영혁신기법을 의미한다. ERP 기법은 구축 후에는 비용을 절감할 수 있다는 장점이 있지만 초기 도입 시 구축하는 비용이 많이 든다는 단점이 있다.

> **보충 플러스+**
>
> 전사적 자원관리(ERP ; Enterprise Resource Planning)
> • 기업 내 생산, 물류, 재무, 회계, 영업, 구매, 재고 등 경영활동을 통합적으로 관리하는 프로그램으로, 기업에서 발생하는 정보를 통합적으로 실시간 공유할 수 있는 전사적 통합 시스템이다.
> • 기업의 원활한 재고관리를 위하여 제안된 MRP에서 시작되어 생산관리부문의 MRP Ⅱ를 거쳐 회계나 인사 등 조직이나 기업 간의 모든 업무영역을 대상으로 하는 시스템으로 발전했다.
> • 재고를 줄이고 업무수행 사이클을 단축시키며, 비용을 절감함으로써 기업이나 조직의 전반적인 운영 향상을 목적으로 한다.
> • 시간적, 공간적 한계를 초월하여 실시간으로 어느 곳에서든지 즉각적인 소통이 가능하다.

---

04 | 인적자원관리능력 | 조직의 수명주기 이해하기

| 정답 | ④

| 해설 | 조직의 라이프사이클(수명주기) 중 성숙기에서는 조직의 성장단계가 고점에 이르면서 성장속도가 둔화되고 조직구조가 경직되기 시작한다. 따라서 조직의 성숙기에서는 배치전환과 이직을 통해 인적자원의 유동성을 확보하고 안정적인 사업기반을 바탕으로 새로운 사업을 계획하는 것이 적절하다.

| 오답풀이 |

①, ⑤ 조직이 쇠퇴하여 조직 인력을 해체하는 쇠퇴기에 해당한다.

② 조직이 급성장하여 인적 자원의 양적 수요와 질적 수요가 모두 급증하는 성장기에 해당한다.

③ 창업 초기 조직의 성장력을 만들기 위해 전문화된 인력을 중점적으로 영입하는 도입기에 해당한다.

1회 기출예상문제

2회 기출예상문제

3회 기출예상문제

4회 기출예상문제

5회 기출예상문제

6회 기출예상문제

05 시간관리능력 최소 시간 계산하기

| 정답 | ⑤

| 해설 | 2시간에 생산할 수 있는 120개의 부품 중 불량품이 아닌 부품의 개수는 $120 \times 0.8 = 96$(개)이다. 총 부품을 생산하는 데 $25,600 \div 96 \times 2 = 533.33$(시간), 즉 534시간이 소요된다. 두 번째 조건에 따라 하루에 가능한 자동생산라인 가동시간은 최대 6시간이므로 계약한 부품 생산에 최소 $534 \div 6 = 89$(일)이 필요하다.

06 예산관리능력 관세금액 계산하기

| 정답 | ④

| 해설 |
• A 사원의 관세금액은 다음과 같다.

$120 \times 0.07 + 120 \times 0.12 + 80 \times 0.09 + 12 \times 0.13 + 13 \times 0.08$
$= 8.4 + 14.4 + 7.2 + 1.56 + 1.04 = 32.6$(만 원)

즉, 326,000원이다.

• B 대리의 관세금액은 다음과 같다.

$200 \times 0.08 + 100 \times 0.08 + 90 \times 0.09 + 40 \times 0.11 + 30 \times 0.10$
$= 16 + 8 + 8.1 + 4.4 + 3 = 39.5$

즉, 395,000원이다.

07 물적자원관리능력 공급원칙에 따라 제품 생산하기

| 정답 | ②

| 해설 | 공장은 개당 생산비가 저렴한 순서대로 가동되므로 8번부터 역순으로 제품을 생산한다.

㉠ 다음 날인 수요일의 예측 수요량은 160개이므로 〈공급원칙〉에 따라 화요일에는 8번부터 6번 공장까지 가동되어 각각 100개, 40개, 20개씩 총 160개를 생산한다. 따라서 화요일 제품 X의 시장 가격은 가동되는 공장 중 생산비가 가장 비싼 6번 공장의 생산비인 개당 100원이다.

㉡ 목요일의 다음 날인 금요일의 예측 수요량은 한 주에서 가장 많은 220개이므로 목요일에는 8번부터 3번 공장까지 가동되어 총 230개를 생산한다. 따라서 목요일에 가동되지 않는 공장은 1번, 2번 공장으로 총 2개이다.

㉢ 다음 날인 일요일의 예측 수요량은 160개이므로 토요일에는 8번부터 6번 공장까지 가동된다. 이때 제품 X의 개당 시장가격은 이 중 생산비가 가장 비싼 6번 공장의

생산비인 100원이므로 6번 공장에 의해 발생하는 제품 X의 순이익은 0원이다.

| 오답풀이 |

㉣ 제품 순이익의 최댓값은 곧 한 주에서 가장 많은 생산량을 기록할 때와 직결된다. 따라서 목요일에 220개를 생산하면 제품 X의 시장 가격은 3번 공장의 생산비인 개당 160원이므로 7번 공장의 생산비인 개당 80원을 기준으로 기대할 수 있는 순이익의 최댓값은 $160 - 80 = 80$(원)이다.

08 예산관리능력 직접비 파악하기

| 정답 | ⑤

| 해설 | 제시된 항목에서 직접비는 인건비, 출장비, PC구입비, 건물임대료이다. 따라서 인건비는 $1,200 - 150 - 500 - 200 = 350$(만 원)이다.

09 예산관리능력 가용예산 활용하기

| 정답 | ②

| 해설 | 현재 확보한 예산 50억 원으로는 주민들이 가장 원하는 수영장을 지을 수 없다.

| 오답풀이 |

①, ③, ⑤ 문체부 권고 기준을 충족하려면 야구장 한 개, 풋살장 한 개, 수영장 한 개를 더 지어야 한다. 이에 따라 필요한 비용은 $30 + 20 + 60 = 110$(억 원)이므로, 예비비 예산 적용 시 건축 가능하다.

10 예산관리능력 지불해야 할 비용 계산하기

| 정답 | ③

| 해설 | 각각의 팀마다 받게 되는 왕만두를 계산하면 다음과 같다.

• 경영기획팀 : 필요한 왕만두는 최소 16개이므로, 2상자를 전달한다.

• 경영지원팀 : 필요한 왕만두는 최소 20개이므로, 3상자를 전달한다.

• 인사기획팀 : 필요한 왕만두는 최소 12개이므로, 2상자를 전달한다.

- IR팀 : 필요한 왕만두는 최소 10개이므로, 2상자를 전달한다.
- 회계팀 : 필요한 왕만두는 최소 22개이므로, 3상자를 전달한다.
- 홍보팀 : 필요한 왕만두는 최소 10개이므로, 2상자를 전달한다.
- 재무팀 : 필요한 왕만두는 최소 16개이므로, 2상자를 전달한다.
- 구매팀 : 필요한 왕만두는 최소 10개이므로, 2상자를 전달한다.
- 총무팀 : 필요한 왕만두는 최소 12개이므로, 2상자를 전달한다.
- 영업1팀 : 필요한 왕만두는 최소 20개이므로, 3상자를 전달한다.
- 법무팀 : 필요한 왕만두는 최소 14개이므로, 2상자를 전달한다.
- 영업2팀 : 필요한 왕만두는 최소 24개이므로, 3상자를 전달한다.

따라서 필요한 왕만두는 총 28상자이다. 20상자를 사면 한 상자를 덤으로 준다고 했으므로, 계산해야 할 왕만두는 총 27상자이다. 따라서 $5,000 \times 27 = 135,000$(원)이다.

11 문서작성능력 문서작성 시 주의사항 이해하기

| 정답 | ②

| 해설 | 문서를 작성할 때에는 주요한 내용이 담겨져 있는 결론 부분을 먼저 쓰도록 한다.

보충 플러스+

직장 내 문서작성의 원칙
- 문장은 짧고 간결하게 작성한다.
- 상대방이 이해하기 쉽게 작성한다.
- 불필요한 한자의 사용은 배제한다.
- 간결체로 작성한다.
- 긍정문으로 작성한다.
- 간단한 표제를 붙인다.
- 문서의 주요한 내용을 먼저 쓰도록 한다.

12 문서이해능력 스놉 효과 이해하기

| 정답 | ②

| 해설 | 스놉 효과는 고급스러운 제품이 시장에 처음 나왔을 때 그 제품을 신속하게 구매하는 형식으로 나타난다고 했다. 따라서 신제품이기만 하면 잘 팔리는 것이 아니라 고급스러운 신제품이어야만 잘 팔리는 것을 알 수 있다.

13 문서이해능력 글의 내용 적용하기

| 정답 | ⑤

| 해설 | 유명 연예인을 모델로 사용한다면 상품의 대중성이 올라가 다수의 새로운 고객이 유입될 가능성이 커진다. 따라서 스놉 효과를 활용한 마케팅 전략으로 적절하지 않다.

14 문서작성능력 보고서의 구성 요소 파악하기

| 정답 | ①

| 해설 | 제시된 논리 구성에 따르면 시작 부분에는 '왜 이 사업을 하는가?(왜 보고를 하는가?)', '왜 이런 과제가 주어졌을까?'에 대한 내용이 들어가야 한다. 따라서 이와 관련된 구성항목으로는 '제목, 개요, 추진 배경'이 적절하다.

| 오답풀이 |

ⓒ 중간 부분에는 현황, 문제점과 원인, 해결방안이 들어갈 수 있다.

ⓒ 마무리 부분에는 기대효과, 조치 사항이 들어갈 수 있다.

15 문서작성능력 적절한 소제목 찾기

| 정답 | ④

| 해설 | ㉠ 자신의 과거를 돌아보고 흐름을 보지 못하면 진정 본인이 가지고 있는 강점을 발견하기가 쉽지 않다고 하고 있으므로, '자기 강점 찾기'가 적절하다.

ⓒ 가상현실 속에서 자신을 이미징하기 위해 중요한 것은 나를 표현할 수 있는 콘텐츠를 가공 생산하는 공장이 필요하고 이러한 공장에서 생산된 콘텐츠를 널리 유통시키기 위해 채널이 필요하다고 하고 있으므로, '이미징하기'가 적절하다.

www.gosinet.co.kr gosinet

1회 기출예상문제

2회 기출예상문제

3회 기출예상문제

4회 기출예상문제

5회 기출예상문제

6회 기출예상문제

ⓒ 나만의 콘텐츠를 가상현실에서 가공해서 생산하고 퍼트리는 작업을 통해 가상현실 속에서 본인의 컬러를 만들어 가는 작업이 반드시 필요하다고 하고 있으므로, '스토리 콘텐츠 개발하기'가 적절하다.

ⓔ 네트워크 효과는 쉽게 말하면 흔히 우리가 알고 있는 복리 효과와 동일하다고 하고 있으므로, '네트워크 효과 활용하기'가 적절하다.

16 경청능력 경청 후 반응의 규칙 이해하기

|정답| ③

|해설| 상대방의 말에 반응을 하는 데는 세 가지 규칙이 있다. 피드백의 효과를 극대화시키려면 즉각적이고, 정직하며, 지지하는 자세로 대해야 한다는 것이다. 즉각적인 것은 피드백의 효과는 시간이 흐를수록 영향이 줄어들기 때문에 상대방의 말을 이해하자마자 피드백을 주어야 한다는 것이다. 정직함은 상대방에게 잘못됐다고 생각한 점까지 솔직하게 말할 수 있어야 한다는 것이다. 지지함은 정직함을 갖추되 상대방에게 상처 줄 정도로 잔인해서는 안된다는 것이다. 따라서 ㉠-즉각적, ㉡-정직함, ㉢-지지함이 적절하다.

17 문서이해능력 글을 읽고 추론하기

|정답| ③

|해설| 맹그로브 나무가 살기 어려워지는 이유는 지구온난화로 해수면이 높아지기 때문이라고 했으므로 사막화는 적절한 추론이 아니다.

|오답풀이|

① 맹그로브 나무는 멸종위기종의 서식지가 된다고 했으므로 적절하다.

② 태풍이 왔을 때 바람을 막아 주는 역할을 한다고 했으므로 적절하다.

④ 물고기의 산란장소, 은신처가 되어 준다고 했으므로 적절하다.

⑤ 맹그로브 나무는 소나무에 비해 3배 정도 높은 이산화탄소 흡수량을 가지고 있다고 했으므로 적절하다.

18 문서이해능력 세부내용 이해하기

|정답| ①

|해설| 네 번째 항목을 통해 알 수 있는 내용이다.

|오답풀이|

② 내장형 동물등록이 의무인 것이 아니라 주택·준주택에서 기르거나, 반려 목적으로 기르는 월령 2개월 이상의 개에 대한 동물등록이 의무이며, 외장 인식표 사용이 금지된 것도 아니다.

③ P시 소재 800여 개 동물병원 중 600여 개 동물병원이 참여하고 있으므로, 어디든 가까운 곳으로 가면 되는 것은 아니다.

④ 펫숍에서 반려견을 구매(입양)할 경우 판매업소가 동물등록을 신청해야 한다.

⑤ P시 시민이 기르는 반려견이 지원대상이다.

19 문서작성능력 글을 작성할 시 고려할 사항 추론하기

|정답| ④

|해설| 정부의 감축 계획은 언급하고 있지만, 구체적인 규제 방법에 대해서는 제시하고 있지 않다.

|오답풀이|

① NOAA의 기후현황보고서, 기상청 자료 등을 통해 지구온난화가 심화되고 있다는 주장의 근거 내용을 제시하고 있다.

② '무엇이 있을까?'와 같은 질문을 던져 주의를 환기시키고 있다.

③ 글의 서두에 제시하고 있다.

⑤ 유엔기후변화협약, 교토의정서, 파리협약 등에 대해 소개하고 있다.

20 문서이해능력 회의 자료로 사용하기

|정답| ①

|해설| 제시된 글의 중심이 되는 소재는 지구온난화와 온실가스 배출 감소 등의 대책 마련이다. 따라서 화력발전량의 일정비율을 신재생에너지로 공급하는 기관에서 회의 자료로 사용하기에 가장 적절하다.

21 문제해결능력 탐색형 문제 이해하기

| 정답 | ②

| 해설 | 신규 사업 창출은 미래에 대응하는 경영 전략 문제인 설정형 문제에 해당한다. 설정형 문제는 '앞으로 어떻게 할 것인가'에 대한 문제로, 기존과 관계없이 미래지향적인 새 과제와 목표를 설정함에 따라 발생하는 문제이다.

22 문제처리능력 대응 방안 마련하기

| 정답 | ④

| 해설 | ㄱ. 만성피로에 지쳤다는 유사한 상황에 처한 소비자들로서 조건을 만족한다.

ㄴ. 다른 소비자들과 차이를 가지는 집단에 해당한다.

| 오답풀이 |

ㄷ. 모든 시장을 상대할 수 없으므로 모든 고객의 원하는 바를 충족시키려는 방안은 적절하지 않다.

23 사고력 논리적 오류 찾아내기

| 정답 | ④

| 해설 | 원천봉쇄의 오류는 어떤 특정 주장에 대한 반론이 일어날 수 있는 유일한 원천을 비판하면서 반박 자체를 막아 자신의 주장을 옹호하고자 하는 논리적 오류이다. 제시된 예시들에서는 공통적으로 이와 같은 논리적 오류를 범하고 있음을 알 수 있다.

| 오답풀이 |

① 무지에 호소하는 오류는 전제가 지금까지 거짓으로 증명되어 있지 않은 것을 근거로 참임을 주장하거나, 전제가 참으로 증명되어 있지 않은 것을 근거로 거짓임을 주장하는 오류이다.

② 애매성의 오류는 논증에 사용된 개념이 둘 이상으로 해석될 수 있을 때 상황에 맞지 않게 해석하여 생기는 오류이다.

③ 허수아비 공격의 오류는 상대방의 본래 논리를 반박하기 쉬운 다른 논점으로 변형, 왜곡하여 비약된 반론을 하는 오류이다.

⑤ 인신공격의 오류는 주장하는 논리와는 관계없이 상대방의 인품, 과거의 행적 등을 트집 잡아 인격을 손상하면서 주장이 틀렸다고 비판하는 오류이다.

24 문제처리능력 목적에 부합한 주의사항 공지하기

| 정답 | ⑤

| 해설 | 관리소장의 목적은 승강기 안전사고와 관련하여 주의사항을 공지해 입주민들의 행동을 촉구하는 것이다. 따라서 ⑤의 내용 조직이 가장 목적에 부합한다.

25 문제처리능력 회의시간 정하기

| 정답 | ④

| 해설 | 서울 기준으로 오후 12시 ~ 오후 01시일 경우 각 지사의 시간은 다음과 같다.

• 호주 : 오후 12시 ~ 오후 01시(서머타임 적용)

• 마드리드 : 오전 10시 ~ 오전 11시

• 마닐라 : 오후 3시 ~ 오후 4시

• 두바이 : 오후 5시 ~ 오후 6시(서머타임 적용)

따라서 모든 지사에서 회의를 진행할 수 있다.

| 오답풀이 |

① 마드리드의 현지 시간은 오전 7시 ~ 오전 8시로 업무시간이 아니다.

② 마드리드의 현지 시간은 오전 8시 ~ 오전 9시로 업무시간이 아니다.

③ 서울과 호주 지사의 점심시간과 겹친다.

⑤ 마드리드 지사의 점심시간과 겹친다.

26 문제처리능력 당번을 맡을 사람 추론하기

| 정답 | ②

| 해설 | 먼저 11월 1일부터 11월 5일까지는 김 부장이 당번을 맡는다. 11월 8일부터 11월 12일까지는 박 과장이 당번을 맡는다. 11월 15일부터 11월 19일까지는 이 과장이 당번을 맡아야 하는데, 휴가예정일이 두 주에 걸쳐 있으므로 다다음 당번인 김 부장과 순서를 바꿔 김 부장이 당번을 맡는다. 11월 22일부터 11월 26일까지는 최 대리가 당번을 맡고, 11월 29일부터 12월 3일까지는 김 부장과 순서를 바꾼 이 과장이 당번을 맡게 된다.

www.gosinet.co.kr gosinet

1회 기출예상문제

2회 기출예상문제

3회 기출예상문제

4회 기출예상문제

5회 기출예상문제

6회 기출예상문제

27 문제처리능력 적절한 답변 추론하기

|정답| ④

|해설| 문제에서 제기한 의문 사항은 왜 투명 페트병을 다른 플라스틱과 분리하여 배출해야 한다는 점이다. '폐플라스틱을 회수하면 판매자가 이를 재사용하여 제품의 가격을 낮출 수 있다'는 것은 투명 페트병을 분리해야 하는 이유가 아닌, 일반 폐플라스틱을 분리수거하는 이유에 해당하므로 문제에서 제기한 의문 사항의 답변으로 적절하지 않다.

28 문제처리능력 출장비 계산하기

|정답| ③

|해설| 각 직원의 출장비는 다음과 같다.

• 갑 대리

숙박비 : $90,000 \times 2 = 180,000$(원)

식비 : $50,000 + 100,000 + 50,000 = 200,000$(원)

교통비 : 70,000원

총 $180,000 + 200,000 + 70,000 = 450,000$(원)

• 을 대리

숙박비 : $70,000 \times 3 = 210,000$(원)

식비 : $60,000 + 120,000 + 50,000 + 50,000 = 280,000$(원)

교통비 : 100,000원

총 $210,000 + 280,000 + 100,000 = 590,000$(원)

• 병 차장

숙박비 : 80,000원

식비 : $100,000 + 120,000 = 220,000$(원)

교통비 : 130,000원

총 $80,000 + 220,000 + 130,000 = 430,000$(원)

따라서 기획팀에 지급해야 할 출장비는 총 $450,000 + 590,000 + 430,000 = 1,470,000$(원)이다.

29 문제처리능력 관리규정 적용하기

|정답| ③

|해설| 폐기보류로 구분된 기록물은 제17조 제4항에 의해 5년마다 보존가치를 재평가한다.

|오답풀이|

① 기록물의 보존기한은 제16조 제2항에 의해 기록물분류기준표를 기준으로 처리부서의 장이 기록물질단위로 정한다.

② 기록물의 폐기 방법에 대하여는 제시되어 있지 않다.

④ 제17조 제3항에서 보존기간이 경과된 문서는 처리부서의 장이 기록물평가심의서를 작성하여 기록물관리부서의 장에게 제출하도록 하고 있다.

⑤ 제16조 제3항에서 보존기간의 기산일은 해당 기록물의 처리가 완결된 날이 속하는 다음 연도의 1월 1일로 하며, 기록물의 처리가 여러 해에 걸쳐서 진행된 경우 해당 과제가 종결된 날이 속하는 다음 연도의 1월 1일을 기산일로 한다고 규정하고 있다. 즉 상반기에 완료된 사업 관련 문서는 그 다음 해 1월 1일로 그 보존기간이 책정된다.

30 문제처리능력 기록물의 보존기간 파악하기

|정답| ④

|해설| 영구 7. 항목에 해당하므로 적절하다.

|오답풀이|

① 영구의 16. 공사 사장 및 주요직위자의 공식적인 연설문, 기고문, 인터뷰 자료 및 공사의 공식적인 브리핑 자료이므로 '영구'가 적절하다.

② 30년의 2. 공사의 사장, 본부장 등의 결재를 필요로 하는 일반적인 사항에 관한 기록물이므로 '30년'이 적절하다.

③ 영구의 12. 공사의 연도별 업무계획과 이에 대한 추진과정, 결과 및 심사분석 관련 기록물, 외부기관의 공사에 대한 평가에 관한 기록물이므로 '영구'가 적절하다.

⑤ 영구의 14.의 정책자료집과 백서에 해당되므로 '영구'가 적절하다.

31 업무이해능력 프로젝트 진행 우려 사항 파악하기

|정답| ④

|해설| D 차장은 개인 일정을 이유로 목요일 주간 업무 회의 불참을 선언하고 있다. 이는 개인 문제로 조직과 업무에 지장을 주는 태도이므로 적절하지 않은 발언이다.

32 경영이해능력 본원적 경쟁전략 이해하기

| 정답 | ③

| 해설 | 제시된 시장환경은 기존 제품 간 경쟁이 치열하며 수요보다 공급이 더 많고, 제품의 차별화가 어려운 상황이다. 따라서 판매 가격을 최대한 낮추는 비용우위 경쟁전략을 선택하는 것이 가장 적절하다.

| 오답풀이 |

① 차별화를 시도했으나 기존 판매 제품에 비해 수익성이 떨어졌다고 했으므로 적절한 전략이 아니다.

②, ④ 특정 소비자 집단에 맞추기 위해서는 소비자 조사를 선행적으로 시행해야 하는 물리적 어려움이 존재한다고 했으므로 적절한 전략이 아니다.

⑤ 이미 기존 제품 간 경쟁이 치열한 상황이라 했으므로 브랜드 인지도 향상은 적절한 전략이 아니다.

33 경영이해능력 경영자의 역할 이해하기

| 정답 | ①

| 해설 | 민츠버그는 경영자의 역할을 다음과 같이 분류하였다.

대인관계역할	정보전달역할	의사결정역할
• 대표자 • 리더 • 연결자	• 정보탐색자 • 정보보급자 • 대변인	• 기업자 • 문제해결자 • 자원분배자 • 중재자

회사를 대표해서 공식적 역할을 수행하는 대표자(Figure head) 역할과 종업원에게 동기를 부여하고 갈등을 조절하고, 종업원을 채용·교육 교육하는 리더(Leader)로서의 역할은 모두 경영자의 역할이다. 기업 외부와의 네트워크를 유지하고 기업의 강점을 홍보하여 기업을 알리는 역할은 기업의 정보를 전달하는 대변인(Spokesman)의 역할이다. 조직의 혁신을 구축하는 기업가(Entrepreneur), 외부의 환경변화에 대응하는 문제해결자(Disturbance Handler), 기업 내외의 집단과의 협상을 중재하는 중재자(Negotiator)는 기업의 의사를 결정하는 경영자의 역할이다.

34 조직이해능력 조직설계의 핵심요소 파악하기

| 정답 | ①

| 해설 | 공식화는 조직내부가 얼마나 문서화되었는가를 의미하는 척도이다. 도요타는 문서화된 절차(업무처리방법의 표준화)의 선순환으로 수만 개의 사내 규정과 명확한 업무 구성표를 확립할 수 있었고, 이런 공식화를 통해 세계적 기업이 될 수 있었다.

35 조직이해능력 조직 관리 관련 법률 이해하기

| 정답 | ②

| 해설 | ㉠ 생산성이 다소 떨어지더라도 최소한의 임금은 지급하는 것이므로 최저임금법의 취지와 유사하다.

㉡ 밑줄 친 내용의 취지는 건축주에게 강력한 책임을 물어 노동자를 보호하는 것이다. 따라서 재해 예방과 근로자의 복지를 증진하여 근로자 보호에 이바지하는 것을 목적으로 하는 산업재해보상보험법과 유사하다.

36 경영이해능력 전략의 실패요인 파악하기

| 정답 | ③

| 해설 | 버거킹과 맥도날드는 서로의 경쟁에만 치중하느라 가장 중요한 고객만족을 간과하고 말았다. 변화하는 고객의 요구와 만족의 조건을 파악하는 데에 소홀했던 점이 실패의 가장 큰 이유이다.

37 경영이해능력 경영 전략 파악하기

| 정답 | ①

| 해설 | 이케아는 낮은 가격을 유지하기 위해 가구를 가능한 작고 납작하게 포장하는 방식으로 운송비와 노동비를 줄여 원가우위를 획득하고 있다. 또한 다른 가구업체와 다르게 육각렌치 전략을 통해 고객들에게 조립의 경험을 제공하고, 카탈로그를 통한 마케팅 수단을 활용하는 방식으로 다른 기업과의 차별성을 추구하고 있다.

1회 기출예상문제

2회 기출예상문제

3회 기출예상문제

4회 기출예상문제

5회 기출예상문제

6회 기출예상문제

38 경영이해능력 원가우위 전략 이해하기

| 정답 | ①

| 해설 | 원가우위 전략은 타사보다 낮은 원가를 설정하여 가격 경쟁에서 우위를 확보하려는 것이다. 'ㄱ'과 같이 브랜드의 선호도와 인지도를 내세우는 전략은 차별화 전략에 해당한다.

39 체제이해능력 조직구조 이해하기

| 정답 | ②

| 해설 | 문제의 조직도는 최고 경영자 아래 회사의 직접적인 사업 관련 업무를 수행하는 사업부 단위의 라인 조직(직계 조직)과 기획 · 총무 · 영업 등의 관리 업무를 수행하는 스태프 조직(참모 조직)으로 구성되어 있는 라인-스태프 조직(직계참모조직)에 해당한다.

라인-스태프 조직에서의 스태프 조직은 라인 조직의 장점인 명령일원화의 원칙을 유지하면서 의사결정자의 독단적인 판단을 방지할 수 있는 참모의 기능도 수행하고, 동시에 전문화된 라인 조직의 업무(특히 사무운영에 관한 업무)를 보조하는 역할을 수행한다.

라인-스태프 조직은 라인 조직의 중간관리자들이 해당 라인의 사무운영 업무까지 모두 수행하기 힘들 정도로 기업의 규모가 큰 경우에 효과적인 조직 구성이다.

40 체제이해능력 조직문화 이해하기

| 정답 | ④

| 해설 | 디즈니는 고객에게 최상의 만족감을 제공하기 위해 고객의 '경험'을 최우선 가치로 여긴다고 하였고 병원에서도 환자들은 질병이 치료된 방식이 아니라 한 인간으로서 자신이 돌보아진 방식을 가지고 판단한다고 하였으므로 사람에 대한 배려가 중요하다는 것을 나타내고 있다.

41 기초연산능력 연산 적용하기

| 정답 | ③

| 해설 | $[\{(1\blacklozenge7)\blacklozenge8\}\blacklozenge9]\times2+5=\{(1\blacklozenge8)\blacklozenge9\}\times2+5=(1\blacklozenge9)\times2+5=1\times2+5=7$

42 기초연산능력 금액 계산하기

| 정답 | ②

| 해설 | 최소 금액으로 볼펜을 구매하기 위해서는 한 곳에서 31개의 볼펜을 구매해야 한다. 각 판매처별로 볼펜 31개를 구매하기 위한 지불 금액을 계산하면 다음과 같다.

• 판매처 A : $1,560\times31+4,300=52,660$(원)

• 판매처 B : $1,550\times31+4,500=52,550$(원)

• 판매처 C : $1,540\times31+5,000=52,740$(원)

따라서 이 대리가 볼펜 구매에 지불할 최소 금액은 52,550원이다.

43 도표분석능력 자료의 수치 분석하기

| 정답 | ③

| 해설 | 5개 도시의 월별 미세먼지(PM2.5) 대기오염도 평균을 구하면 다음과 같다.

• 1월 : $\dfrac{29+27+21+26+27}{5}=26(\mu g/m^3)$

• 2월 : $\dfrac{28+23+22+26+21}{5}=24(\mu g/m^3)$

• 3월 : $\dfrac{25+21+16+20+18}{5}=20(\mu g/m^3)$

• 4월 : $\dfrac{21+16+17+18+17}{5}=17.8(\mu g/m^3)$

• 5월 : $\dfrac{19+15+17+20+18}{5}=17.8(\mu g/m^3)$

따라서 미세먼지(PM2.5) 대기오염도는 평균적으로 1월에 가장 높았다.

| 오답풀이 |

① 1월, 3월은 부산이 가장 낮았고, 2월은 광주가 가장 낮았으며, 4월, 5월은 인천이 가장 낮았다.

② 1 ~ 4월은 서울이 가장 높았으나 5월은 대구가 가장 높았다.

④ 부산의 경우 2월, 4월에 증가, 5월에 동일하였고, 대구의 경우 2월에 동일, 5월에 증가하였으며, 광주의 경우 5월에 증가하였다.

⑤ 조사기간 중 가장 낮은 수치를 기록한 곳은 5월에 $15\mu g/m^3$를 기록한 인천이다.

44 기초연산능력 | 시침과 분침 사이의 각도 구하기

| 정답 | ②

| 해설 | 시침은 $360 \div 12 \div 60 = 0.5$이므로 1분에 0.5°씩, 분침은 $360 \div 60 = 6$이므로 1분에 6°씩 회전하므로 시침과 분침이 231°를 이룬 시각을 12시 x분이라 하면 12시 정각에 둘이 일치한 위치에서부터 시침은 $0.5x$°, 분침은 $6x$°만큼 회전한다.

$6x - 0.5x = 231$

$5.5x = 231$

$\therefore x = 42$

따라서 시침과 분침이 231°를 이룬 시각은 12시 42분이다.

45 도표분석능력 | 자료를 바탕으로 수치 계산하기

| 정답 | ①

| 해설 | 엔진 종류별 압축비는 다음과 같다.

- 직렬 6기통 : $\dfrac{125 + 16}{16} \fallingdotseq 8.8$

- V형 6기통 : $\dfrac{250 + 20}{20} = 13.5$

- 직렬 4기통 : $\dfrac{250 + 15}{15} \fallingdotseq 17.7$

- 수평대향 6기통 : $\dfrac{300 + 18}{18} \fallingdotseq 17.7$

- V형 8기통 : $\dfrac{375 + 15}{15} = 26$

따라서 압축비가 가장 큰 엔진은 V형 8기통, 가장 작은 엔진은 직렬 6기통이다.

46 도표분석능력 | 영화 순위표 분석하기

| 정답 | ④

| 해설 | '오퍼나지'와 '동감'의 스크린당 관객 수는 다음과 같다.

- 오퍼나지 : $\dfrac{491,532}{1,081} \fallingdotseq 454.70$(명)

- 동감 : $\dfrac{464,015}{837} \fallingdotseq 554.38$(명)

따라서 스크린당 관객 수는 동감이 오퍼나지보다 많다.

| 오답풀이 |

① C사가 배급한 영화는 신세계, 비커밍제인, 오퍼나지 3개로 가장 많다.

② 5월 6일에 만 12세와 만 13세가 함께 볼 수 있는 영화는 위대한 쇼맨, 패왕별희, 비커밍제인, 언더워터로 4편이다.

③ 신세계의 관객 수는 4,808,821로 언더워터의 관객 수보다 $\dfrac{4,808,821}{393,524} \fallingdotseq 12$(배) 더 많다.

⑤ 4월 개봉작의 총 관객 수는 9,776,931명, 5월 개봉작의 총 관객 수는 5,354,595명으로 4월 개봉작의 총 관객 수가 더 많다.

47 도표분석능력 | 자료의 수치 분석하기

| 정답 | ②

| 해설 | ㄷ. 20X9년 프랑스의 인구가 6,500만 명이라면 사망자는 $65,000,000 \times \dfrac{9}{1,000} = 585,000$(명)이다.

| 오답풀이 |

ㄱ. 유럽 5개 국가에 대한 자료만 제시되어 있으므로 유럽에서 기대수명이 가장 낮은 국가가 그리스인지는 알 수 없다.

ㄴ. 독일은 영국보다 인구 만 명당 의사 수가 많지만 다른 나라보다 조사망률이 더 높다.

48 기초연산능력 | 안타와 홈런 개수 구하기

| 정답 | ①

| 해설 | 3아웃으로 공수가 교대되고, 아웃의 경우 1점이 감점되기 때문에 매 회마다 3점이 감점된다. 청팀과 홍팀의 감점(아웃)을 제외한 점수와 각각의 점수가 나올 수 있는 경우는 다음과 같다.

www.gosinet.co.kr gosinet

1회 기출예상문제

2회 기출예상문제

3회 기출예상문제

4회 기출예상문제

5회 기출예상문제

6회 기출예상문제

• 청팀

구분	1회	2회	3회	4회	5회
점수	5점	7점	5점	4점	2점
3아웃	−3점	−3점	−3점	−3점	−3점
감점을 제외한 점수	8점	10점	8점	7점	5점
홈런과 안타의 개수	안타 4개	홈런 2개 또는 안타 5개	안타 4개	홈런 1개 안타 1개	홈런 1개

청팀 선수들의 총 타석수는 $4 \times 4 + 3 \times 5 = 31$(타석)이고, 5회까지 총 15명이 아웃되므로 $31 - 15 = 16$(번)의 타석에서 안타 또는 홈런이 나왔음을 알 수 있다. 따라서 2회에는 안타 5개를 친 것이 된다.

∴ 안타 $4 + 5 + 4 + 1 = 14$(개), 홈런 $1 + 1 = 2$(개)

• 홍팀

구분	1회	2회	3회	4회	5회
점수	3점	6점	8점	7점	4점
3아웃	−3점	−3점	−3점	−3점	−3점
감점을 제외한 점수	6점	9점	11점	10점	7점
홈런과 안타의 개수	안타 3개	홈런 1개 안타 2개	홈런 1개 안타 3개	홈런 2개 또는 안타 5개	홈런 1개 안타 1개

홍팀 선수들의 총 타석수는 $4 \times 2 + 3 \times 7 = 29$(타석)이고, 5회까지 총 15명이 아웃되므로 $29 - 15 = 14$(번)의 타석에서 안타 또는 홈런이 나왔음을 알 수 있다. 따라서 4회에는 홈런 2개를 친 것이 된다.

∴ 안타 $3 + 2 + 3 + 1 = 9$(개), 홈런 $1 + 1 + 2 + 1 = 5$(개)

따라서 안타를 더 많이 친 팀은 청팀이고, 그 팀의 홈런 개수는 2개이다.

49 도표분석능력 자료 해석하기

|정답| ③

|해설| 노르웨이와 한국을 비교해 보면 한국이 노르웨이보다 아빠전속 육아휴직 기간이 5배 이상 길지만 노르웨이의 소득대체율이 더 높은 것을 알 수 있다. 따라서 육아휴직 기간이 길수록 소득대체율이 높은 것은 아니다.

|오답풀이|
① 육아휴직 사용자 중 남성의 비중이 가장 큰 국가는 아이슬란드로 45.6%이고, 가장 작은 국가는 일본으로 2.3%이다. 두 국가의 차이는 $45.6 - 2.3 = 43.3$(%p)이다.

② 아이슬란드 남성의 육아휴직 사용 비중은 45.6%로 가장 높지만 아빠전속 육아휴직 기간은 13주로 일본, 포르투갈, 한국 등에 비해 짧다.

④ 일본의 아빠전속 육아휴직 기간은 52주로 포르투갈의 17.3주보다 3배 이상 길다.

⑤ 아빠전속 육아휴직 기간이 가장 긴 국가는 일본과 한국의 52주, 가장 짧은 국가는 6주의 핀란드로 그 차이는 46주이다.

50 도표분석능력 도표 이해하기

|정답| ③

|해설| 2017년 1인 가구의 구성비는 28.5%고, 부부와 자녀로 이루어진 가구의 구성비는 31.4%이다. 따라서 부부와 자녀로 이루어진 가구수가 더 많은 비율을 차지한다.

2회 기출예상모의고사

문제 60쪽

01 ③	02 ⑤	03 ③	04 ⑤	05 ②
06 ③	07 ④	08 ⑤	09 ①	10 ③
11 ③	12 ②	13 ④	14 ⑤	15 ④
16 ⑤	17 ③	18 ②	19 ②	20 ②
21 ③	22 ②	23 ③	24 ④	25 ②
26 ②	27 ⑤	28 ④	29 ⑤	30 ④
31 ②	32 ②	33 ①	34 ①	35 ④
36 ③	37 ⑤	38 ③	39 ④	40 ③
41 ③	42 ③	43 ②	44 ②	45 ①
46 ②	47 ②	48 ⑤	49 ②	50 ⑤

01 문서이해능력 자료 이해하기

|정답| ③

|해설| 나쁜 인상을 주는 자기소개서 3위는 34.9%를 받은 다른 것을 옮겨 쓴 듯한 자기소개서이다. 따라서 지원한 회사에 입사한 선배의 자기소개서를 모방하는 것은 적절하지 않다.

02 문서이해능력 세부 내용 이해하기

|정답| ⑤

|해설| 강의 회차별 선정 도서 목록은 제시하지 않았다.

03 문서작성능력 적절한 답변 방향 파악하기

|정답| ③

|해설| 자신의 장점을 살려 조직에서 수행할 수 있는 업무와 이를 수행할 준비가 되어 있다는 것을 표현하는 것은 적절하다.

|오답풀이|

① 인터넷을 사용하지 않는다는 답변은 극단적인 대답으로, 오히려 닫힌 사람이라는 인식을 줄 수도 있다.

② 사회적 활동 범위를 알고자 하는 것이 아닌 독서의 폭을 보는 것일 수도 있으며, 후배들을 소개하는 것 또한 질문에 벗어난 대답이다.

④ 작심삼일로 끝난 경험들을 나열하는 것은 도움이 되지 않는 답변이다.

⑤ 주변에서 개선이 필요한 것을 발견하고 개선한 사례를 묻는 의도는 지원자의 적극적 자세와 문제해결 능력을 알기 위한 것으로, 불평불만이 많거나 예민한 사람으로 볼 것이라는 판단은 적절하지 않다.

04 문서이해능력 세부 내용 이해하기

|정답| ⑤

|해설| 마지막 문단에 따르면 이부프로펜은 6 ~ 8시간, 덱시부프로펜은 4 ~ 6시간 간격으로 복용한다.

05 문서작성능력 문장 순서 배열하기

|정답| ②

|해설| 먼저 체온에 대해 언급한 ㉠이 제시되고 정상 체온 이상의 경우에 대해 설명하는 ㉢이 연결된다. 이어 '열이 난다'에 대해 보충 설명하는 ㉤과 ㉣이 이어지며 마지막으로 해열제를 복용해야 하는 상황인 ㉡이 이어지는 것이 자연스럽다. 따라서 글의 순서는 ㉠-㉢-㉤-㉣-㉡이다.

06 문서이해능력 세부 내용 이해하기

|정답| ③

|해설| 첫 번째 문단의 '1899년 9월 18일 노량진 ~ 인천 간 최초의 영업을 개시하였고'에 따라 첫 운행은 이전에 실시되었음을 알 수 있다.

|오답풀이|

① 첫 번째 문단에서 '경인선의 개통은 ~ 구미 열강과 일본의 제국주의가 본격적으로 침투하게 되는 구체적 발판이 마련된 일'이라고 제시되었다.

② 첫 번째 문단에서 '1896년(고종 33) 미국인 모스(Morse, J. R.)에게 경인선 부설권이 특허되어 ~ 1900년 7월 8일 경인철도합자회사가 완공시켜 경인선이 개통되었다.'라고 제시되었다.

④ 세 번째 문단에서 '철도 부설 공사는 결국 일본인의 손으로 넘어갔는데, 그 이유는 모스가 본국으로부터의 자금 조달에 실패하였기 때문'이라고 제시되었다.

⑤ 첫 번째 문단에서 "처음에는 회사 이름을 따서 '경인철도'라고 불리다가 일본으로의 국유화가 진행된 1906년 이후부터 '경인선'으로 불리기 시작했다."라고 제시되었다.

07 문서작성능력 유의어 파악하기

| 정답 | ④

| 해설 | '이듬해'는 '바로 다음의 해'를 의미하므로 '익년'과 의미가 같다.

| 오답풀이 |

① 후년 : 올해의 다음다음 해

② 거년 : 이해의 바로 앞의 해

③ 명년 : 올해의 다음

⑤ 내년 : 올해의 바로 다음 해

08 문서이해능력 세부 내용 이해하기

| 정답 | ⑤

| 해설 | '바이오가스의 생성 과정'을 보면 '혐기성 소화란 산소가 없는 상태에서 메탄을 생성하는 미생물들이 유기물을 분해하는 것을 의미한다'고 하였다.

09 문서이해능력 세부 내용 이해하기

| 정답 | ①

| 해설 | '바이오가스의 생성 과정'에서 하수구, 축산분뇨, 음식물 쓰레기 등의 처리 방법을 제시하고 있다.

10 기초연산능력 목표 매출액 구하기

| 정답 | ③

| 해설 | 제시된 조건을 표로 정리하면 다음과 같다.

구분	상반기	하반기	연
매출액 (억 원)	240	x	$240+x$
매출총이익 (억 원)	240×0.09 $=21.6$	$0.14x$	$(240+x) \times 0.12$
매출총이익률	9%	14%	12%

'상반기 매출총이익＋하반기 매출총이익＝연 매출총이익'이므로 다음과 같은 식이 성립한다.

$$21.6+0.14x=(240+x) \times 0.12$$

$$21.6+0.14x=28.8+0.12x$$

$$0.02x=7.2 \qquad \therefore \ x=360(억 \ 원)$$

따라서 하반기의 목표 매출액은 360억 원이다.

11 기초연산능력 삼각함수의 그래프 활용하기

| 정답 | ③

| 해설 | $Y=2\sin\dfrac{\pi}{10}(t+5)+24$ 는 $Y=2\sin\dfrac{\pi}{10}t$ 의 그래프를 t축으로 -5, Y축으로 24만큼 평행이동한 그래프로, 최댓값은 $|2|+24=26$, 최솟값은 $-|2|+24=22$, 주기는 $\dfrac{2\pi}{\left|\dfrac{\pi}{10}\right|}=20$이다. 이를 그래프로 나타내면 다음과 같다.

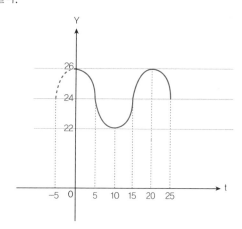

온도가 내려가는 구간이 냉방이 가동 중인 상태라고 했으므로 25분 동안 냉방이 가동된 시간은 15분이나.

12 기초연산능력 대여료 구하기

| 정답 | ②

| 해설 | 집에서 회사를 가는 데 $30(km) \div 15(km/h)=2(h)$, 즉 120분이 걸리므로 자전거 대여 요금은 $1,000+(400 \times 9)=4,600$(원)이다. 회사에서 집으로 돌아올 때에도 동일하므로 A 씨가 하루에 지불해야 하는 자전거 대여 금액은 $4,600 \times 2=9,200$(원)이다.

13 기초통계능력 경우의 수 구하기

|정답| ④

|해설| 제시된 조건을 정리하면 다음과 같다.

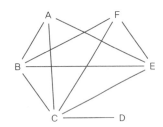

④ 5개의 관광지를 방문하는 경우 가능한 코스는 A-B-E-C-D, A-B-F-C-D, A-E-B-C-D, A-E-F-C-D로 4가지이며, 각각의 비용을 계산하면 다음과 같다.

- A-B-E-C-D : 2,000+3,000+3,000+5,000 +2,000=15,000(원)
- A-B-F-C-D : 2,000+3,000+5,000+5,000 +2,000=17,000(원)
- A-E-B-C-D : 2,000+3,000+3,000+5,000 +2,000=15,000(원)
- A-E-F-C-D : 2,000+3,000+5,000+5,000 +2,000=17,000(원)

따라서 평균 비용은 16,000원이다.

|오답풀이|

① A-B-C-D, A-E-C-D로 2가지이다.

② • A-B-C-D : 2,000+3,000+5,000+2,000= 12,000(원)
- A-E-C-D : 2,000+3,000+5,000+2,000= 12,000(원)

따라서 평균 비용은 12,000원이다.

⑤ A-B-E-F-C-D, A-B-F-E-C-D, A-E-B -F-C-D, A-E-F-B-C-D로 4가지이다.

14 도표분석능력 빈칸에 들어갈 수치 계산하기

|정답| ⑤

|해설| • A : 34.4+9.3+3.1+8.8=55.6(kg)
- B : 55.6-8.8=46.8(kg)

- C : $\dfrac{55.6}{1.7^2}$ ≒ 19.2(kg/m^2)

- D : $\dfrac{8.8}{55.6}$×100 ≒ 15.8(%)

- 3월 체지방량 : $18=\dfrac{x}{60}×100$, $x=10.8$(%)

따라서 A ~ D의 합은 55.6+46.8+19.2+15.8=137.4, 3월 체지방량은 10.8%이다.

15 도표분석능력 자료의 수치 분석하기

|정답| ④

|해설| ㉡ 20X2년의 총수출금액은 354,671÷0.585≒ 606,275(백만 달러), 20X3년의 총수출금액은 304,240 ÷0.561≒542,317(백만 달러)로 20X2년 대비 20X3년에 총수출금액은 감소하였다.

㉣ 20X2년 대비 20X3년에 수출 금액이 상승한 품목은 자동차 1개 품목으로, 증가율은 $\dfrac{43,036-40,887}{40,887}×100$ ≒5.3(%)이다.

|오답풀이|

㉠ 자동차부품과 디스플레이의 경우 20X1년 대비 20X2년에 순위가 상승하였으나 수출금액은 감소하였다.

㉢ 20X2년 대비 20X3년에 수출금액 감소율이 가장 큰 품목은 반도체로 $\dfrac{93,930-127,706}{127,706}×100$≒-26.4(%) 감소하였다. 디스플레이는 $\dfrac{20,657-24,856}{24,856}×100$≒ 16.9(%) 감소하였다.

16 도표분석능력 자료의 수치 분석하기

|정답| ⑤

|해설| ㉡ 조사대상이 600명, 남녀 비율이 2 : 3이라면 조사대상 중 여성은 $600×\dfrac{3}{5}=360$(명)이므로, 여성 중 전공과 직업이 일치한다고 응답한 사람은 360×0.337 ≒121(명)이다.

㉢ 조사대상이 1,000명이고 그중 서비스직에 종사하는 사람이 35%라면 서비스직에 종사하는 사람은 1,000×

0.35=350(명)이므로, 서비스직에 종사하는 사람 중 전공과 직업이 일치하지 않는다고 응답한 사람은 350 ×0.525≒184(명)이다.

17 도표분석능력 자료의 수치 분석하기

| 정답 | ③

| 해설 | 2020년 남성 육아휴직자 수가 43,089명이므로 2014년 남성 육아휴직자 수를 x명이라 하면 다음과 같은 비례식이 성립한다.

$43,089 : 275.0 = x : 67.5$

$275x = 43,089 \times 67.5$

$\therefore x = 10,576$(명)

2014년 육아휴직자 중 남성의 비율이 6.2%이므로 2014년 여성 육아휴직자 수는 $\dfrac{10,576}{6.2} \times (100-6.2) = 160,005$(명)이다.

| 오답풀이 |

① 2020년 남성 육아휴직자 수가 43,089명이므로 2010년 남성 육아휴직자 수를 x명이라 하면 다음과 같은 비례식이 성립한다.

$43,089 : 275.0 = x : 16.4$

$275x = 43,089 \times 16.4$

$\therefore x = 2,570$(명)

2010년 육아휴직자 중 남성의 비율이 2.9%이므로 2010년 육아휴직자 수는 $\dfrac{2,570}{2.9} \times 100 = 88,621$(명)이다.

② $29.3 : 184.4 = 100 : x$이므로 $x = 629$이다.

④ • 2020년 육아휴직자 수

$\dfrac{43,089}{9.6} \times 100 = 448,844$(명)

• 2018년 육아휴직자 수

2020년 남성 육아휴직자 수가 43,089명이므로 2018년 남성 육아휴직자 수를 x명이라 하면 다음과 같은 비례식이 성립한다.

$43,089 : 275.0 = x : 184.4$

$275x = 43,089 \times 184.4$

$\therefore x = 28,893$(명)

2018년 육아휴직자 중 남성의 비율이 8.8%이므로 2018년 육아휴직자 수는 $\dfrac{28,893}{8.8} \times 100 = 328,330$(명)이다.

따라서 2018년 대비 2020년 육아휴직자 수의 증감률은 $\dfrac{448,844-328,330}{328,330} \times 100 = 36.7$(%)이다.

⑤ 2020년 육아휴직자 중 남성의 비율이 9.6%이므로 2020년 여성 육아휴직자 수는 $\dfrac{43,089}{9.6} \times (100-9.6) = 405,755$(명)이다. 따라서 31 ~ 35세의 여성 육아휴직자 수는 $405,755-75,678-128,682-53,438=147,957$(명)이다.

18 도표분석능력 그래프 해석하기

| 정답 | ②

| 해설 | ㉡ 20X0년 혼인 건수가 15,300건이므로 20X2년 혼인 건수는 $15,300 \times (1-0.025) \times (1-0.033) = 14,425$(건)이다. 이 중 재혼 건수의 비율이 17.3%이므로, 남성과 여성이 모두 초혼인 건수는 $14,425 \times (1-0.173) = 11,929$(건)이다.

㉢ 20X3년의 재혼 건수가 2,330건이면 혼인 건수는 $\dfrac{2,330}{16.5} \times 100 = 14,121$(건)이다.

| 오답풀이 |

㉠ 20X0년 혼인 건수가 15,300건이므로 20X4년 혼인 건수는 $15,300 \times (1-0.025) \times (1-0.033) \times (1-0.022) \times (1-0.047) = 13,445$(건)이다.

㉣ 20X0년 혼인 건수가 15,300건이므로 20X1년 혼인 건수는 $15,300 \times (1-0.025) = 14,918$(건)이다. 이 중 재혼 건수는 $14,918 \times 0.15 = 2,238$(건)이고, 재혼 건수 중 남성의 재혼 비율이 63%이므로 남성의 재혼 건수는 $2,238 \times 0.63 = 1,410$(건)이다.

19 인적자원관리능력 내부모집의 특징 이해하기

| 정답 | ②

| 해설 | 조직 내부인력의 승진과 보직변경 등의 내부모집은 외부에서 인력을 확충하는 외부모집에 비해 적은 시간과

1회 기출예상문제
2회 기출예상문제
3회 기출예상문제
4회 기출예상문제
5회 기출예상문제
6회 기출예상문제

낮은 비용으로 인력을 확보하고 내부승진을 통해 조직 내부의 인재들에게 성장의 동기를 부여하는 등의 장점이 있다. 다만 내부모집은 외부모집에 비해 인재선택의 폭이 좁고, 조직 내 인력의 양적 증가를 기대할 수는 없다는 단점을 가진다.

20 인적자원관리능력 일중독자의 특성 파악하기

| 정답 | ②

| 해설 | 일중독(Workaholic)은 알코올이나 약물중독처럼 일에서 벗어나면 극심한 불안을 느끼며, 업무 시간 외에도 계속해서 일을 하는 것을 의미한다. A는 '일중독은 경쟁에서의 승리, 목표나 사명에 대한 동일시, 해고 또는 경제적 어려움에 대한 두려움 등 외재적 요인에 의해 강화되는 경우가 대부분'이라고 하였는데, 목표나 사명에 대한 동일시, 경제적 어려움에 대한 두려움은 내재적 동기요인으로 볼 수 있으므로 이는 잘못된 설명임을 알 수 있다. 또한 E의 이야기와 달리 일중독은 한번 중독에 빠지면 극복하기가 쉽지 않고 우리 사회에서는 이러한 일중독을 독려하는 분위기가 존재하기 때문에 본인과 타인 모두 알아채기 쉽지 않다. 따라서 A, E의 설명은 잘못되었다.

21 시간관리능력 시간관리의 효과 알기

| 정답 | ③

| 해설 | 기업의 관점에서 효율적인 시간관리를 통해 기대할 수 있는 효과는 생산성 향상, 시장 점유율 증가, 이익률 제고, 위험요인 감소 등이 있다. 시간을 효율적으로 관리하는 일이 노사 관계에 직접적인 영향을 끼친다고 볼 수는 없다.

22 시간관리능력 시차 계산하기

| 정답 | ②

| 해설 | 각 국가별 시차에 따라 한국시간으로 16 : 00 ~ 17 : 00일 때 각 국가별 시간을 구하면 다음과 같다. 단 호주는 서머타임이 시행되고 있으므로 실제보다 한 시간 더 빠른 +02 : 00을 기준으로 한다.

국가명	표준시	국가명	표준시
남아프리카 공화국	09 : 00 ~ 10 : 00	호주(멜버른)	18 : 00 ~ 19 : 00
베트남	14 : 00 ~ 15 : 00	러시아 (모스크바)	10 : 00 ~ 11 : 00
싱가포르	15 : 00 ~ 16 : 00	태국	14 : 00 ~ 15 : 00

따라서 워크숍 진행 시간에 업무시간인 오후 6시를 초과하는 호주에서는 회의 참석이 어렵다.

23 예산관리능력 초과근무수당 지급하기

| 정답 | ③

| 해설 | 0.2시간을 분 단위로 환산하면 12분이므로 영업부 사원의 주 평균 초과근무 시간인 4.2시간을 환산하면 4시간 12분이 된다.

| 오답풀이 |

①, ④ 문제의 자료는 영업부의 직급별 초과근무 기간을 조사한 자료로, 자료의 내용으로 영업부 이외의 모든 직원들의 평균 초과근무 시간은 알 수 없다.

② 영업부에서 주 평균 가장 긴 시간동안 초과근무를 한 직급은 주 평균 5.3시간의 대리 직급이다.

⑤ 초과근무 수당 계산에서 1시간 미만 단위의 초과근무 시간은 1시간으로 계산하므로, 부장의 주 평균 수당 금액은 8,000×3=24,000(원)이다.

24 자원관리능력 효과적으로 자원 관리하기

| 정답 | ④

| 해설 | 무역박람회 지원 업무를 위해 A 사원은 이동수단으로 버스를 선택하였는데, 이 경우 목적지에 도착할 때까지의 소요시간이 100분으로 박람회 시작 시간을 넘겨서 도착하게 된다. 지하철을 선택할 경우 교통비 예산(25,600원)과 이동시간의 요건을 모두 충족할 수 있으므로 이동 수단의 변경을 검토하거나, 출발 시간을 다시 설정해야 한다.

25 시간관리능력 최단경로 구하기

| 정답 | ②

| 해설 | 최단 거리로 이동하는 방법은 은행→D→E→C →B→A→은행(역순도 가능)으로 이동거리는 총 390km 이다.

그 외의 이동경로에 따른 이동거리를 구하면 다음과 같다.

은행→D→C→B→A→E→은행(역순도 가능) : 415km

은행→A→B→C→D→E→은행(역순도 가능) : 410km

은행→E→C→B→A→D→은행(역순도 가능) : 475km

26 예산관리능력 교통비 계산하기

| 정답 | ②

| 해설 | 유류비를 계산하기 위해 각 도로를 이용할 때 필요 한 휘발유의 양을 구하면 다음과 같다.

(단위 : L)

분류	○○ 은행	A 고객사	B 고객사	C 고객사	D 고객사	E 고객사
E 고객사	5.9	2.7		2.7	6.2	
D 고객사	6	4.5		1.8		
C 고객사			3.3			2.7
B 고객사						
A 고객사	3		3.5			

이를 기준으로 유류비가 가장 적게 소모되는 경로를 구하 면 은행→D→C→B→A→E→은행(역순도 가능)으 로 총 23.2L가 필요하여 소요되는 유류비는 23.2×1,300 =30,160(원)이다. 그 외의 이동경로에 따른 유류비를 구 하면 다음과 같다.

은행→D→E→C→B→A→은행(역순도 가능) : 24.7L, 32,110원

은행→A→B→C→D→E→은행(역순도 가능) : 23.7L, 30,810원

은행→E→C→B→A→D→은행(역순도 가능) : 25.9L, 33,670원

27 인적자원관리능력 사무업무 이해하기

| 정답 | ⑤

| 해설 | 발표에 있어서의 비언어적 요소는 발표의 내용 자체 이외에 발표에 영향을 미치는 복장, 제스처, 시선 등의 시 각적 요소를 의미한다. 발표할 때의 발음과 목소리, 어투 등의 청각적 요소는 반언어적 요소에 해당한다.

28 체제이해능력 조직문화 이해하기

| 정답 | ④

| 해설 | 조직문화는 조직 구성원들이 공유하는 생활양식으 로, 조직 구성원들에게 일체감과 정체성을 부여하여 조직 에 몰입할 수 있도록 하고, 이를 통해 조직이 안정적으로 유지되도록 하는 기능을 수행한다. 또한, 조직 구성원들의 사회화를 도모하고 일탈 행동을 통제하기도 한다. 한편 조 직이 존재하는 정당성과 합법성을 제공하는 조직의 개념은 조직목표와 이를 구성하는 요소 중 장기적 관점의 조직사 명에 관한 내용이다.

29 체제이해능력 기능별 조직 이해하기

| 정답 | ⑤

| 해설 | 제시된 글은 각자의 전문화된 기능을 수행하는 집단 으로 구성된 기능별 조직의 형태를 비유적으로 표현한 것 이다. 기능별 조직은 전문화된 영역 내에서 업무를 수행하 여 높은 전문성과 업무 효율성을 보이나, 조직 내 인적자원 의 이동이 크게 제한되어 있어 구조가 경직되어 있고 외부 환경의 변화에 대처하기 어렵다는 단점이 있다.

따라서 ㉠, ㉢, ㉣이 정답이다.

| 오답풀이 |

㉡ 사업별 조직 구조에 대한 설명이다. 프로젝트, 개별 서 비스 등에 따라 조직화되며, 분권화된 의사결정이 가능 해 환경 변화에 효과적으로 대응할 수 있다는 장점이 있다.

30 조직이해능력 조직의 유형 이해하기

|정답| ④

|해설| 영리성을 기준으로 조직을 영리조직과 비영리조직으로 구분할 때, 주민센터와 병원은 공익을 추구하는 비영리조직, 은행은 영리조직으로 분류할 수 있다. 한국은행과 같은 중앙은행의 경우에는 물가안정을 통한 국민경제 발전이라는 공익을 목적으로 운영하는 비영리조직으로 분류되기도 하나, 전기세 납부를 위해 은행에 들른다는 내용을 통해 해당 은행은 영리조직인 상업은행임을 알 수 있다.

|오답풀이|

① 공식성을 기준으로 조직을 분류할 때 공식조직은 조직의 구조와 기능 등이 조직화되어 있는 집단이다. 대표적으로 기업이나 정당 등이 여기에 해당된다.

③ 조직은 단순히 사람이 모인 집단을 의미하는 것이 아닌, 목적성을 가지고 이를 달성하기 위해 구성된 행동의 집합체를 의미한다. 버스에 탑승한 승객들은 단순히 같은 공간 내에 존재하는 집단이므로 조직이라고 볼 수 없다.

⑤ 사내 동호회인 클라이밍 모임은 공식 조직 내에서 인간관계를 지향하기 위해 결성된 비공식조직이다. 공식조직 내에서 형성된 비공식조직은 자연스러운 인간관계 형성을 통한 일체감을 느끼게 해 주고, 공식조직의 기능을 보완하는 역할을 수행한다.

31 체제이해능력 조직의 유형 이해하기

|정답| ②

|해설| 독립성을 유지하는 각 조직들이 상대방의 보유자원을 자신의 것처럼 활용하기 위한 수직적, 수평적, 공간적, 신뢰관계로 연결된 조직은 네트워크조직이다. 팀조직은 조직의 계층을 없애고 두 개의 계층만을 남겨 생산성을 향상시키는 조직이다. 공동의 책임감을 가지고 있으며 외부 환경에 신속하게 대응할 수 있고, 개방적인 정보 흐름을 바탕으로 공동의 목표를 달성함으로써 공동의 책임감을 느낀다는 장점을 가진다. 하지만 조직 내에서 구성원의 통합이 필요하며, 직위로 인한 팀원의 사기가 저하될 수 있다는 단점을 가진다.

|오답풀이|

① 부과조직은 일종의 수직적 조직 형태로, 과원들이 있고 과장이 있으며 부 아래에는 여러 개의 과가 편성되어 있는 형태이다. 업무 범위와 책임 한계가 비교적 명확

하며, 상명하복 형태의 업무 지시가 일반적이다. 업무 효율이 높을 수도 있지만, 의사 결정이 지연될 수 있다는 단점을 가진다.

③ 사업부조직은 조직 내 기능별, 직업별, 서비스별 등 독자적인 구조를 지닌 작은 조직들이 분화되어 있는 조직형태이다. 사업부별로 고객의 요구나 경쟁환경이 다를 때 이에 신속하게 대처할 수 있다는 장점을 가진다. 하지만 사업부 간에 갈등이 유발될 수 있고 조정이 어려울 수 있으며, 사업부 간의 중복으로 인한 예산 낭비, 사업부 간 이기주의 등이 초래될 수 있다는 단점을 가진다.

④ 매트릭스조직은 기존의 기능부서 상태를 유지하면서 특정한 프로젝트를 위해 서로 다른 부서의 인력이 함께 일하는 현대적인 조직설계방식이다. 전통적인 기능조직이 지녔던 의사결정 지연이나 수비적 경영 등의 단점을 보완하는 장점을 가진다. 하지만 명령통일의 원칙이 깨지면서 조직질서 혼란, 권력 다툼 등의 문제가 생길 수 있다는 단점을 가진다.

⑤ 네트워크조직은 상호의존적인 조직 사이의 협력관계를 말하며, 업무적 상호의존성이 크지만 조직들 간의 독립성이 유지되는 것이 특징이다. 상대방의 보유자원을 활용할 수 있기 때문에 막대한 투자 없이 사업 운영이 가능하고, 변화하는 환경에 유연하게 대처할 수 있지만, 직원의 충성심과 기업문화가 약한 편이며 갈등이 빈번하게 발생할 수 있다는 단점을 가진다.

32 경영이해능력 STP 전략과 입지별 특성 활용하기

|정답| ②

|해설| 김민수 씨는 시장을 세분화(Segmeatation)하여 표적시장을 선정(Targeting)한 후 그에 적절한 제품을 포지셔닝(Positioning)하는 STP 전략을 활용하였다. 10 ~ 20대 초반을 대상으로 한 점포 창업을 계획하여 시간과 경제의 여유가 부족한 고객에게 저가로 다양한 맛을 제공하고자 하므로, 학원에 다니는 학생들이 많은 B 지역을 선택하는 것이 적절하다.

33 업무이해능력 부서별 업무 파악하기

|정답| ①

|해설| 기획팀은 경영 목표 및 전략 수립, 조정 관련 업무

등을 담당하며, 총무팀은 문서 및 직인 관리, 집기비품 및 소모품의 구입과 관리, 복리후생 업무 등을 담당한다. 따라서 빈칸에 들어갈 적절한 대답은 ①이다.

보충 플러스+

• 인사팀 : 조직기구 개편 및 조정, 인력수급계획 및 관리 등을 담당
• 회계팀 : 재무상태 및 경영실적 보고, 결산 관련 업무 등을 담당
• 영업팀 : 판매방침 및 계획, 판매예산 편성, 시장조사 등을 담당

34 체제이해능력 변혁적 리더십 이해하기

| 정답 | ①

| 해설 | 변혁적 리더십의 하위 구성요소는 다음과 같다.

• 카리스마 : 구성원들에게 비전과 사명감을 제공하고 자긍심을 고취시키며 관습에 얽매이지 않는 행동 등을 보여 직원들로부터 존경과 신뢰를 얻는다.
• 지적 자극 : 이해력과 합리성을 제고하고 새로운 방식을 활용한 문제해결 방식을 촉진한다.
• 개별적 배려 : 구성원 개별에게 관심을 보여 주고 직원들을 독립적인 존재로 대우하며 지도하고 조언한다.
• 동기부여 : 비전을 제시하고 구성원의 노력에 대한 칭찬, 격려 등 감정적인 지원과 활기를 불어넣어 줌으로써 업무에 매진할 수 있게 한다.

35 경영이해능력 경영전략 추친과정 알기

| 정답 | ④

| 해설 | ㉠ (가)는 환경분석 단계로 이 단계에서는 최적의 대안을 수립하기 위하여 조직의 내·외부 환경을 분석한다. 조직이 도달하고자 하는 비전을 규명하고 미션을 설정하는 단계는 '전략 목표 설정' 단계이다.

㉢ (다)는 경영전략을 실행하는 단계로 경영목적을 달성하기 위해 경영전략을 실행한다. 조직의 경영전략은 위계적 수준을 가지고 있는데 가장 상위단계 전략은 조직전략이며 그 다음으로 사업전략, 부문전략의 순서로 사업전략을 구체화하여 세부적인 수행방법을 결정한다.

㉣ 차별화 전략은 경영전략 유형 중 하나로 조직이 생산품이나 서비스를 차별화하여 고객에게 가치 있고 독특하게 인식되도록 하는 전략이다. 특정시장이나 고객에게 한정된 전략은 집중화 전략이다.

보충 플러스+

경영전략의 추진과정

36 업무이해능력 업무수행시트 파악하기

| 정답 | ③

| 해설 | 제시된 업무수행시트는 간트차트이다. 업무의 시작과 끝을 바(bar) 형식으로 표기하여 전체일정을 한눈에 볼 수 있다는 장점을 가진다.

| 오답풀이 |

①, ② 워크플로시트에 대한 설명이다.

④, ⑤ 체크리스트에 대한 설명이다.

37 기술능력 노하우(know-how)의 개념 알기

| 정답 | ⑤

| 해설 | Know-how는 경험적이고 반복적인 행위에 의해 얻어지는 것이며, Know-why는 이론적인 지식으로서 과학적인 탐구에 의해 얻어지는 것이다.

38 기술이해능력 실패를 성공으로 만드는 포인트 알기

| 정답 | ③

| 해설 | 두 사례 모두 실제 업무의 성공가능성을 높이기 위해 실패의 고통스러운 순간을 미리 경험해 보는 가상 실패 체험을 하고 있다. 이를 통해 업무 중 발생할 수 있는 잠재적 위험 요인을 미리 파악할 수 있고 간접체험을 통해 실제 발생확률을 낮추거나 수월한 위기대응으로 성공 가능성을 높일 수 있다.

39 [기술이해능력] 적정기술 구분하기

|정답| ④

|해설| 적정기술은 그 기술이 사용되는 사회 공동체의 정치적, 문화적, 환경적 조건을 고려하여 해당 지역의 지속적인 생산 및 소비가 가능하도록 만들어진 기술로, 거대·첨단기술과는 달리 수요자의 필요, 환경 친화적, 가치와 편익의 나눔 등을 가치로 두고 있다. 따라서 가치와 편익의 집중은 적정기술에 해당하지 않는다.

보충 플러스+

거대기술과 적정기술

거대기술		적정기술
중앙 집중. 권위주의	• 따뜻한 자본주의 • 정보통신기술 발전 • 거대기술의 위험과 기술 민주주의 • MDG, 지속가능한 발전 • 기업의 사회적 책임 • 사회적 경제	분산형. 민주주의
공급자 중심		수요자의 필요
자본집약적		노동집약적
환경파괴		환경친화적
복잡, 거대		단순, 소규모
기술 발전		삶의 질 향상
가치와 편익의 집중		가치와 편익의 나눔

40 [기술선택능력] 산업재산권의 종류 파악하기

|정답| ③

|해설| B회사가 모방한 것은 A회사 의류의 형상·모양에 해당하므로 디자인권 침해에 해당한다. 디자인권은 물품의 형상·모양·색채 등에 의한 외형(外形)의 디자인을 대상으로 한다.

|오답풀이|

① 상표권 : 회사가 자사제품의 신용을 유지하기 위해 제품이나 포장 등에 표시하는 상호나 마크에 관한 산업재산권이다.

② 특허권 : 자연법칙을 이용한 기술적 사상(idea)의 창작으로서 기술 수준이 높은 것에 해당하는 산업재산권이다.

④ 실용신안권 : 기술적 창작 수준이 소발명 정도인 실용적인 창작을 보호하기 위한 산업재산권이다.

⑤ 저작권은 저작물이나 컴퓨터 프로그램 등 문화영역을 보호한다. 발명, 고안, 디자인, 상표 등 산업영역을 보호하는 산업재산권과는 차이가 있다.

41 [기술능력] 보호구 이름 바로 알기

|정답| ③

|해설| 물체가 흩날릴 위험이 있는 작업에는 '보안경'을 착용해야 한다. 방열복은 ⓐ에 해당한다.

42 [기술선택능력] 기술능력 향상방법 이해하기

|정답| ③

|해설| A와 D는 전문 연수원을 통한 기술교육을 선호하고 있으며, B와 E는 e-Learning을, C는 상급학교 진학을 통한 기술교육을 선호하고 있다. C는 첫 번째 발언에서 대학원에 진학하고 싶다고 하였는데 두 번째 발언에서 상급학교를 통한 기술교육이 인적 네트워크 형성에 도움이 되고 e-Learning처럼 학습을 스스로 조절하거나 통제할 수 있다고 하였다. 하지만 대학원의 경우 수업시간이 정해져 있고 정해진 학기를 다녀야 하므로 학습을 스스로 조절하거나 통제하기가 어렵다. 따라서 잘못된 설명을 한 사람은 C이다.

43 [기술능력] 산업 재해의 원인 이해하기

|정답| ②

|해설| 산업 재해의 직접적 원인이 되는 불안전한 상태로는 시설물 자체의 결함, 안전 보호 장치의 결함 등이 있는데, 이를 제거하기 위해서는 각종 기계나 설비 등의 안전성을 보장하도록 제작하고, 그 유지 관리를 철저히 하는 등의 사전적 예방조치를 요구한다. 현장 담당자를 처벌하는 징벌적 조치로는 직접적 원인을 모두 제거할 수 없다.

44 정보능력 IoT 기술 이해하기

|정답| ②

|해설| IoT 기술은 인간의 도움 없이도 서로 알아서 정보를 주고받으며 대화를 나눌 수 있어야 한다. 블루투스 이어폰은 귀에 착용할 시 블루투스를 이용해 정보를 주고받지만 이어폰을 착용하고 작동시키는 데까지 사람의 개입이 필요하므로 IoT 기술이라 보기 어렵다.

45 정보처리능력 컴퓨터 보안 관련 용어 이해하기

|정답| ①

|해설| 제시된 사례는 모두 유명 기업이나 금융기관을 사칭한 가짜 웹 사이트나 이메일 등으로 개인의 금융 정보와 비밀번호를 입력하도록 유도하여 예금 인출 및 다른 범죄에 이용하는 수법인 피싱(Phishing)에 해당한다. 최근에는 피싱 기법이 더욱 정교해지면서 금융이나 인터넷 업체뿐 아니라 다양한 분야로 범위가 확장되고 있다.

|오답풀이|

② 파밍(Pharming) : 합법적인 도메인을 탈취하거나 도메인 네임 시스템(DNS) 또는 프락시 서버의 주소를 변경함으로써 사용자가 진짜 사이트로 오인하여 접속하도록 유인한 뒤 개인 정보를 훔치는 수법이다.

③ 스미싱(Smishing) : 휴대폰의 메시지를 이용해 바이러스를 주입시켜 개인 정보를 빼내거나 다른 휴대폰으로 바이러스를 확산시키는 새로운 해킹 기법이다.

④ 스니핑(Sniffing) : 네트워크 주변을 지나다니는 패킷을 엿보면서 아이디와 패스워드를 알아내는 행위이다.

⑤ 스푸핑(Spoofing) : 임의의 웹사이트를 구축하여 일반 사용자가 방문하게 한 후 시스템 권한을 획득하여 정보를 빼가거나 암호, 기타 정보를 입력하게 하는 해킹 기법이다.

46 정보능력 로봇청소기 운전하기

|정답| ②

|해설| 주어진 코드를 해석하면 다음과 같다.

'왼쪽으로 두 칸 이동 → 앉기, 청소하기, 일어나기 → 아래로 한 칸, 왼쪽으로 한 칸, 아래로 한 칸 이동 → 넣기 →

위로 세 칸 이동 → 앉기, 청소하기, 일어나기 → 아래로 세 칸 이동 → 넣기'

따라서 모든 쓰레기를 청소할 수 있게 된다.

|오답풀이|

① 코드를 따라 경로를 이동하면 두 쓰레기 모두 쓰레기통에 버릴 수 있지만, 쓰레기를 버리는 행동을 명령할 때 'Sit, Stand'의 전후 과정을 거쳐야 한다는 조건이 없으므로 적절하지 않다.

③ 한 번에 한 개의 쓰레기만 주울 수 있다고 하였으므로 적절하지 않다.

④ 중간 '3Up'의 명령에 있어서 움직임을 지시하는 'Move'가 생략되었으므로 적절하지 않다.

⑤ 코드를 따라 경로를 이동하면 두 쓰레기 모두 쓰레기통에 버릴 수 있지만, 쓰레기를 청소하는 행동을 명령할 때 'Sit, Stand'의 전후 과정을 거쳐야 한다.

47 컴퓨터활용능력 멀웨어 이해하기

|정답| ②

|해설| 지인으로부터 온 전자 메일로 위장하여 해당 첨부파일을 통해 확산된 멀웨어가 시스템을 무력화시켰으며 네트워크 성능이 감소한 상황이다. 이는 멀웨어의 종류 중 웜에 해당한다.

48 정보처리능력 컴퓨터 관련 용어 이해하기

|정답| ⑤

|해설| A-②, B-①, C-①, D-⑤

49 컴퓨터활용능력 엑셀 이해하기

|정답| ②

|해설| • 작성했던 파일 열기 → [Ctrl]+[O]

• 제목 텍스트를 굵게 설정 → [Ctrl]+[B]

• 각주에 밑줄을 추가 → [Ctrl]+[U]

• 좌측 열에 있는 종류에 해당하는 내용에 기울임 설정 → [Ctrl]+[I]

• 인쇄했을 때 어떻게 나오는지 확인하는 인쇄 미리 보기 → [Ctrl]+[P] 혹은 [Ctrl]+[F2]

50 컴퓨터활용능력 엑셀 이해하기

| 정답 | ⑤

| 해설 | 엑셀에서 작업 전에 숨겨져 있던 탭 메뉴가 작업 후에는 나타나 있음을 통해 [Ctrl]+[F1]로 탭 메뉴 보이기를 하였음을 알 수 있다.

그리고 C5부터 G5까지 '○○안전관리원'이라는 단어가 연속해서 입력된 모습을 통해 C5에 '○○안전관리원'을 입력한 후 D5부터 G5까지 순서대로 [Ctrl]+[R]로 좌측(왼쪽) 값 복사 기능으로 C5의 '○○안전관리원' 내용을 복사하였거나 C5의 내용을 [Ctrl]+[C]로 복사하여 D5부터 G5까지에 [Ctrl]+[V]로 붙여넣기 하였음을 추측할 수 있다.

또한 작업 후에는 화면 하단에 Sheet1과 Sheet2 사이에 '매크로1' 시트가 새로 생성되어 있음을 통해 [Ctrl]+[F11]로 새 매크로 시트를 삽입하였음을 알 수 있다.

3회 기출예상모의고사 　문제 100쪽

01	④	02	①	03	③	04	②	05	②
06	④	07	③	08	④	09	①	10	④
11	③	12	③	13	④	14	③	15	①
16	②	17	①	18	④	19	①	20	③
21	①	22	④	23	③	24	④	25	①
26	②	27	③	28	④	29	④	30	②
31	②	32	④	33	②	34	③	35	④
36	④	37	②	38	④	39	②	40	③
41	④	42	③	43	③	44	④	45	②
46	②	47	②	48	①	49	③	50	①

01 문서작성능력 올바른 높임법 이해하기

| 정답 | ④

| 해설 | 백 사원은 과장님이 아닌 전화를 높여 잘못된 간접 높임법을 사용하였다. 반면, ④는 아버지의 신체 부분인 키를 높여 아버지를 간접적으로 높이는 올바른 간접 높임법을 사용하였다.

| 오답풀이 |

① 청자가 아닌 상품을 높인 잘못된 표현이다.

② 청자뿐만 아니라 마당까지 불필요하게 높인 잘못된 표현이다.

③ 청자뿐만 아니라 물건까지 불필요하게 높인 잘못된 표현이다.

보충 플러스+

간접 높임법

간접 높임법은 문장에서 주체가 되는 인물이나 대상을 직접적으로 높이지 않고 높여야 할 대상의 소유물, 신체 부분, 의견 등과 관련된 말에 선어말어미 '-(으)시'를 붙여 간접적으로 높이는 것이다. 높여야 할 대상과 밀접한 관계가 없거나 대상의 소유물이 아닌 것에는 간접 높임의 표현을 사용해서는 안 된다.

02 기초외국어능력 | 외국의 비언어적 의사소통 이해하기

| 정답 | ①

| 해설 | 〈보기〉는 손짓과 몸짓 등 신체적인 제스처의 의미가 우리나라와 사우디아라비아에서 서로 달라 오해가 발생한 경우이며, ①번 또한 고개를 끄덕이는 행위의 의미가 우리나라와 불가리아에서 서로 다른 경우로 서로 유사한 사례이다.

03 문서작성능력 | 공문서 작성법 파악하기

| 정답 | ③

| 해설 | 공문서 작성의 4가지 원칙은 다음과 같다.

1. 정확성 : 육하원칙에 의거해 내용을 작성하고 문장 부호 등을 맞춤법에 맞게 사용하여야 한다.

2. 용이성 : 읽는 사람이 누구라도 알기 쉽도록 작성하며 가급적으로 전문용어나 어려운 한자는 피해야 한다.

3. 간결성 : 문장을 서술하고 나열하기보다는 반드시 필요한 항목을 구분하여 작성한다.

4. 경제성 : 용지와 서식을 통일하여 사용한다.

따라서 간결성에 대한 설명이 적절하지 않다.

04 문서이해능력 | 글의 주제 파악하기

| 정답 | ②

| 해설 | 제시된 글은 미국의 28대 대통령인 토머스 우드로 윌슨 대통령에 관한 일화이다. 그는 5분짜리 연설을 들려주기 위해서는 하루 정도의 준비시간이 필요하며, 30분 정도의 연설일 때에는 3시간 정도의 준비시간이, 2시간 정도의 연설일 때는 준비시간 없이 당장 할 수 있다고 하였다. 따라서 설득력 있게 말을 하려면 짧은 시간일수록 더 많은 준비가 필요하다는 것이 적절한 주제이다.

05 문서이해능력 | 각 측의 이익 이해하기

| 정답 | ②

| 해설 | 나에게 특화된 점포 찾기는 편의점 측이 아닌 소비자 측에서 얻는 이익이다.

06 문서작성능력 | 단어의 올바른 쓰임 알기

| 정답 | ④

| 해설 | '지양하다'는 더 높은 단계로 오르기 위하여 어떠한 것을 하지 않는다는 뜻으로 편의점과 고객 간 지속적인 관계를 긍정적으로 바라보는 글의 맥락에는 적절하지 않다.

07 문서작성능력 | 문단 배열하기

| 정답 | ③

| 해설 | 서론에서 석유를 원료로 하는 가솔린, 디젤 등의 성분 중 대부분을 차지하는 것은 탄소와 수소이며 이들은 공기 중의 산소와 결합하여 연소된다고 하였다. 이들의 연소 과정과 결과에 대해 설명하는 (라)가 서론 다음으로 이어지며, 앞서 말한 연소 과정이 완벽하지 않을 경우 발생하는 결과를 설명하는 (나)가 이어진다. 다음으로 완전연소에도 발생하는 이산화탄소에 따른 부작용과 그 해결방안을 언급하는 (다)가 오고, 해결방안의 일환으로 전기자동차가 부상하고 있음을 설명하는 (가)가 마지막에 온다. 따라서 적절한 순서는 (라)-(나)-(다)-(가)이다.

08 문서이해능력 | 세부 내용 이해하기

| 정답 | ④

| 해설 | 네 번째 문단을 보면 바닷새는 험악한 기상 환경과 척박한 환경에 노출되어 있지만 상대적으로 풍부한 먹이와 정보소통의 힘으로 멸종위기의 환경에서 버티며 살아갈 수 있다고 나와 있다. 따라서 부족한 먹이를 선점하기 위한 경쟁력을 확보했다는 설명은 옳지 않다.

09 문서이해능력 | 필자의 견해 파악하기

| 정답 | ①

| 해설 | 마지막 문단에서 쓰레기의 증가와 기후 변화에 따른 먹이 자원의 변화, 섬의 공생 시스템과 외래종의 침입 장벽 와해 등과 같은 문명 발전으로 인한 문제점들을 제시하고 있다. 마지막 줄에는 이러한 짧고 강력한 위협 요인들이 바닷새에게 적응할 시간을 주지 않고 있다고 언급하고 있다. 따라서 문명 발전은 섬에 사는 생물들이 환경에 적응하여 생존하는 것을 어렵게 만들었다는 관점이 가장 적절하다.

1회 기출예상문제

2회 기출예상문제

3회 기출예상문제

4회 기출예상문제

5회 기출예상문제

6회 기출예상문제

10 문서작성능력 자료를 바탕으로 기사 작성하기

| 정답 | ④

| 해설 | 행사명에 나타난 행사의 목적과 업무협약 당사자 그리고 협약의 내용 등을 오류 없이 전달하고 있으므로 적절한 기사문이다.

| 오답풀이 |

① '협약 내용'을 보면 등록비가 아닌 등록수수료를 면제해 준다고 명시되어 있다.

② '업무협약 참여자'를 보면 K 지역산업거점본부 김□□ 본부장, (주)AA커머스 상품사업본부 박◇◇ 실장이 참석한다고 명시되어 있다.

③ '소상공인들을 위한 마케팅 플랫폼의 역할을 함으로써 이커머스로서의 입지를 더욱 확고히 해 나가기로 하였다'는 점은 〈보기〉를 통해 알 수 없다.

11 기초통계능력 확률 계산하기

| 정답 | ③

| 해설 | 첫 번째 프로젝트가 성공했을 때 네 번째 프로젝트가 실패할 확률은 다음 네 가지 경우가 발생할 확률의 합으로 구할 수 있다.

ⅰ) 성공 – 성공 – 성공 – 실패할 경우

$$\frac{2}{3} \times \frac{2}{3} \times \left(1 - \frac{2}{3}\right) = \frac{4}{27}$$

ⅱ) 성공 – 성공 – 실패 – 실패할 경우

$$\frac{2}{3} \times \left(1 - \frac{2}{3}\right) \times \frac{2}{5} = \frac{4}{45}$$

ⅲ) 성공 – 실패 – 성공 – 실패할 경우

$$\left(1 - \frac{2}{3}\right) \times \left(1 - \frac{2}{5}\right) \times \left(1 - \frac{2}{3}\right) = \frac{1}{15}$$

ⅳ) 성공 – 실패 – 실패 – 실패할 경우

$$\left(1 - \frac{2}{3}\right) \times \frac{2}{5} \times \frac{2}{5} = \frac{4}{75}$$

따라서 첫 번째 프로젝트가 성공했을 때 네 번째 프로젝트가 실패할 확률은 $\frac{4}{27} + \frac{4}{45} + \frac{1}{15} + \frac{4}{75} = \frac{241}{675}$ 이다.

12 기초연산능력 방정식 활용하기

| 정답 | ③

| 해설 | 구매한 쿠키와 커피의 개수를 각각 x개, y개라 하면 다음과 같은 식이 성립한다.

$$x + y = 21 \cdots\cdots\cdots\cdots\cdots ㉠$$
$$4,000x + 6,000y = 100,000 \cdots\cdots\cdots ㉡$$

㉡을 정리하면,

$$2x + 3y = 50 \cdots\cdots\cdots\cdots\cdots ㉢$$

㉠×3 – ㉢을 하면 $x = 13$, $y = 8$이다.

따라서 김지원 씨가 구매한 쿠키의 개수는 13개이다.

13 기초연산능력 대피 경보 발령 시간 구하기

| 정답 | ④

| 해설 | 대피 경보는 $110 \div 20x = 5.5$(시간), 즉 5시간 30분 후에 발령된다.

14 기초연산능력 유한집합의 원소의 개수 구하기

| 정답 | ③

| 해설 | A사의 드라이어 제품을 사용하고 있는 고객의 집합을 P, 청소기 제품을 사용하고 있는 고객의 집합을 Q라 하면 설문 조사 결과를 다음과 같이 정리할 수 있다.

$n(P) = 45$, $n(Q) = 30$, $n(P \cup Q) = 60$

$n(P \cap Q) = n(P) + n(Q) - n(P \cup Q)$이므로

$n(P \cap Q) = 45 + 30 - 60 = 15$이다. 따라서 A 회사의 드라이어와 청소기를 모두 사용하고 있는 고객은 15명이다.

15 기초연산능력 방정식 활용하기

| 정답 | ①

| 해설 | C 선물세트를 전체 직원 수의 $\frac{1}{4}$만큼 구매하였으므로 C 선물세트는 $52 \times \frac{1}{4} = 13$(개), A와 B 선물세트는 총 $52 - 13 = 39$(개) 구매하였음을 알 수 있다.

구매한 A 선물세트의 개수를 a개, B 선물세트의 개수를 b 개라 하면 다음과 같은 식이 성립한다.

$a+b=39$ ································· ㉠

$23,500a+31,400b=1,389,800-(27,900 \times 13)$ ··· ㉡

㉡을 정리하면,

$235a+314b=10,271$ ···························· ㉢

㉢$-($㉠$\times 235)$를 하면, $79b=1,106$이므로 $b=14$이다.
따라서 윤 사장이 구매한 B 선물세트는 14개이다.

16 기초연산능력 전기요금계 계산하기

|정답| ②

|해설| • 기본요금 : '201~400kWh 사용'에 해당하므로 1,600원

• 전력량 요금 : $(200 \times 93.3)+(120 \times 187.9)=41,208$(원)

• 대가족 할인 30%(월 16,000원 한도) : $(1,600+41,208) \times 0.3=12,842.4$(원)

따라서 전기요금계는 $1,600+41,208-12,842.4=29,965.6$ ≒ 29,966(원)이다.

17 기초연산능력 전기요금계 계산하기

|정답| ①

|해설| 대가족 할인 30%으로는 12,842.4원이 감액되므로 감액 요금이 더 큰 장애인 할인 16,000원이 적용된다. 따라서 전기요금계는 $1,600+41,208-16,000=26,808$(원)이 되어 3,158원 감소한다.

18 도표분석능력 취업률 계산하기

|정답| ④

|해설| 제시된 자료를 바탕으로 15세 이상 인구, 경제활동 인구, 취업률을 순서대로 계산하면 다음과 같다.

구분	20X1년	20X2년	20X3년
고용률(㉠)	39.0%	40.9%	39.7%
취업자 수(㉡)	2,790천 명	3,400천 명	2,830천 명
비경제활동인구(㉢)	2,780천 명	3,200천 명	3,000천 명
15세 이상 인구 (㉣=㉡÷㉠×100) ※ 소수점 이하는 버림.	7,153천 명	8,312천 명	7,128천 명
경제활동인구 (㉤=㉣-㉢)	4,373천 명	5,112천 명	4,128천 명
취업률 (㉥=㉡÷㉤×100)	63.8%	66.5%	68.6%

따라서 취업률이 높은 순서대로 나열하면 20X3년>20X2 년>20X1년이다.

19 도표분석능력 자료의 수치 분석하기

|정답| ①

|해설| 200X년 제주특별자치도의 인구는 604,128명, 1인 당 자동차 등록대수는 0.4대이므로 총 자동차 등록대수는 $604,128 \times 0.4=241,651.2$(대)이다.

|오답풀이|

② 201X년 강원도의 1인당 자동차 등록대수는 0.5대, 총 자동차 등록대수는 782,700대이므로 인구는 782,700 ÷ 0.5=1,565,400(명)이다.

③ 경기도만 총 자동차 등록대수가 백만 대 이상 증가하였다.

④ 제주특별자치도의 1인당 자동차 등록대수는 0.5대 증가 하여 가장 큰 증가를 보였다.

20 도표분석능력 자료의 수치 분석하기

|정답| ③

|해설| ㄱ. 검사 의뢰자 수가 가장 많은 날짜는 6월 7일로, 569명이 검사를 받았다.

ㄴ. 전날 대비 확진자 수가 증가한 6월 7일, 6월 8일, 6월 11일, 6월 12일의 확진자 수 증가율을 구하면 다음과 같다.

• 6월 7일 : $\dfrac{257-214}{214} \times 100$ ≒ 20.1(%)

www.gosinet.co.kr gosinet

1회 기출예상문제

2회 기출예상문제

3회 기출예상문제

4회 기출예상문제

5회 기출예상문제

6회 기출예상문제

- 6월 8일 : $\dfrac{357-257}{257}\times100 \fallingdotseq 38.9(\%)$

- 6월 11일 : $\dfrac{289-242}{242}\times100 \fallingdotseq 19.4(\%)$

- 6월 12일 : $\dfrac{310-289}{289}\times100 \fallingdotseq 7.3(\%)$

따라서 전날 대비 확진자 수의 증가율이 가장 큰 날짜는 6월 8일이다.

ㄷ. 확진 여부는 검사 의뢰 바로 다음날 확인 가능하므로 6월 5일에 검사를 의뢰한 사람의 확진 여부는 6월 6일에 확인할 수 있다. 6월 5일의 검사 의뢰자 수는 487명, 6월 6일의 확진자 수는 214명이므로 6월 6일에 음성 판정을 받은 사람은 487-214=273(명)이다.

| 오답풀이 |

ㄹ. 6월 7일에서 6월 8일 사이에 완치된 환자 수는 1,526-1,357=169(명)이고, 6월 12일에서 6월 13일에 완치된 환자 수는 2,312-2,146=166(명)이다.

21 사고력 문제해결 사고 방법 추론하기

| 정답 | ①

| 해설 | 자동차 운전자와 보행자를 보호하기 위해 교통법규로 규제를 하는 것이 아닌 공유하는 공간이라는 생각으로 자율적으로 이용하게 하자 오히려 규제가 있을 때보다 사고가 확연하게 줄었다. 이와 같은 사고는 인식의 틀을 전환한 발상의 전환으로 볼 수 있다.

22 사고력 논리적 오류 추론하기

| 정답 | ④

| 해설 | 〈보기〉에서 파악할 수 있는 논리적 오류는 개별적인 부분이 참인 것을 전체에 대해서도 참이라고 단정하여 발생하는 오류인 합성의 오류이다. ○○대학교 학생의 하위집단인 신입생의 98%가 첫 수업을 듣지 않는다고 해서 ○○대학교 대학생 전체가 첫 수업을 듣지 않는다고 추론하는 ④가 해당 논리적 오류의 예로 적절하다.

| 오답풀이 |

①, ② 커피와 담배는 기호식품, 사과와 바나나는 과일이라는 같은 모집단 하에 있는 개별적인 하위집단이다.

하지만 두 하위집단은 어느 한 쪽에 속해있거나 교차되지 않고 완벽히 독립적으로 존재하기 때문에 합성의 오류라고 볼 수 없다.

③ 삼단논법이 지켜지고 있으므로 논리적 오류를 발견할 수 없다.

23 사고력 추가 전제 추론하기

| 정답 | ③

| 해설 | 제시된 글에서 차 대리가 대상자가 아니라면 홍 사원이 대상자이기 때문에 적어도 홍 사원은 승진 대상자라고 결론을 내렸다. 그렇기 때문에 차 대리가 대상자가 아니라는 전제를 추론해야 한다.

ㄷ의 대우는 '조 대리가 승진 대상자가 되면 차 대리는 승진 대상자가 아니다'이다. 그러므로 ㄷ의 대우와 조 대리가 승진 대상자라는 ㄴ을 활용하여 추론하면 조 대리가 승진 대상자이므로 차 대리는 승진 대상자가 아니라는 전제를 추론할 수 있고, 적어도 홍 사원은 승진 대상자라는 결론을 도출할 수 있다. 따라서 적절한 전제는 ㄴ, ㄷ이다.

24 사고력 진위 추론하기

| 정답 | ④

| 해설 | S팀과 T팀은 동일하게 T팀이 한국판 뉴딜 선도를 담당하고 있지 않다고 말하고 있으므로 두 팀 모두 거짓을 말하거나 진실을 말한다. 거짓을 말할 경우 T, F팀 모두 한국판 뉴딜 선도를 담당하고 있어 한 팀만 담당한다는 조건에 맞지 않으므로 두 팀 다 진실을 말하고 F팀이 거짓을 말해야 한다. 따라서 거짓을 말한 팀은 F팀 한 팀이며 한국판 뉴딜 선도를 담당하고 있는 팀은 S팀이다.

25 사고력 조건을 바탕으로 추론하기

| 정답 | ①

| 해설 | ㉠에 들어갈 내용으로 정보운영부가 회의에 불참한다는 것과 신전략사업부가 회의에 불참한다는 내용이 적절하다. 정보운영부가 불참하면 사업기획부가 참석하는 것이므로 신전략사업부가 불참하고, 마찬가지로 신전략사업부가

불참하면 사업기획부가 참석하고 정보운영부는 불참하기 때문이다. 이에 따라 ⓒ에 들어갈 내용인 신전략사업부가 회의에 불참하면 교육기획실과 연구기획실이 모두 참석한다는 조건이 있어야 갑의 마지막 말이 참이 된다.

| 오답풀이 |

②, ③ 신전략사업부는 불참하므로 적절하지 않다.

④ 마지막 갑의 말에서 '우리 생각이 모두 참이면'이라고 하였으므로 전제가 신전략사업부의 불참이 되어야 한다.

26 [문제처리능력] 도표를 바탕으로 산출하기

| 정답 | ②

| 해설 | ⓒ 약물 복용횟수가 2회 이하인 경우의 기형아발생률은 $\frac{48+40+8}{16,000+12,500+800} = \frac{96}{29,300} ≒ 0.33(\%)$ 이다.

| 오답풀이 |

㉠ 약물 복용횟수가 0회인 경우의 기형아발생률은 $\frac{48}{16,000} \times 100 = 0.3(\%)$이고 1회인 경우는 경우의 기형아발생률은 $\frac{40}{12,500} \times 100 = 0.32(\%)$이므로 1회인 경우는 0회인 경우보다 보다 0.02%p 더 높다.

㉡ 약물 복용횟수가 1회씩 증가할수록 기형아발생률의 증가폭은 다음과 같아 증가폭이 점점 증가한다는 것을 알 수 있다.

약물 복용횟수(회)	기형아발생률(%)	증가폭(%p)
0	0.3	
1	0.32	0.02
2	1	0.68
3	3	2
4	7.5	4.5
5 이상	20	12.5

27 [사고력] 진위에 따른 결론 추론하기

| 정답 | ③

| 해설 | ⅰ) A호실 안내문이 거짓인 경우

A호실은 감사실이다. D호실은 경영부 또는 인사부인데

G호실은 경영부가 아니므로 D호실이 경영부, G호실은 인사부가 된다.

ⅱ) D호실 안내문이 거짓인 경우

G호실은 경영부이므로 D호실은 인사부이다. 그러나 A호실은 감사실이 아닌데 가능한 사무실은 감사실뿐이므로 상충한다.

ⅲ) G호실 안내문이 거짓인 경우

G호실이 경영부, A호실이 감사실이므로 D호실은 인사부인데 경영부와 인사부가 아니므로 상충한다.

따라서 적절한 것은 ③이다.

28 [문제처리능력] TRIZ 문제해결 과정 이해하기

| 정답 | ④

| 해설 | TRIZ 문제해결의 과정을 표로 정리하면 다음과 같다.

단계	1. 문제파악	2. 문제 정보 찾기	3. 문제 원인 정의	4. 해결안 도출	5. 해결안 적용
설명	문제 요소 파악 및 성공 기준 설정	문제의 공식화 및 시스템 분석	문제의 명확화	자원 분석 및 모순정의, 해결안 도출	해결안 검증 및 적용
세부단계	문제 요소 파악 및 성공 기준	나. 문제 관련 내용 찾기	원하지 않는 현상 규정	해결 자원 분석	해결안 검증
	문제 발생 배경	마. 문제의 공식화		이상적 해결안 정의	
	기술적 제한 및 규제 조건	가. 시스템 분석	문제 명확화	물리 모순 정의	
	변경 가능 영역	라. 문제 검증 및 자체 제거		해결안 도출 및 선정	해결안 적용
		다. 현장 시스템의 정상적인 기능도		해결안 명확화	

사용도구	• 체크 시트 • 관리 그래프 • 파레토도 • 막대 그래프 • 플로우 차트	• 순서도 • 4W • 9-Win dows • 기능도	• 원인결과 사슬 분석 • 기능 상호작용 분석 • Know-why 분석 • 문제 명확화 - 문제 영역/문제 시간 - 순서도 - 시스템 그림	• 자원 리스트 자원 분석 매트릭스 • 모순 도식표 • 해결안 명확화 - 기술검색 - 물질장/표준해 - 분리의 원리 - 40 발명 원리 - 작은 사람 모델	• 2차 해결 안 도출 - 문제 영역/시간 - 자원분석 - 이상적 해결안 - 기술/물리 모순 - 40 발명 원리 • PDCA

따라서 (가)에 들어갈 순서로는 '나-마-가-라-다'가 가장 적절하다.

29 문제처리능력 TRIZ 문제해결 과정 이해하기

| 정답 | ④

| 해설 | 28의 해설을 참고하면 (나)에 들어갈 사용도구는 Know-why 분석이 가장 적절하다.

30 사고력 조건에 따라 추론하기

| 정답 | ②

| 해설 | ⓛ에서 윤 대리, 이 대리 그리고 경영지원 직무 경험자는 동기라 하였으므로 박 대리는 경영지원 직무를 경험했다. ⓒ과 ⓗ을 통해 윤 대리는 감사, 이 대리는 자원융합 직무를 경험했다는 것을 알 수 있다. ⓜ으로 윤 대리가 운용혁신 직무를 경험하지 않았다는 것을 알 수 있고 ⓔ을 통해 박 대리 또한 경험하지 않았음을 알 수 있으므로 운용혁신을 경험한 사람은 이 대리이다. 이를 정리하면 다음과 같다.

박 대리	윤 대리	이 대리
경영지원	감사	자원융합
		운용혁신

ⓗ에서 박 대리가 데이터관리 직무를 경험하지 않은 것을 알 수 있으며 이미 이 대리는 두 가지 직무를 경험했으므로 데이터관리 직무를 경험한 사람은 윤 대리이고 교육 직무는 박 대리가 경험했다.

따라서 이 대리가 경험한 직무는 자원융합, 운용혁신이다.

31 인적자원관리능력 임금체계 이해하기

| 정답 | ②

| 해설 | (A)에는 개별 직무의 가치에 따라 직무 등급을 도출하여 이를 기준으로 임금을 배분하는 직무급, (B)에는 직원의 근속연수를 기준으로 임금을 배분하는 연공급, (C)에는 직원의 업무 성과에 따라 차등적으로 임금을 지급하는 성과급이 해당된다.

(C)성과급은 임금배분을 해당 직원이 달성한 직무의 성과에 따르므로 다른 임금체계에 비해 임금지급의 기준이 불규칙적인 변동급의 성격을 가지는 반면, (A)직무급과 (B)연공급은 각각 직원이 속한 직무의 중요도와 연공에 따라 정해진 급여를 지급한다는 점에서 변동급보다는 고정급의 성격을 가진다.

| 오답풀이 |

① 임금보상에 있어서 생활보장의 원칙이 적용되는 임금구조는 (B)연공급에 해당한다. 그 외의 직무급, 직능급, 성과급은 모두 노동대가의 원칙이 적용된다.

③ 직원의 근속연수를 기준으로 임금을 결정하는 것은 (B)연공급에 해당한다.

④ 같은 직위에서 같은 일을 하면 같은 임금을 지급한다는 동일노동 동일임금의 원칙은 (A)직무급에 해당한다.

32 인적자원관리능력 에릭슨의 발달이론 이해하기

| 정답 | ④

| 해설 | A 씨는 동료들과 즐겁게 지내며 원만한 직장생활을 하고 있다고 하였으므로 친밀감을 잘 달성한 사례로 볼 수 있다. 반면 B 씨는 학창시절부터 동기들과 어울리지 못했고 입사 후에도 동료들과의 관계를 잘 맺지 못하고 있으므로 친밀감을 형성하지 못하고 고립감을 겪고 있는 사례이다. 따라서 두 사람은 모두 '친밀감 대 고립감'의 단계에 해당된다.

보충 플러스+

에릭슨의 심리사회적 발달이론

에릭슨은 프로이트의 심리성적 발달이론에 비해 사회 문화적 요소를 강조했으며, 청소년기 이후의 발달까지 제안했다는 점에서 풍부한 고전적 발달 이론으로 알려졌다. 그는 개인의 능력과 사회 문화권의 요구 간의 접점이 어떻게 달라지는가에 따라 총 8단계로 발달이 진행된다고 보았다.

단계	설명
1단계 신뢰 대 불신 (0 ~ 1세)	- 양육자가 영아의 욕구에 민감하고 일관성 있게 반응할 때 신뢰감 형성 - 양육자의 행동에 일관성이 없거나 예측할 수 없을 때 불신감 형성
2단계 자율성 대 수치심 (2 ~ 3세)	- 대소변의 통제나 신체행동에 대해 스스로 결정하면서 자율성 형성 - 부모의 통제가 빈번하게 이루어지면 무능력에 대한 수치심 또는 회의감 형성
3단계 주도성 대 죄의식 (4 ~ 5세)	- 언어와 운동능력이 발달하면서 유아는 활동에 대한 목표와 계획을 세우며 주도성 발달 - 부모의 제재에 일관성이 없으면 유아는 주도적 행동에 자신감을 잃고 나쁜 짓을 했다는 죄책감 발달
4단계 근면성 대 열등감 (6 ~ 11세)	- 학교에서 학습을 수행하고 타인으로부터 인정을 받고 과제 완수를 통해 오는 즐거움을 느끼는 과정에서 근면성 발달 - 실패를 계속 경험하거나 성취할 기회가 주어지지 않는다면 열등감 발달
5단계 자아정체감 대 정체감 혼돈 (12 ~ 18세)	- 아동기와 성인 사이의 전환이 일어나는 청소년기에 해당하며 자신의 존재에 대해 의문을 던지고 탐색을 하면서 자아정체성 형성을 위해 노력
6단계 친밀감 대 고립감 (19 ~ 24세)	- 전 단계에서 형성된 자신의 자아정체감을 타인과 연합하여 공동의 정체성을 확립하며 친밀감을 나누고 사회적 관계를 형성 - 이전 단계에서 자아정체성을 확립하지 못했다면 타인과의 관계에서도 친밀감을 형성하기 어렵고, 친구나 부모, 배우자에게서도 사회적인 위축을 느끼게 되어 고립감을 경험
7단계 생산성 대 침체성 (25 ~ 54세)	- 가정에서 부모 역할을 하고, 직장에서 다음 세대를 양성하는 등 학문적인 성취나 예술적 업적, 기술적 생산 등을 통해 생산성을 획득 - 생산성이 결핍되면 자신의 에너지와 기술을 자신의 욕구 충족을 위해 사용하게 되어 무능력감을 경험
8단계 자아통합 대 절망 (54세 이상)	- 지난 시간들을 회고하며 자아통합을 이루어야하는데 성취감과 만족감을 느낀다면 자아통합감을 성취 - 자아통합감 달성을 하지 못하면 지난 생애를 후회하며 절망

33 물적자원관리능력 투입비용 파악하기

| 정답 | ②

| 해설 | 자동화 설비 도입 후 정량의 투입비용은 1,800원이지만 불량률이 20%이므로 평가에서의 투입비용은 $1,800 + \left(1,800 \times \dfrac{20}{100}\right) = 2,160$(원)으로 평가 점수는 B^+이다.

34 물적자원관리능력 설비 변경 후 투입비용 파악하기

| 정답 | ③

| 해설 | 자동화 설비 도입 전 1단위 생산 시 총 투입비용은 $800 + 2,400 + 4,200 + 3,800 + 1,600 + 3,200 + 2,000 + 8,000 + 3,200 + 800 = 30,000$(원)이고 자동화 설비 도입 후 총 투입비용은 $400 + 2,400 + 3,000 + 1,800 + 1,200 + 3,200 + 2,000 + 6,400 + 3,200 + 400 = 24,000$(원)이다.

따라서 자동화 설비 도입 후 총 투입비용은

$$\dfrac{30,000 - 24,000}{30,000} \times 100 = 20(\%)$$ 감소하였다.

35 물적자원관리능력 작업량 구하기

| 정답 | ④

| 해설 | 정상인 자동차 180대를 출고한다고 할 때 최종 검수 전까지 생산된 자동차 수량을 x대라고 하면,

$$x - \dfrac{10}{100}x = 180(\text{대}) \qquad x = 200(\text{대})$$

1차 검수 전까지 생산된 자동차 수량을 y대라고 하면,

$$y - \dfrac{20}{100}y = 200(\text{대}) \qquad y = 250(\text{대})$$

따라서 정상인 자동차 180대를 출고하려면 250대를 기준으로 작업을 시작해야 한다.

36 예산관리능력 비용 변화량 구하기

| 정답 | ④

| 해설 | 업무 혁신 전 자동차 1대를 생산하는 총 비용은 $75 + 55 + 10 + 30 + 40 + 10 + 5 = 225$(만 원)이고, 업무 혁신 후 자동차 1대를 생산하는 총 비용은 $50 + 55 + 10 + 20 + 15 + 5 + 5 = 160$(만 원)이다. 따라서 업무 혁신 후 자동차 1대를 생산하는 총비용은 혁신 전에 비해 65만 원 감소하였다.

37 예산관리능력 생산비용 감소율 구하기

|정답| ②

|해설| $\dfrac{10-5}{10} \times 100 = 50(\%)$ ∴ 최종 점수-C

|오답풀이|

① $\dfrac{75-50}{75} \times 100 ≒ 33.3(\%)$

③ $\dfrac{30-20}{30} \times 100 ≒ 33.3(\%)$

④ $\dfrac{40-15}{40} \times 100 = 62.5(\%)$

38 예산관리능력 자료를 바탕으로 비용 계산하기

|정답| ④

|해설| ㄷ. 배터리 결함이 있는 K 전자 스마트폰이 A 공장에서 생산되었을 가능성은 $0.6 \times 0.04 = 0.024$이고, B 공장에서 생산되었을 가능성은 $0.4 \times 0.06 = 0.024$이므로 동일하다.

ㄹ. B 공장에서 생산한 스마트폰 중 결함이 있는 스마트폰은 6%에 해당하므로 이를 제조하는 비용 또한 총 제조비용의 6%에 해당한다.

|오답풀이|

ㄱ. A 공장에서 스마트폰 10,000대를 생산할 때 대당 고정비는 1(억 원)÷10,000(대)=10,000(원)이므로 대당 제조비용은 대당 변동비+대당 고정비용=10,000+10,000=20,000(원)이다.

ㄴ. K 전자 스마트폰에 결함이 있을 확률은 $0.6 \times 0.04 + 0.4 \times 0.06 = 0.024 + 0.024 = 0.048$, 즉 4.8%이므로 5% 미만이다.

보충 플러스+

고정비와 변동비
• 고정비 : 제작, 생산량의 증감과는 무관하게 늘 일정 금액이 발생하는 비용(임금, 임차료, 보험료, 공통 설비의 감가상각비 등)

• 변동비 : 제품의 생산량 증감에 따라 원가가 증감하는 비용(직접재료비)

39 자원관리능력 자원낭비의 원인 파악하기

|정답| ②

|해설| 마지막 부분에서 한국 가정에서 한 해 동안 발생하는 생활폐기물 중 1회용 포장재 폐기물이 절반 이상을 차지한다고 지적하고 있다. 이는 1인당 택배 이용 횟수가 급증하면서 생긴 유통포장재의 과대포장 문제로, 온라인 쇼핑 등 편리성을 추구하면서 생긴 현상이 주요 원인이라고 볼 수 있다.

40 예산관리능력 금액 계산하기

|정답| ③

|해설| 제품 A, B, C의 노동시간 비는 1.5 : 1 : 1.5이다. 노동시간을 기준으로 제조간접원가를 배부하면 제품 A, C는 3,750만 원, 제품 B는 2,500만 원이 된다. 당기총제조원가는 직접재료원가와 직접노무원가, 제조간접원가를 더한 비용이다. 따라서 제품 B의 당기총제조원가는 3,000+5,000+2,500=10,500(만 원)이다.

41 직업윤리 직업의식 이해하기

|정답| ④

|해설| P사는 핀토의 설계에 결함이 있다는 것을 알고 있었음에도 이에 대한 조치를 취하지 않고 계속해서 판매를 진행하였다. 따라서 P사에게는 사회·윤리적 책임의식이 결여되어 있었음을 알 수 있다.

42 근로윤리 목적에 맞는 문항 작성하기

|정답| ③

|해설| 조직공정성은 조직 구성원들이 조직으로부터 받는 대우의 공정한 정도를 의미한다. 조직공정성은 3가지 유형

1회 기출예상문제 2회 기출예상문제 3회 기출예상문제 4회 기출예상문제 5회 기출예상문제 6회 기출예상문제

으로 나뉘는데 조직구성원이 조직으로부터 받는 성과나 결과의 공정성을 따지는 분배적 공정성, 업무 맥락 속 판단과 의사결정 절차의 공정성을 의미하는 절차적 공정성, 의사결정에 대한 설명을 하거나 정보를 전달할 때 개인이 받는 대우를 의미하는 상호작용 공정성이 있다.

①은 분배적 공정성, ②는 상호작용 공정성, ④는 절차적 공정성에 해당한다.

43 근로윤리 조직 냉소주의 사례 파악하기

|정답| ③

|해설| ③은 조직에 대한 불만이 아닌 자신의 부족함을 탓하는 상황이므로 조직 냉소주의와는 거리가 멀다.

조직 냉소주의란 해당 조직의 구성원들이 경영진, 정책, 제도, 변화 및 혁신 활동 등 조직 전반에 걸쳐 이유 없는 무관심이나 적대감, 극단적인 불신을 나타내는 것으로, 감정적 동요, 부정적인 태도, 부정적 행동 표출로 나타난다. ①의 상황은 부정적 태도, ②의 상황은 부정적 행동 표출, ④의 상황은 감정적 동요에 해당한다.

44 직업윤리 윤리적 가치 판단 이해하기

|정답| ④

|해설| 통합성에 대한 설명이다. 상호성은 '만일 당신이라면 어떻게 하겠는가?'에 대한 가치 판단이다.

45 직업윤리 직업윤리와 개인윤리의 조화 이해하기

|정답| ②

|해설| 제시된 사례의 K 씨와 E 씨는 자신에게 명시화된 업무가 아님에도 불구하고 코로나19로 어려움을 겪고 있는 사람들을 위해 자신을 희생하여 조직과 사회에 기여하는 태도를 보이고 있다.

46 근로윤리 정직지수 이해하기

|정답| ②

|해설| 20대의 정직지수는 51.8로 가장 낮으나, 25개 항목 중 22개에서 가장 낮게 나타났는지는 제시된 자료를 통해 알 수 없다.

47 직업윤리 비윤리적 행위 요인 파악하기

|정답| ②

|해설| 비윤리적인 결과를 피하기 위하여 일반적으로 필요한 주의나 관심을 기울이지 않는 도덕적 태만에 대한 사례이다. 한국 사회에서 나타나는 도덕적 태만의 경우는 주로 자기 기만적 요소가 강하게 나타난다.

|오답풀이|

① 도덕적 타성은 바람직한 행동이 무엇인지 알고 있으면서도 그렇게 행동하지 않는 것이다. 즉 직면한 문제에 제대로 대응하지 않는 것이다. 이는 윤리적 문제에 대한 인식이 부족하거나 윤리적 배려가 선택의 우선순위에서 밀려나기 때문이며 주로 나태함, 게으름, 무기력한 모습으로 나타난다.

48 직업윤리 직업윤리의 기본원칙 이해하기

|정답| ①

|해설| 개인이익을 최우선으로 하는 것이 아니라 공동의 이익을 최우선으로 하여 공인으로서의 직분을 수행해야 한다.

|오답풀이|

② 객관성의 원칙에 해당하는 설명이다.

③ 전문성의 원칙에 해당하는 설명이다.

④ 정직과 신용의 원칙에 해당하는 설명이다.

49 공동체윤리 AI 윤리 10대 원칙 이해하기

|정답| ③

|해설| AI 개발과 활용에 있어 개인정보의 과도한 수집 및 오용은 금지되어야 하고 수집된 데이터들은 목적 외 용도로 활용되지 않아야 한다.

50 공동체윤리 직장 내 성희롱 이해하기

|정답| ①

|해설| 사업주는 직장 내 성희롱 발생이 확인된 경우 지체 없이 행위자에 대하여 징계나 그 밖에 이에 준하는 조치를 해야 한다. 그러나 사업주는 직장 내 성희롱과 관련하여 피해를 입은 근로자나 성희롱 피해를 주장하는 근로자에게 해고나 그 밖의 불리한 조치를 해서는 안 된다.

4회 기출예상모의고사

문제 134쪽

01	③	02	①	03	①	04	②	05	⑤
06	④	07	③	08	④	09	②	10	⑤
11	⑤	12	②	13	③	14	⑤	15	②
16	②	17	②	18	④	19	④	20	②
21	①	22	①	23	①	24	③	25	②
26	②	27	④	28	②	29	③	30	③
31	②	32	①	33	③	34	③	35	④
36	⑤	37	④	38	⑤	39	①	40	④
41	③	42	②	43	③	44	③	45	②
46	①	47	④	48	⑤	49	②	50	②
51	④	52	①	53	⑤	54	②	55	③
56	④	57	⑤	58	④	59	⑤	60	④

01　경청능력　경청 5단계 이해하기

| 정답 | ③

| 해설 | 3단계 선택적 듣기는 수신자가 전달자의 이야기를 듣고는 있으나 전달자의 메시지 전체에 집중하기보다는 자신이 듣고 싶은 내용 위주로 골라 듣는 단계이다. 커뮤니케이션이 완료되면 전달자가 전달하는 내용과 수신자가 들은 내용에 차이가 발생하게 되고, 메시지의 의미를 오해하거나 일부 메시지는 기억하지 못하게 되어 전달자는 "내 이야기를 듣기는 했어요?"와 같은 반응을 보이게 된다.

보충 플러스+

스티븐 코비의 경청 5단계
1. 무시하기 : 멀뚱히 상대방을 바라보고만 있을 뿐 귀를 닫은 상태
2. 듣는 척 하기 : 말하는 사람에게 적어도 관심을 가지는 상태이나, 마음은 딴 곳에 가 있는 상태
3. 선택적 듣기 : 자기가 듣고 싶은 말만 골라 듣는 상태
4. 적극적 듣기 : 집중하여 듣더라도 공감 없이 상대방이 무엇을 말하는지에만 관심을 기울이는 상태
5. 공감적 듣기 : 상대방의 말, 의도, 감정을 이해하기 위해 가슴과 마음으로 듣는 상태

02　의사표현능력　상황에 따른 의사 표현법 이해하기

| 정답 | ①

| 해설 | 상대방에게 부탁해야 할 때는 먼저 상대의 사정을 파악하여 상대를 우선시하는 태도를 보여주어야 한다. 그 후 상대가 응하기 쉽게 구체적으로 부탁하면 상대방이 한결 받아들이기 쉽다.

03　문서이해능력　자료 이해하기

| 정답 | ①

| 해설 | 혐오차별 문제가 자연적으로 해결될 것이라는 의견은 22.2%, 차별현상이 고착화되거나 더 심해질 것이라는 의견은 70%를 넘는다. 따라서 혐오차별 문제가 자연적으로 해결될 것이므로 시간에 맡겨야 한다는 내용을 적절하지 않다.

04　문서작성능력　보도자료 작성 시 주의사항 파악하기

| 정답 | ②

| 해설 | ㉠ 내용을 명확하게 이해할 수 있도록 중요한 사실부터 간결하게 작성한다.
㉢ 보도자료에는 추가 문의에 응할 홍보담당자의 연락처를 명시해야 한다.
㉣ 제공한 보도자료에 대해 기사화할 것을 무리하게 요구하거나 기사의 비중을 물어보는 것은 서로의 신뢰관계를 해치는 일이 될 수 있으므로 묻지 않는 것이 좋다.
㉤ 멋이나 기교를 부리지 않고 사실만을 간단명료하게 표현하고 핵심만 부각시키는 것이 더 강한 전달효과를 줄 수 있다.

| 오답풀이 |

㉡ 사진이나 그래픽 자료, 영상보도 자료 등을 제공하면 보도될 가능성이 더욱 커진다.
㉢ 다채로운 수식어는 명확한 포인트나 관점을 흐리게 해 자칫 엉뚱한 방향으로 왜곡되는 결과를 낳기도 한다. 따라서 현란한 형용사나 수식어의 사용보다는 기자의 명확한 이해와 관점 설정을 위해 노력해야 한다.
㉣ 과도한 전문용어의 사용은 기자의 관심을 저하시키고 뉴스의 관점을 흐리게 할 수 있으므로 자제해야 한다.

05 문서이해능력 글을 바탕으로 행동 파악하기

|정답| ⑤

|해설| 신입사원이고 처음으로 안전사고 예방 교육을 받는 다고 하였으므로 한 씨는 일반 안전사고 예방 교육을 받기 위해 1회의실로 이동해야 한다.

06 문서이해능력 글을 바탕으로 추론하기

|정답| ④

|해설| 캐서린 쿡 브릭스와 이사벨 브릭스 마이어스의 이론을 바탕으로 만들어진 것이 아니라 캐서린 쿡 브릭스와 이사벨 브릭스 마이어스가 고안한 자기보고서 성격유형 자료이다.

07 문서이해능력 글을 바탕으로 이해하기

|정답| ③

|해설| 에너지의 방향과 주의 초점에 따라 외향형(E), 내향형(I), 정보를 수집하는 인지기능에 따라 감각형(S), 직관형(N), 판단기능에 따라 사고형(T), 감정형(F), 이행/생활양식에 따라 판단형(J), 인식형(P)으로 나눌 수 있으므로 $2 \times 2 \times 2 \times 2 = 16$(개)이다.

08 문서이해능력 청중의 반응 파악하기

|정답| ④

|해설| 마지막 문단에서 화이트박스 암호도 변조 행위나 역공학에 의한 공격을 받는다면 노출될 가능성이 있다고 명시하고 있다.

09 문서작성능력 적절한 접속어 파악하기

|정답| ②

|해설| 화이트박스 암호에 대한 설명과 장점에 대해 말하고 있는 앞문단과 달리 ㉠ 다음 문장에서 화이트박스 암호 역시 노출의 위험이 있다는 내용이 나오고 있으므로 역접인 '그러나'가 적절하다.

10 의사소통능력 의사소통 네트워크 유형 파악하기

|정답| ⑤

|해설| 권한의 집중 정도가 높고 구성원의 만족도가 낮으며 수직적 조직구조 형태로 보아 ㉠은 연쇄형에 해당한다.

보충 플러스+

의사소통 네트워크 유형

구분	연쇄형	Y자형	X자형 (바퀴형)	원형	완전 연결형
권한의 집중	고	중	중	저	매우 저
의사소통 속도	중	중	단순직무 : 빠름	단합 : 빠름	빠름
			복합직무 : 느림	개별 : 느림	
의사소통 정확도	서면 : 고	단순 : 고	단순 : 고	단합 : 고	저
	언어 : 저	복합 : 저	복합 : 저	개별 : 저	
구성원 만족도	저	중	저	고	고
의사결정 속도	빠름	중간	중간	느림	빠름
의사결정 수용도	저	중간	중간	고	고
조직 구조 형태	수직	수직	수평	수평	수평

11 문서이해능력 세부 내용 이해하기

|정답| ⑤

|해설| ㄷ. Q4를 통해 디지털 커뮤니케이션으로 인해 다양한 모임이 생겨나고 있다는 것은 알 수 있다.

ㄹ. Q2를 통해 감염 위험으로 떡볶이마저 애플리케이션으로 시킬만큼 소비가 급격하게 디지털 플랫폼으로 이동했음을 알 수 있다.

1회 기출예상문제
2회 기출예상문제
3회 기출예상문제
4회 기출예상문제
5회 기출예상문제
6회 기출예상문제

12 문서이해능력 글을 바탕으로 사례 제시하기

|정답| ②

|해설| 제시된 글은 디지털 문명으로 스포츠, 예술 등 다양한 분야를 누리는 바탕이 상황과 때에 따라 온라인으로 이동되는 것을 말하고 있다. 교외 카페에 가서 휴식을 취하고 사진을 찍는 것은 디지털 플랫폼으로의 이동에 대한 예라고 볼 수 없다.

13 문제해결능력 문제의 유형 구분하기

|정답| ③

|해설| 기계 고장, M/S 저하 등은 발생형 문제의 예이다.

14 문제처리능력 STEEP 이해하기

|정답| ⑤

|해설| STEEP 분석은 다음과 같은 항목으로 구성되어 있다.

- Social(사회적 분석) – 고령화 사회 진입, 출산율 감소, 1인 가구 증가, 결혼 연령 증가, 신기술의 도입, 세계화
- Technological(기술적 분석) – 무인 결제 시스템, AI, 인공지능, 자율주행 자동차, IOT, 스마트폰 대중화
- Economic(경제적 분석) – 물가상승률, 환율의 변동, 원자재가격 변동성, 미중 무역전쟁, 특정국가 부도 위기, GNP/GDP, 청년 실업률
- Ecological(생태적 분석) – 지구 온난화, 엘니뇨/라니냐, 환경오염, 기후, 농산물, 물, 지하자원
- Political(정치적/법적 분석) – 시장의 규제, 무역협정, 세율의 변동, 정부의 간섭 정도, 법률의 통과

따라서 제시된 내용은 정치적/법적 분석에 해당한다.

15 문제해결능력 문제해결의 절차 이해하기

|정답| ②

|해설| 문제해결의 절차에 대한 설명은 다음과 같다.

- 문제 인식 : 해결해야 할 문제들을 파악하여 우선순위를 정하고, 선정 문제에 대한 목표를 명확히 하는 단계이다.

- 문제 도출 : 선정된 문제를 분석하여 해결해야 할 것이 무엇인지를 명확히 하는 단계이다.
- 원인 분석 : 파악된 핵심문제에 대한 분석을 통해 근본 원인을 도출하는 단계이다.
- 해결한 개발 : 문제로부터 도출된 근본원인을 효과적으로 해결할 수 있는 최적의 해결방안을 수립하는 단계이다.
- 실행 및 평가 : 해결안 개발을 통해 만들어진 실행계획을 실제 상황에 적용하는 활동으로 당초 장애가 되는 문제의 원인들을 해결안을 사용하여 제거하는 단계이다.

따라서 〈보기〉의 단계는 문제 도출 단계에 해당한다.

16 사고력 필요한 전제 도출하기

|정답| ②

|해설| '민형이는 시계를 차지 않았다'와 모순이 되기 위해서는 '민형이는 시계를 찼다'라는 명제가 도출되어야 한다. '민형이는 시계를 찼다'는 명제는 ⓒ의 대우 '철수가 공대 출신이 아니면 민형이는 시계를 찼다'로 도출된다. 이는 'ⓔ 민형이가 팔씨름을 좋아한다면 철수는 공대 출신이 아니다'와 'ⓐ 민형이는 팔씨름을 좋아한다'를 필요로 한다. 따라서 필요한 전제는 ⓐ, ⓒ, ⓔ이다.

17 사고력 시네틱스 이해하기

|정답| ②

|해설| 시네틱스는 고든의 연구노력에 의해 창안된 것으로, 일본의 나카야마가 보완하면서 산업계에서 널리 사용하게 되었다. 이 시네틱스 기법은 친숙한 것을 통해 새로운 것을 창안하거나, 친숙치 않은 것을 친숙하게 보게 하는 것 두 가지로 설명이 가능하다.

|오답풀이|

① NM법은 인간의 창조적인 사고를 통해 자연적으로 거쳐가는 숨겨진 사고의 프로세스를 시스템화하여 그 순서에 따라 이미지 발상을 해 가는 발상법이다.

③ 로직트리는 주어진 문제에 대해 서로 논리적 연관성이 있는 하부 과제들을 나무 모양으로 전개하여 문제의 근본 원인을 찾는 해결법이다.

④ 체크리스트는 오스본이 고안해 낸 것으로 대상을 9가지 항목에 따라 정리하는 것이다.

⑤ 피라미드 구조화는 보조 메시지들을 통해 주요 메인 메시지를 얻고 다시 메인 메시지를 종합한 최종 정보를 도출하는 방법이다.

18 　사고력　논리적 오류 추론하기

|정답| ④

|해설| 제시된 〈보기〉에서 설명하고 있는 논리적 오류는 순환 논증의 오류이다. 이는 결론에서 주장하는 바를 논거로 제시하는 오류로, 참이 증명되지 않은 전제에서 결론을 도출하거나 전제와 결론이 순환적으로 서로의 논거가 될 때 나타난다. 따라서 순환 논증의 오류를 저지르고 있는 것은 ④이다.

|오답풀이|

① 권위에 호소하는 오류에 해당한다.

② 거짓 원인의 오류에 해당한다.

③ 인신공격의 오류에 해당한다.

⑤ 무지에 호소하는 오류에 해당한다.

19 　사고력　논리적 사고의 요소 알기

|정답| ④

|해설| 상대 논리의 구조화는 자신의 논리로만 생각하다 독선에 빠지지 않기 위해 필요한 논리적 사고이다. 따라서 김 사원이 놓치고 있는 논리적 사고의 요소는 상대 논리의 구조화이다.

|오답풀이|

① 타인에 대한 이해는 상대의 주장에 반론을 제시할 때, 상대 주장의 전부를 부정하지 않기 위해 필요한 논리적 사고의 요소이다.

② 구체적인 생각은 상대가 말하는 것에 대해 잘 알 수 없을 때 구체적으로 생각해 보기 위해 필요한 논리적 사고의 요소이다.

③ 생각하는 습관은 논리적 사고에 있어서 가장 기본적인 요소로, 언제 어디서나 의문을 가지고 계속해서 생각해 보는 습관을 들이는 것이다.

⑤ 설득은 논리적 사고의 기본인 공감을 바탕으로 내가 원하는 행동을 상대가 하게 하는 것으로, 논쟁이 아니라 논증을 통해 설득을 더욱 정교하게 할 수 있다.

20 　사고력　창의적 사고를 위한 전략 파악하기

|정답| ②

|해설| ㉠ 학생들에게 도달해야 할 목표점을 설정해 주는 것은 Project에 해당한다.

㉡ 학생에게 어려운 과제를 끈기 있게 하고자 하는 감정을 불러일으키는 것은 Passion에 해당한다.

㉢ 아이들에게 동료와 함께 일할 수 있게 해 주는 것은 Peers에 해당한다.

㉣ 아이들이 실패를 놀이처럼 생각하는 것은 Play에 해당한다.

따라서 Pride는 ㉠ ~ ㉣에 해당하지 않는다.

21 　사고력　조건에 따라 결과 추론하기

|정답| ①

|해설| 주어진 경기 결과를 토대로 표로 나타내면 다음과 같다.

구분	A와 대결	B와 대결	C와 대결	D와 대결	E와 대결	결과
A		×	×	○		
B	○			×		×	
C	○	○		○	○	4승
D	×		×			
E		○	×			

위 표에 따르면 A팀은 1승 2패, B팀은 1승 2패, C팀은 4승, D팀은 2패, E팀은 1승 1패를 한 상태다. 마지막 조건에서 모든 팀은 승률이 다르다고 하였으므로 현재 승률이 같은 A팀과 B팀은 1승 3패 또는 2승 2패를 한 것이 된다.

1) A팀이 2승 2패, B팀이 1승 3패를 했을 경우

구분	A와 대결	B와 대결	C와 대결	D와 대결	E와 대결	결과
A		×	×	○	○	2승 2패
B	○		×	×	×	1승 3패
C	○	○		○	○	4승
D	×	○	×		× 또는 ○	1승 3패 또는 2승 2패
E	×	○	×	○ 또는 ×		2승 2패 또는 1승 3패

www.gosinet.co.kr gosinet

1회 기출예상문제

2회 기출예상문제

3회 기출예상문제

4회 기출예상문제

5회 기출예상문제

6회 기출예상문제

D와 E의 경기에서 어떤 결과가 나오더라도 A팀, B팀과 승률이 중복되므로 모순이 된다.

2) A팀이 1승 3패, B팀이 2승 2패를 했을 경우

구분	A와 대결	B와 대결	C와 대결	D와 대결	E와 대결	결과
A		×	×	○	×	1승 3패
B	○		×	○	×	2승 2패
C	○	○		○	○	4승
D	×	×	×		×	4패
E	○	○	×	○		3승 1패

E가 D와의 대결에서 승리할 경우 모든 팀의 승률이 다르게 되므로 주어진 조건에 부합한다.

따라서 4위를 한 팀은 1승 3패의 A팀이다.

22 문제처리능력 갈등해결 전략 파악하기

| 정답 | ①

| 해설 | 수용은 어떠한 것을 받아들인다는 뜻으로, 행동이나 태도를 반드시 용서하는 것과는 관계없이 가치 자체를 긍정적으로 인식하여 받아들이는 것이다. 제시된 상황에서의 문제는 주민들의 우려가 수용되어 환경관리감독 강화 약속이 제시되고 이를 주민들이 받아들임으로써 해결되었다. 따라서 이는 서로의 가치를 긍정적으로 인식하여 받아들인 것이므로 수용과 연관이 있다.

| 오답풀이 |

② 경쟁은 같은 목적에 대하여 이기거나 앞서려고 서로 겨루는 것이다.

③ 협력은 우호적이고 생산적인 집단분위기를 형성하기 위하여 서로 돕는 것이다.

④ 회피는 현재 존재하지는 않는 혐오 자극을 피해 미리 특정 행동을 하는 것이다.

⑤ 타협은 어느 정도의 이익을 공유하는 중간 지점에서 서로 주고 받는 것이다.

23 사고력 교육과정 이수 날짜 구하기

| 정답 | ①

| 해설 | 각각의 날짜에 수강할 수 있는 과목을 표시하면 다음과 같다. 괄호 안의 숫자는 남은 수강 횟수를 의미한다.

202X년 1월						
일	월	화	수	목	금	토
			1 자(0) 예(1) 직(1)	2 예(0) 직(0)	3 정(1) 커(2)	4
5	6 정(0) 커(1)	7 커(0)	8 문(2)	9 문(1)	10 문(0)	11
12	13 실(4)	14 실(3)	15 실(2)	16 실(1)	17 실(0)	18
19	20	21	22	23	24	25
26	27	28	29	30	31	

따라서 가장 빨리 모든 교육과정을 이수할 수 있는 날은 1월 17일이다.

24 사고력 반드시 참인 진술 고르기

| 정답 | ③

| 해설 | 각 점수를 받기 위해서 총 10문제 중 가와 다는 7문제, 나는 5문제, 라는 9문제를 맞혀야 한다. 가장 많은 개수를 맞힌 라를 기준으로 점수를 계산하여 진술이 반드시 참인지 확인할 수 있다.

3번 문제의 정답이 ○라는 진술이 항상 참인지 확인하기 위해서는 3번 문제의 정답이 X인 경우에도 참이 되는지 확인하면 된다. 3번을 제외한 라의 나머지 답안이 정답이 되므로 이에 따라 가 ~ 다의 정답 개수를 구하면 가와 다는 7개, 나는 5개가 되어 제시된 각 점수를 얻을 수 있다. 따라서 3번 문제의 정답이 반드시 ○라고 할 수 없다.

| 오답풀이 |

① 1번 문제의 정답이 X라고 가정할 경우 나는 6개, 다는 8개를 맞히게 되므로 1번 문제의 정답은 반드시 ○임을 알 수 있다.

② 2번 문제의 정답이 ○라고 가정할 경우 나가 6개를 맞히게 되므로 2번 문제의 정답은 반드시 X임을 알 수 있다.

25 업무이해능력 역할 갈등 이해하기

| 정답 | ②

| 해설 | 역할 갈등은 크게 역할 모순과 역할 긴장으로 나누어 볼 수 있는데, 이 중 역할 모순은 한 사람이 여러 개의 지위를 가지고 있을 때 그 지위에 따른 역할이 서로 충돌할 경우에 발생하는 것이다. 한 사람이 가진 하나의 지위에 대해 서로 다른 역할이 충돌하여 발생하는 역할 갈등은 역할 긴장이다.

| 오답풀이 |

① 역할모호성은 직무에 필요한 정보가 충분히 제공되지 않아 역할수행자가 직무에서 요구하는 임무와 책임을 명확하게 알지 못하는 경우로, 조직의 상위계층의 직무일수록 증가하는 과업의 다양성과 복잡성으로 인해 자주 발생한다.

26 업무이해능력 동료의 발표에 따라 맞장구치기

| 정답 | ②

| 해설 | '역사를 잊은 민족에게 미래는 없다'는 말은 지나간 역사로부터 교훈을 얻지 못하면 미래로 발전해 나갈 수 없음을 의미하는 말이다. 따라서 제시된 일본의 수출규제라는 위기 상황을 하나의 기회로 전환하는 상황에 대한 맞장구로는 적절하지 않다.

| 오답풀이 |

① 반도체 핵심 소재 부품의 국산화 성과에 대해 맞장구친 내용이다.

③, ⑤ 위기를 기회로 활용할 수 있다는 내용에 대해 맞장구친 내용이다.

④ 일본의 수출규제의 사례에 대해 맞장구친 내용이다.

27 경영이해능력 SWOT 분석하기

| 정답 | ④

| 해설 | 유사상품의 출시가 외부 위협요소인 상황에서 경쟁사의 제품을 모방하는 것은 적절한 WT 전략이 아니다.

| 오답풀이 |

① 다이어트 라면의 개발(O)을 통해 종합식품기업으로서의 입지(S)를 강화하는 것은 SO 전략이다.

② 저열량, 저나트륨 등의 성분을 이용한 신제품 개발(S)을 통해 라면이 가진 부정적 인식(T)을 개선하는 것은 ST 전략이다.

③ 건강라면을 주력 상품으로(O) 설정하고 마케팅을 강화(W)하여 고객들에게 제품에 대한 이미지를 각인시키는 것은 WO 전략이다.

⑤ 연령을 기준으로 주요 타겟층을 정하여(T) 새로운 마케팅 전략을 수립 및 시행(W)하는 것은 WT 전략이다.

28 조직이해능력 퇴니스의 조직 분류 알기

| 정답 | ②

| 해설 | 퇴니스의 조직 분류에서 공동사회는 가족, 지역사회, 취미모임 등과 같이 자연적으로 발생한 집단으로 조직의 결속력을 중시한다. 반면 이익사회는 기업, 관공서 등과 같이 특수한 목적에 의해 인위적으로 결집한 조직으로, 해당 조직을 결성하게 한 구심점인 목적의 달성력을 중시한다.

29 경영이해능력 SWOT 분석 이해하기

| 정답 | ③

| 해설 | 각각의 정보들을 SWOT 분석에 따라 표로 정리하면 다음과 같다.

강점	약점
Ⓐ, Ⓑ	Ⓓ, Ⓔ
기회	위협
Ⓒ, Ⓕ	Ⓖ, Ⓗ

따라서 (가)에는 Ⓒ, Ⓕ, (나)에는 Ⓖ, Ⓗ가 늘어가야 한다.

30 업무이해능력 기안서 작성요령 파악하기

| 정답 | ③

| 해설 | 안건을 제시할 때는 3가지 이상을 제안하는 것이 좋다. 여러 방면에서 생각하여 3가지 이상의 안을 짜면 그 중에서 가장 적합하고 좋은 성과를 얻을 수 있는 안을 선택할 수 있기 때문이다. 한 가지 또는 두 가지의 안건만 제시할

1회 기출예상문제 2회 기출예상문제 3회 기출예상문제 **4회 기출예상문제** 5회 기출예상문제 6회 기출예상문제

경우 그 안들이 통과되지 못하면 다시 작성해야 하므로 처음부터 여러 종류의 안을 제시하는 것이 바람직하다.

보충 플러스+

기안서 작성요령

1. 5W1H에 따라 간단명료하게 작성한다. 세부적인 내용은 글로 풀어내기보다 첨부 서류로 대신하는 것이 좋다.
2. 구어체가 아닌 문어체, 장문이 아닌 단문으로 읽기 쉽게 작성한다.
3. 상세한 기술보다는 항목을 나눠 번호를 붙여 표현한다.
4. '할 것 같다' 등의 애매하거나 불확실하거나 확정적이지 않은 표현은 지양한다.
5. 한자 또는 전문용어는 가급적 쓰지 않고 단순하고 명확한 단어를 사용한다.
6. 약칭의 사용을 지양하고 엄연한 공식 명칭을 사용한다.
7. 가급적이면 결론을 먼저 작성하고 그 다음에 이유 또는 진행 과정 등을 설명한다.

---

31 조직이해능력 레빈의 조직변화 과정 이해하기

| 정답 | ②

| 해설 | 레빈의 조직변화의 과정 중 변화 단계는 변화담당자의 의도에 따라 조직을 변화시키는 단계로, 이를 받아들이는 구성원의 반응으로 순종, 동일화, 내면화가 있다.

(가) 순종은 구성원 개인의 내심과 관계없이 다른 사람 혹은 집단의 우호적인 반응을 얻기 위해, 혹은 집단의 나쁜 반응을 회피하기 위해 변화를 수용하는 것이다.

(나) 동일화는 구성원 개인이 집단과 관계를 형성하고 있는 관계에 만족하고 변화를 받아들여 이를 자신의 일부로 인정하는 것이다.

(다) 내면화는 집단의 변화가 구성원인 개인의 가치체계에 부합하여 이를 완전히 받아들이는 것이다.

32 조직이해능력 조직의 정의 이해하기

| 정답 | ①

| 해설 | 조직은 단순히 사람들이 모였다고 해서 조직이라고 하지 않는다. 조직은 목적과 구조가 있고, 목적을 달성하기 위해 협력하는 구성원들이 있으며 외부 환경과 긴밀한 관계를 가지고 있는 집합체다. 출근길 지하철에 탄 사람들은 출근길 지하철이라는 동일한 공간에 모여 있을 뿐 공동의 목표를 달성하기 위한 행동체로는 보기 어려워 이를 조직이라 정의할 수 없다.

| 오답풀이 |

④ 직장을 나타내는 물리적 장소는 일반적으로 업무를 처리하는 활동영역으로, 보통 외형적으로는 공장, 사무실 등의 건물의 형태를 가지고 있으며 그 외에도 재택근무의 경우에 업무를 수행하는 거주 공간을 물리적 장소상의 직장으로 확장하여 정의할 수도 있다.

33 경영이해능력 경영자의 역할 파악하기

| 정답 | ③

| 해설 | 대변인의 역할은 조직정책이나 계획에 대한 정보를 외부에 강연과 구두 연설, SNS 등을 통해서 공식적으로 알리는 역할을 말한다. 제시된 기사에서 팀 쿡은 신제품에 대한 새로운 정보를 외부에 알리는 대변인의 역할을 수행하고 있다.

| 오답풀이 |

① 자원배분자의 역할은 조직의 목표를 달성하는 데 있어서 효율적이고 효과적인 자원배분에 관한 의사결정을 수행하는 것이다.

② 분쟁조정자의 역할은 조직 내·외부에서 발생하는 다양한 분쟁의 해결자로서의 역할을 수행하는 것이다.

④ 청취자의 역할은 경영활동을 수행하는 과정에서 유용한 정보를 꾸준히 탐색하는 것이다.

⑤ 리더의 역할은 종업원의 동기를 부여하고, 교육하고, 선발하는 역할을 수행하는 것이다.

34 조직이해능력 사회실재론과 사회명목론 이해하기

| 정답 | ③

| 해설 | 진 팀장의 관점은 사회실재론에 해당한다. 사회실재론은 개인과 사회와의 관계에서 사회는 개인의 총합 이상의 실체를 가지고 별도의 성질을 가지는 것이며, 개인은 그러한 사회에 종속되어 영향을 받는 수동적인 존재로 인식한다.

| 오답풀이 |

①, ② 유 팀장의 관점은 사회명목론에 해당한다. 사회명목론에서의 사회는 개인의 집합체에 불과하며 독자성이 없는 개념으로 보며, 사회현상은 개인의 의지에 따른 선택으로 발생하는 것으로 본다.

35 업무이해능력 간트 차트 이해하기

| 정답 | ④

| 해설 | 간트 차트는 업무의 진행흐름을 막대그래프의 형태로 나타낸다. 다양한 도형을 이용해 일의 흐름을 동적으로 표시하여 업무의 진행 구조를 파악하는데 도움을 주는 업무수행시트는 순서도(Flow Chart)에 대한 설명이다.

36 체제이해능력 갈등의 원인 파악하기

| 정답 | ⑤

| 해설 | 영업 실적을 채워야 하는 영업팀과 이익률을 높여야 하는 재무팀 사이의 갈등은 영업이익을 증가시키는 방법에 대해 제한된 시각으로 인해 서로 다른 방향으로 이를 해석하여 발생하는 '구조의 충돌'에 해당한다. 구조의 충돌은 외부적이고 업무와 관련된 갈등 발생 원인이므로 D에 해당한다.

| 오답풀이 |

① 내부적이고 사람과 관련된 갈등 발생 원인인 A는 '해석의 충돌'이다. 이는 체질, 성향, 취향, 가치관 등 사람의 특성에 의한 내부적 갈등에 해당한다.

② 내부적이고 업무와 관련된 갈등 발생 원인인 B는 '이해관계의 충돌'이다. 개인의 의지가 많이 개입되는 내부적 요인과 업무로 인해 생기는 갈등으로, 핵심 인재를 서로 독점하겠다고 벌이는 팀 간 갈등이나 님비현상 등이 있다.

③ 외부적이고 사람과 관련된 갈등 발생 원인인 C는 '다름의 충돌'이다. 술을 못 마시는 직원에게 회식자리에서 술을 강권할 때나 기독교 신자에게 제사를 강요할 때 발생하는 갈등이 그 예이다.

37 자원관리능력 자원의 낭비 요인 파악하기

| 정답 | ④

| 해설 | 신입사원의 자원관리 실패는 자원관리의 노하우 부족으로 이해된다. 자원관리의 중요성을 인식하는 것과 별개로 자원관리에도 노하우가 필요하며, 노하우의 부족은 자원관리의 실패로 이어진다. 이를 위해서는 경험을 통해 노하우를 축적하고, 학습을 통해 자원관리의 노하우를 체득해야 한다.

38 예산관리능력 계약 비용 파악하기

| 정답 | ⑤

| 해설 |
- A 광고업체 : (현수막) $30+25\times4+$(전단지) $30+5\times5=130+55=185$(만 원)

- B 광고업체 : (현수막) $5\times7+3\times23+$(전단지) $8\times3+6\times3+4\times4=104+58=162$(만 원)

- C 광고업체 : (현수막) $18\times6+$(전단지) $12\times5=108+60=168$(만 원)

- D 광고업체 : (현수막) $11\times10+$(전단지) $20+5\times7=110+55=165$(만 원)

- E 광고업체 : (현수막) $40+2.5\times20+$(전단지) $17\times4=90+68=158$(만 원)

39 시간관리능력 시간 관리의 유형 이해하기

| 정답 | ①

| 해설 | 제시된 내용은 시간 관리의 유형 중 가장 이상적인 형태인 시간 창조형(24시간형 인간)에 대한 내용이다. 시간 창조형은 긍정적이고 에너지가 넘치며, 빈틈없는 시간 계획으로 비전과 목표에 맞는 행동을 실천한다.

40 인적자원관리능력 효과적인 인력배치의 원칙 이해하기

| 정답 | ④

| 해설 | 〈그림〉은 인력배치의 과정에서 요구하는 직무요건과 사람요건의 균형 관계를 설명하고 있다. 적재적소주의는 팀의 효율성을 높이기 위해 팀원을 그의 능력이나 성격 등과 가장 적합한 위치에 배치하는 것으로, 이때의 배치는

작업이나 직무가 요구하는 요건(직무요건)과 개인이 보유하고 있는 요건(사람요건)이 서로 균형 있고 적합하게 대응해야 한다.

41 시간관리능력 시간 관리의 방법 이해하기

| 정답 | ③

| 해설 | 낭비되는 시간을 개선하기 위해서는 조직의 구조를 단순화하여 복잡한 절차를 거치는 과정으로 낭비되는 시간을 줄이는 것이 좋다.

42 인적자원관리능력 파견 직원 선발하기

| 정답 | ②

| 해설 | 병은 직전 해외 파견근무 종료가 20X2년 11월로 20X4년 10월 기준으로 2년이 경과되지 않아 선발되지 않는다. 지원자 중 업무능력 우수자인 정은 반드시 선발되어야 하며, 동일 부서에 근무하는 2명 이상의 팀장을 선발할 수 없으므로 같은 영업부 팀장인 무는 선발되지 않는다. 그리고 총무부 직원을 1명 이상 선발해야 하므로, 선발 조건에 미달하는 병은 제외하고 총무부 과장 갑을 선발할 경우 같은 부서에 근무하는 직원인 총무부의 기를 함께 선발해야한다. 기획팀 과장 을과 사원 경은 업무능력의 미흡이므로 선발되지 않는다.

43 예산관리능력 지원 예산 관리하기

| 정답 | ③

| 해설 | 전년 대비 매출액이 50% 이상 감소한 기업은 A, B, D, F, G, I, J 총 7개 기업이며, 이들에게 모두 대출자금을 지원할 경우 필요한 예산은 총 2,000+2,000+1,800+1,500+1,500+1,000+800=10,600(만 원)이다. 그러나 가용할 수 있는 예산이 1억 원이므로 대상 기업을 모두 지원할 수 없고, 문제에서는 다른 조건 없이 최대한 많은 기업을 지원하도록 하고 있으므로 최대 6개의 기업을 지원할 수 있다.

44 물적자원관리능력 물품 보관의 원칙 이해하기

| 정답 | ③

| 해설 | 선입선출의 원칙(First In First Out, FIFO)은 먼저 입고한 물건을 먼저 출고하는 보관원칙으로, 유통기한이 존재하는 식품 등 상품의 수명주기가 짧은 물품관리에서 주로 적용된다.

| 오답풀이 |

① 중량특성의 원칙은 무거운 물품일수록 하층부에, 그리고 출구에 가깝게 보관해야 한다는 원칙이다.

② 회전대응보관의 원칙은 입고와 출고의 빈도가 높은 물품은 출입구에 가까운 곳에 보관해야 한다는 원칙이다.

④ 유사성의 원칙은 유사한 종류의 물품들은 같은 장소에 보관해야 한다는 원칙이다.

⑤ 통로대면보관의 원칙은 물품의 입고와 출고를 용이하게 하기 위해 물품을 통로에 면하여 보관해야 한다는 원칙이다.

45 자원관리능력 전사적 자원관리 이해하기

| 정답 | ②

| 해설 | 전사적 자원관리(ERP ; Enterprise Resource Planning)는 회사의 재무, 공급망, 운영, 상거래, 제조, 인사관리 등 기업 운영에 필요한 모든 프로세스를 하나의 시스템으로 통합하여 관리하는 것을 의미한다.

| 오답풀이 |

① 기업지식포털(EKP ; Enterprise Knowledge Portal)은 기업 내의 정보 전달을 위한 내부 시스템에 기업 내외의 정보를 수집하는 지식경영의 요소를 추가한 시스템을 의미한다.

③ 핵심성과지표(KPI ; Key Performance Indicator)는 조직이 설정한 핵심목표의 달성 정도를 평가하기 위한 지표를 의미한다.

④ 목표에 의한 관리(MBO ; Management by Object)는 종업원이 상사와 함께 목표를 설정하고 이를 달성하는 계획을 설정하고 실행한 후 그 성과를 평가하는 인사관리제도를 의미한다.

⑤ 공급망 관리(SCM ; Supply Chain Management)는 제품의 생산 전 과정에 걸친 물류와 그에 관한 정보의 흐름을 관리하는 시스템을 의미한다.

46 물적자원관리능력 RFID 이해하기

|정답| ①

|해설| RFID(Radio-Frequency Identification)는 물품에 태그를 부착하여 물품을 식별하는 기술로, 물적자원관리에서의 활용에서 RFID는 태그가 물리적으로 손상되지 않는 한 반영구적으로 많은 물품 관련 데이터를 빠르게 송수신하는데 사용할 수 있으며, 데이터의 신뢰도가 높고 태그를 인식하는 과정에서 주파수를 이용하여 다수의 태그를 동시에 인식할 수 있어 동시에 통과하는 물체를 식별하여 공간의 제약이 적다는 장점을 가진다.

다만 RFID를 사용하기 위해 물품에 특수 제작된 태그를 부착해야 한다는 점에서 표면에 인쇄하는 비용만을 요구하는 바코드와 비교하여 상대적으로 높은 비용을 요구한다는 단점을 가진다.

47 물적자원관리능력 물품의 기호화 이해하기

|정답| ④

|해설| 바코드나 RFID 등과 같은 방법으로 물품을 기호화하여 관리하는 기술은 육안으로는 물품의 데이터를 식별할 수 없어 물품의 데이터를 읽기 위한 전용 리더기와 같은 별도의 장치를 필요로 한다.

48 인적자원관리능력 인적자원의 특성 이해하기

|정답| ④

|해설| 조직 차원에서의 인적자원의 특성은 능동성, 개발가능성, 전략적 자원으로 구분한다. 인적자원의 능동성은 인적자원의 성과가 인적자원의 욕구·태도·행동·만족감 등의 여하에 따라 결정되며, 인적자원의 행동동기와 만족감은 경영관리에 의해 조건화되므로 인적자원은 능동적이고 반응적인 성격을 가진다는 의미이다.

49 정보처리능력 개인정보 유출 예방법 이해하기

|정답| ②

|해설| 개인정보 등의 중요한 정보는 공유폴더보다는 암호화 기능을 제공하는 USB나 외장하드 등의 보조저장매체를

통해 보관하는 것이 안전하며, 공유폴더에는 개인정보 파일이 포함되지 않도록 해야 한다. 만일 불가피하게 공유폴더에 개인정보를 보관해야 하는 경우에는 접근권한을 설정하는 등의 안전조치를 하여 정보가 공개되거나 유출되지 않도록 하여야 한다.

50 정보처리능력 정보자산 관리법 이해하기

|정답| ②

|해설| 워터마킹(Watermarking)은 중요문서의 출력에 출력일자, 출력자의 접속 IP 등을 포함한 정보가 포함된 고유한 이미지를 삽입하여 출력물의 이력을 추적할 수 있도록 하는 기술을 의미한다.

|오답풀이|

① 생성, 유통, 배포, 폐기에 대한 이력 관리에 해당한다.

③ 단일 저장소 구현과 신속한 검색 환경 구축에 해당한다.

④ 문서에 대한 접근통제 및 권한 부여 기능에 해당한다.

⑤ 중요 문서의 등록관리 및 통합 로그 관리에 해당한다.

51 정보이해능력 정보 관련 용어 이해하기

|정답| ④

|해설| 키오스크(Kiosk)는 업무의 무인·자동화를 통해 공공장소에 대중들이 이용할 수 있도록 설치한 단말기를 의미한다.

|오답풀이|

③ POS(Point of Sale)은 제품이 판매되는 장소에서의 기기를 통해 판매 데이터를 실시간으로 관리하고 고객정보를 수집하는 시스템을 의미한다.

⑤ OTT(Over the Top) 서비스는 인터넷을 통해 방송 프로그램, 영화 등의 각종 미디어 콘텐츠를 제공하는 서비스 산업을 의미한다.

52 정보능력 6T 산업 이해하기

|정답| ①

|해설| 〈보기〉의 내용은 6T 산업 중 생명공학(BT ; Bio Technology)에 대한 설명이다. BT 기술은 생체나 생체유

기물, 생물학적 시스템 등을 활용한 기술 및 이를 활용한 제품개발사업 등을 의미한다.

보충 플러스+

6T 산업
- **정보기술(IT ; Information Technology)** : 부가가치를 창출하는 지식과 정보
- **생명공학(BT ; Bio Technology)** : 생명체 및 생체유기물, 생물학적 시스템 중심의 생명공학 발전
- **나노공학(NT ; Nano Technology)** : 나노소자, 나노 바이오 등 반도체 기술을 기반으로 하는 나노기술 관련 사업
- **환경공학(ET ; Environment Technology)** : 환경오염을 측정하고 이를 방지하는 기술산업
- **문화산업(CT ; Cultural Technology)** : 출판, 영상, 음반, 게임 등의 디지털 문화에 관한 상품과 서비스산업
- **우주항공기술(ST ; Space Technology)** : 항공기, 인공위성, 우주선 및 발사체에 관한 사업

53 컴퓨터활용능력 워드프로세서 단축키 이해하기

| 정답 | ⑤

| 해설 | '다른 이름으로 저장하기' 기능의 단축키는 Alt+V 이다.

| 오답풀이 |

① Ctrl+X는 내용을 옮겨 붙이기 위한 잘라내기/오려두기 기능이다.

② Ctrl+Z는 직전의 작업상태로 되돌아가는 실행 취소 기능이다.

③ Alt+C는 글자 모양이나 문단 모양만을 복사하는 모양 복사 기능이다.

④ Alt+O는 저장된 파일을 실행하는 불러오기 기능이다.

54 정보처리능력 컴퓨터 바이러스 예방법 이해하기

| 정답 | ④

| 해설 | 네트워크 간의 파일을 공유하는 공유폴더는 바이러스의 감염이 유포되는 통로로의 기능을 한다. 다만 이를 이유로 무조건 공유폴더를 사용하지 않는 것보다는 공유폴더의 비밀번호 설정 등의 보안관리 설정을 통해 바이러스의 유포를 방지하면 된다.

55 정보처리능력 POS 이해하기

| 정답 | ③

| 해설 | 제시된 시스템은 POS(Point of Sale) 시스템이다. POS는 제품이 판매되는 장소에서의 기기를 통해 판매정보를 서버로 전달하여 이를 수집하는 시스템을 의미한다. 판매 현장에서는 금전 등록기에 컴퓨터 단말기를 추가하여 판매 시점의 정보를 실시간으로 서버(포스 서버)에 전달하고, 이를 통해 수집된 정보를 바탕으로 재고 및 발주관리, 경영전략 설정 등을 지원한다. 이때 POS 시스템에서 물품에 관한 정보를 수집하는 수단으로는 QR코드보다는 주로 바코드(Bar Code)가 사용된다.

56 정보능력 정보처리과정 이해하기

| 정답 | ④

| 해설 | 일반적으로 정보는 기획, 수집, 관리, 활용의 절차 및 과정에 따라 처리된다.

ⓒ 정보의 기획은 정보를 '무엇을', '어디에서', '언제까지', '왜', '누가', '어떻게', '얼마나'의 5W2H에 맞게 기획하는 것이다.

② 정보의 수집은 다양한 정보원으로부터 목적에 적합한 정보를 입수하는 것이다.

ⓒ 정보의 관리는 수집된 정보를 목적성, 용이성, 유용성을 고려하여 문제해결이나 결론 도출에 사용하기 쉬운 형태로 바꾸는 것이다.

㉠ 정보의 활용은 정보가 필요하다는 문제 상황을 인식한 후 문제 해결에 적합한 정보를 찾아 선택하고, 찾은 정보를 윤리의식을 바탕으로 합법적으로 활용하여 문제해결에 적용하는 것을 의미한다.

57 컴퓨터활용능력 클라우드 서비스 이해하기

| 정답 | ⑤

| 해설 | 클라우드 서비스(Cloud Service)는 인터넷을 통해 제공되는 서버에 정보를 보관하고 있다가 필요할 때 꺼내 쓰는 클라우드(Cloud) 기술을 활용한 서비스를 의미한다.

ⓒ 자동차 내비게이션에 클라우드 기술을 적용하여 실시간으로 교통환경을 수집하여 클라우드에 저장하여, 이에 관한 정보를 다시 내비게이션으로 보내 실시간 교통 상황을 확인하고 이에 대응할 수 있도록 한다.

ⓒ OTT(Over the Top) 서비스에 클라우드 기술을 적용할 경우 스마트 디바이스를 통해 클라우드에 저장된 멀티미디어 콘텐츠를 받아 볼 수 있어 수많은 멀티미디어 콘텐츠를 저장하지 않고 이용할 수 있다.

ⓒ 클라우드 게임(Cloud Game)은 서버에 저장된 게임을 클라우드 서버로 구동하여 입력정보를 클라우드 서버에 보내고 이에 따라 출력된 화면만을 받아 단말기의 성능과 관계없이 게임을 즐길 수 있는 서비스를 의미한다.

| 오답풀이 |

① GPS(Global Positioning System)는 위성항법장치로 세계 어느 곳에서든지 인공위성을 이용하여 자신의 위치를 정확히 확인할 수 있는 시스템이다.

② 블록체인(Blockchain)은 데이터를 소규모로 분할한 블록(Block)의 형태로 연결한 것을 여러 저장 환경에 분산 저장하여 누구라도 임의로 수정할 수 없으나 누구나 열람할 수 있는 형태로 관리하는 기술로 주로 암호화폐의 발행과 거래에 사용된다.

③ 빅데이터(Big Data) 분석은 대용량의 데이터를 분석하여 데이터에 나타난 패턴과 규칙을 찾아 그 결과값을 예측하는 기술을 의미한다.

④ 인공지능(AI ; Artificial Intelligence)은 인간의 지각능력과 학습능력, 추론능력 등을 컴퓨터로 구현하여 컴퓨터가 인간과 같이 정보를 지각하고, 학습하고, 분석하도록 하는 기술을 의미한다.

58 정보처리능력 정보 관련 용어 이해하기

| 정답 | ④

| 해설 | 혼합현실(MR ; Mixed Reality)은 가상의 공간을 생성하는 VR과 현실 공간에서 가상의 이미지를 형성하는 AR의 요소를 통합하고 여기에 상호작용을 강화하는 기술로, 실제 환경을 인식하고 이를 기반으로 하는 가상의 공간을 생성하여 더욱 높은 가상공간 내의 몰입을 형성한다.

59 정보처리능력 2차 자료 이해하기

| 정답 | ⑤

| 해설 | 2차 자료는 원래의 연구 성과가 기록된 자료인 1차 자료를 효과적으로 찾아보기 위한 자료 혹은 이를 압축·정리해서 읽기 쉬운 형태로 제공하는 자료로 사전, 백과사전, 편람, 열람, 서지데이터베이스 등이 여기에 해당한다. 색인지(Index Journal)는 학술지나 저작물들을 주제, 저자 등을 기준으로 그 목록을 편집하여 발행하는 간행물로 이는 2차 자료에 해당한다.

| 오답풀이 |

ⓒ, ⓒ, ⓒ, ⓒ 학술지와 학술지 논문, 신문, 특허 정보, 잡지는 1차 자료에 해당한다.

60 정보처리능력 컴퓨터 보안 관련 용어 이해하기

| 정답 | ④

| 해설 | 파밍(Pharming)은 합법적인 웹사이트의 도메인 네임 시스템(DNS)을 탈취하거나 서버의 주소를 변경하여 사용자들이 정확한 주소를 입력하더라도 진짜 웹사이트를 가장한 가짜 웹사이트로 접속하게 만들어 이를 통해 금융정보 등의 개인정보를 탈취하는 해킹 기법이다.

| 오답풀이 |

① 피싱(Phishing)에 대한 설명이다.

② 컴퓨터의 메모리에 상주하는 데이터를 변조하여 주로 은행의 보안 프로그램을 무력화시키는 메모리 해킹(Memory Hacking)에 대한 설명이다.

③ SMS를 통한 피싱 수법인 스미싱(Smishing)에 대한 설명이다.

⑤ 정상적인 프로그램으로 가장해 사용자의 프로그램 실행과 함께 컴퓨터에 악성코드를 전파하는 트로이 목마(Trojan Horse)에 대한 설명이다.

5회 기출예상모의고사
문제 174쪽

01	②	02	②	03	④	04	④	05	④
06	⑤	07	①	08	④	09	③	10	③
11	⑤	12	①	13	③	14	①	15	④
16	①	17	①	18	③	19	③	20	⑤
21	⑤	22	②	23	②	24	③	25	④
26	①	27	⑤	28	③	29	③	30	④
31	①	32	③	33	⑤	34	④	35	①
36	①	37	①	38	②	39	④	40	②
41	①	42	③	43	③	44	⑤	45	③
46	②	47	③	48	③	49	⑤	50	②
51	②	52	③	53	③	54	②	55	④
56	③	57	②	58	①	59	⑤	60	④

01 문서이해능력 시스템 안내서 이해하기

| 정답 | ②

| 해설 | ㄱ. '2. 시스템 구성'을 보면 품질검사 협업시스템 구축에 대한 사용자 안내서임을 알 수 있다.

ㄷ. '2. 시스템 구성'을 보면 협력업체 담당자는 인터넷망을 통해 품질검사, 공장검사, 인수검사 등 품질업무를 요청할 수 있다.

| 오답풀이 |

ㄴ. 모든 제품이 아니라 품질검사 승인 요청 건에 대하여 품질에 대한 검토나 승인을 받는다.

ㄹ. 해당 내용은 주어진 자료를 통해서는 알 수 없다.

02 문서이해능력 문서 종류 이해하기

| 정답 | ②

| 해설 | ㉠은 상품의 특성이나 사물의 성질과 가치, 작동 방법이나 과정을 소비자에게 설명하기 위해 작성된 문서이므로 설명서에 해당한다. ㉡은 회사의 규칙으로 정한 조항을 모아서 엮은 문서이므로 규정집에 해당한다.

03 경청능력 올바르게 조언하기

| 정답 | ④

| 해설 | 상대의 입장을 충분히 이해하지 못한 조언은 상대의 공감을 얻지 못하고 불필요한 이야기처럼 들릴 수 있다. 따라서 자신의 입장이 아닌 상대의 입장에서 상대의 이야기를 충분히 귀담아 듣고 조언해 주어야 한다.

04 경청능력 경청을 방해하는 요인 알기

| 정답 | ④

| 해설 | 상대방의 언어 외에 몸짓이나 표정에 관심을 기울이는 것은 적극적인 경청을 하고 있다는 것이다.

| 오답풀이 |

① 경청의 방해 요인 중 '걸러내기'에 해당한다.

② 경청의 방해 요인 중 '판단하기'에 해당한다.

③ 경청의 방해 요인 중 '다른 생각하기'에 해당한다.

⑤ 경청의 방해 요인 중 '대답할 말 준비하기'에 해당한다.

05 문서이해능력 빈칸에 들어갈 내용 파악하기

| 정답 | ④

| 해설 | '나는 생각한다, 고로 존재한다(Cogito, ergo sum)'는 프랑스의 철학자 데카르트가 자신의 저서 〈방법서설〉에서 '세상의 모든 것들의 존재 여부는 의심할 수 있어도 의심하고 있는 나 자신의 존재 여부는 의심할 수 없다'라고 남긴 유명한 말이다.

06 문서이해능력 비판할 문구 정하기

| 정답 | ⑤

| 해설 | (나)에서 설명하는 기계적 이원론은 인간과 자연을 분리하여 인식하고, 객체인 자연은 주체인 인간에게 관찰되고 이용되는 대상으로 인식한다. 따라서 환경보호단체의 입장에서 이를 비판하기 위해서는 인간과 자연은 하나이며, 자연은 인간에게 이용되어야 하는 대상이 아님을 주장하는 것이 가장 적절하다.

| 오답풀이 |

② 자연은 후손에게 빌려 쓰고 있는 것임을 주장하는 내용은 자연은 인간의 소유와 관리의 대상이라는 인식을

바탕으로 하고 있으므로 기계적 이원론의 비판으로는 적절하지 않다.

07 문서작성능력 올바른 맞춤법 사용하기

|정답| ①

|해설| 내용이 알차고 단단하다는 의미의 '충실하다'를 부사 형태로 표현하면 '충실히'가 된다.

|오답풀이|

② '기꺼이'는 분명히 '이'로 나는 경우이므로 '기꺼히'로 적지 않고 '기꺼이'로 적는다.

③ '도대체'가 올바른 표기이다.

④ 수가 헤아려지다는 의미의 '계산된'이 들어가야 한다.

⑤ 모음이나 'ㄴ' 받침 뒤에 '율'이 붙으므로 '확률'이 올바른 표기이다.

08 문서이해능력 글의 내용 적용하기

|정답| ④

|해설| 협상은 싸움이 아니며 누군가와 경쟁해서 승리해야 하는 게임이 아니다. 협상은 상대와 대결하는 게 아니라 더 나은 방법을 서로 모색하는 과정이며 성공적인 협상은 대부분 '윈-윈(win-win)'임을 알아야 한다.

09 의사표현능력 공식적 의사소통의 특징 이해하기

|정답| ③

|해설| 공식적 의사소통과 비공식적 의사소통의 장단점은 다음과 같다.

구분	공식적 의사소통	비공식적 의사소통
장점	• 상관의 권위가 유지됨. • 전달자와 피전달자가 분명하고 책임소재가 명확하며, 의사 전달이 확실하고 편리함. • 정보의 사전 입수로 의사 결정이 용이하고, 정보나 근거의 보존이 용이함. • 의사결정에의 활용 가능성이 큼.	• 신속한 전달이 가능하며, 외적으로 나타나지 않는 배후 사정을 자세히 전달함. • 긴장과 소외감을 극복하고 개인적 욕구를 충족할 수 있음. • 행동의 통일성을 확보할 수 있음. • 관리자에 대한 조언의 역할이 가능하고, 의견교환의 융통성이 높아 공식적 의견 전달을 보완할 수 있음.
단점	• 의사 전달의 융통성이 부족하고, 형식화되기 쉬움. • 배후 사정을 소상히 전달하기 곤란함. • 변동하는 사태에 신속히 적응하기가 어렵고 기밀 유지가 곤란함.	• 책임 소재가 불분명하고, 수직적 계층 하에서 상관의 권위가 손상될 수 있으며 조정, 통제가 곤란함. • 개인 목적에 역이용될 수 있음. • 공식적 의사소통 기능을 마비시킬 수 있음.

따라서 공식적 의사소통의 특징은 ⓒ, ⓒ, ⓔ, ⓗ이다.

10 문서작성능력 제목 작성하기

|정답| ③

|해설| 수리 업무직 현재 실태와 그 원인을 분석하고 있으므로 'N 전자 수리 업무 실태 보고'가 적절하다.

|오답풀이|

⑤ 회의의 목적은 수리 업무직 실태를 분석하여 대책의 토대를 마련하는 것이지만, 주어진 회의 자료를 보았을 때 구체적인 업무 효율 개선 방안이 제시되어 있지 않으므로 자료의 제목으로 적절하지 않다.

11 문서작성능력 회의 자료 작성하기

|정답| ⑤

|해설| '2-나.'의 서비스 평가 점수의 감소는 '3. 주요 원인'을 고려했을 때 인력 감소로 인한 수리 기사의 과도한 업무량 및 비효율적인 제도에 따른 시간 압박 등 복합적인 이유 때문일 것으로 추측할 수 있다. 그러므로 수리 기사의 고객 응대 기술과는 관련이 없다.

|오답풀이|

① '3-나.'를 보면 처리시간 제한제도에 따라 수리 기사들이 시간 압박을 받고 있으며 수리 요청이 같은 지역에서 발생하여도 배당된 것만 처리하는 등 현재 시행되고 있는 처리 절차가 비효율적임을 알 수 있다. 따라서 출장 시스템 개선 방안이 시급하다는 의견은 적절하다.

② '3-가.'를 보면 수리 곤란 제품으로 인해 건당 소요 시간이 전년 대비 10분 증가한 것을 알 수 있다. 따라서 수리를 고려한 제품 생산 방안이 필요하다는 의견은 적절하다.

③, ④ '3-가.'를 보면 수리 업무직 전체 인력이 38명으로 감소하였으며, 이에 따라 '2-가.'와 같이 수리 기사

1회 기출예상문제 2회 기출예상문제 3회 기출예상문제 4회 기출예상문제 5회 기출예상문제 6회 기출예상문제

1인당 수리 건수가 전년 대비 약 10건이 증가했음을 알 수 있다. 따라서 필요 인력 산정 및 업무 적정화 방안을 마련해야 하며, 수리 기사의 피로도 증가로 업무 품질 저하가 우려된다는 의견은 적절하다.

12　의사소통능력　의존명사의 띄어쓰기 규정 이해하기

| 정답 | ①

| 해설 | '데'는 '곳'이나 '장소', '일'이나 '것', '경우'의 뜻을 나타내는 의존 명사이다. 따라서 '마치는 데'처럼 앞말과 띄어 쓴다.

| 오답풀이 |

② '지'는 어떤 일이 있었던 때로부터 지금까지의 동안을 나타내는 의존 명사이고, '년'은 해를 세는 단위를 나타내는 의존 명사이다. 따라서 '창립한 지'와 '십 년'처럼 앞말과 띄어 쓴다.

③ '수'는 어떤 일을 할 만한 능력이나 어떤 일이 일어날 가능성을 나타내는 의존 명사이므로 '할 수'처럼 그 앞말과 띄어 쓴다.

④ '개'는 낱개로 된 물건을 셀 때 사용하는 단위성 의존 명사이므로 '사과 두 개'처럼 앞말과 띄어 쓴다.

⑤ '뿐'은 다만 어떠하거나 어찌할 따름이라는 뜻을 나타내는 의존 명사이므로 '웃고 있을 뿐'처럼 앞말과 띄어 쓴다.

13　기초연산능력　수의 규칙 찾기

| 정답 | ③

| 해설 | 제시된 숫자들은 다음과 같은 규칙이 있다.

$$1 \xrightarrow{\times3+1} 4 \xrightarrow{\times3+2} 14 \xrightarrow{\times3+3} (\;?\;) \xrightarrow{\times3+4} 139$$

따라서 '?'에 들어갈 숫자는 $14 \times 3 + 3 = 45$이다.

14　기초연산능력　직원 수 구하기

| 정답 | ①

| 해설 | 1안과 2안을 모두 고른 직원의 수를 a라고 하면 순수하게 1안만을 고른 직원의 수는 $(28-a)$명, 2안만을 고른 직원의 수는 $(56-a)$명이 된다. 총 직원 수에 대입하면 $(28-a)+(56-a)+a=70$이므로 a값은 14이며 이는 곧

모두 고른 직원 수의 최솟값인 y가 된다. 최댓값의 경우에는 1안을 고른 직원들이 모두 2안을 고를 경우로 x값은 28이다. 따라서 $\dfrac{x}{y}$는 2이다.

15　기초연산능력　부등식 활용하기

| 정답 | ④

| 해설 | A 제품을 x개, B 제품을 $(x+8)$개 구매한다고 하면 다음과 같은 식이 성립한다.

$4,500x + 3,500(x+8) \leq 100,000$

$4,500x + 3,500x + 28,000 \leq 100,000$

$8,000x \leq 72,000$

$x \leq 9$

따라서 김 대리가 구매할 수 있는 A 제품은 최대 9개이다.

16　기초연산능력　총 원료비 구하기

| 정답 | ①

| 해설 | 주황색 페인트를 만들 때 필요한 빨간색과 노란색 페인트의 비율은 2 : 1이다. 따라서 주황색 15L를 만들려면 빨강 10L, 노랑 5L가 필요하다. 또 보라색 페인트를 만들 때 필요한 빨간색과 파란색 페인트의 비율은 1 : 1이므로 빨강 5L, 파랑 5L가 필요하다. 마지막으로 초록색 페인트를 만들기 위한 노란색과 파란색 페인트의 비율은 3 : 2이므로 노랑 15L, 파랑 10L가 필요하다. 따라서 각 색깔별로 필요한 페인트의 총량은 빨강 15L, 노랑 20L, 파랑 15L이다. 따라서 이 값에 비용을 곱한 $(15 \times 5,000)+(20 \times 3,000)+(15 \times 4,500)=202,500$(원)이 필요한 원료의 총 비용이다.

17　기초연산능력　초고령사회 시작 연도 구하기

| 정답 | ①

| 해설 | 초고령사회의 노인비율인 20%가 되려면 도표의 마지막 해인 2026년의 15.5%로부터 4.5%가 증가해야 한다. G 국가의 고령화율은 매년 0.8%p씩 증가하므로 남은 고령화 비율을 연간 증가율로 나눠보면 $4.5 \div 0.8 ≒ 5.6$(년)이다. 따라서 2026년부터 최소 6년이 지나야하므로 초고령사회는 2032년에 시작된다.

18 기초연산능력 급여 비교하기

|정답| ③

|해설| 월 판매액을 x라고 할 때 S 기업의 판매사원 급여는 $160+(x \times 0.09)$원 이고, Y 기업은 $140+(x \times 0.14)$원이다. 이 둘 중 Y 기업의 급여가 S 기업의 급여를 초과하기 위해서는 $160+0.09x < 140+0.14x$가 성립해야 한다. 이 식을 풀면 $400 < x$이므로 장 씨의 월 판매액은 400만 원을 초과해야 한다.

19 기초연산능력 약·배수 활용하기

|정답| ③

|해설| • A 제품 : $600 \div 30 = 20$, $250 \div 25 = 10$이므로 타일을 모두 사용하여 벽에 빈 공간이 없게 할 수 있다. 이때 필요한 타일은 $20 \times 10 = 200$(개)이다.

• B 제품 : $600 \div 40 = 15$, $250 \div 40 = 6.25$이므로 불가능하다.

• C 제품 : $600 \div 50 = 12$, $250 \div 50 = 5$이므로 타일을 모두 사용하여 벽에 빈 공간이 없게 할 수 있다. 이때 필요한 타일은 $12 \times 5 = 60$(개)이다.

• D 제품 : $600 \div 55 = 10.90 \cdots$, $250 \div 55 = 4.54 \cdots$이므로 불가능하다.

• E 제품 : $600 \div 45 = 13.33 \cdots$, $250 \div 60 = 4.16 \cdots$이므로 불가능하다.

따라서 Q 씨가 구입할 제품으로 적절한 것은 C 제품이다.

20 기초연산능력 경쟁률 구하기

|정답| ⑤

|해설| 직무분야별 경쟁률을 계산하면 다음과 같다.

직무분야	경쟁률
기계	$4 : 130 = 1 : 32.5$
토목	$5 : 207 = 1 : 41.4$
건축	$5 : 159 = 1 : 31.8$
화공	$7 : 232 = 1 : 33.1$
전산	$9 : 292 = 1 : 32.4$
전기	$12 : 380 = 1 : 31.7$

따라서 경쟁률이 가장 낮은 분야는 전기이다.

21 도표분석능력 자료의 수치 분석하기

|정답| ⑤

|해설| 가구원 수가 증가할수록 1인당 에너지 사용량은 대체적으로 감소하므로 1인 가구의 증가는 전체 에너지 사용량 증가로 이어질 것이다.

|오답풀이|

① 5인 이상 가구의 가스 사용량은 1인 가구의 가스 사용량의 $\frac{5,629}{3,797} ≒ 1.5$(배)이다.

② 5인 이상 가구의 전기 사용량은 1인 가구의 전기 사용량의 $\frac{8,175}{6,117} ≒ 1.3$(배)이다.

③ 가구원 1인당 전기 사용량과 탄소배출량을 구하면 다음과 같다.

• 가구원 1인당 전기 사용량
  - 1인 가구 : 6,117Mcal
  - 5인 이상 가구 : $8,175(\text{Mcal}) \div 5 = 1,635(\text{Mcal})$ 이하(5인일 때가 1,635Mcal이므로 5인 이상이면 1,635Mcal 이하이다)

따라서 $6,117 \div 1,635 ≒ 3.7$(배) 이상이다.

• 가구원 1인당 탄소배출량
  - 1인 가구 : $1,943\text{kg} - CO_2$
  - 5인 이상 가구 : $2,669(\text{kg} - CO_2) \div 5 = 533.8(\text{kg} - CO_2)$ 이하(5인일 때가 $533.8\text{kg} - CO_2$이므로 5인 이상이면 $533.8\text{kg} - CO_2$ 이하이다)

따라서 $1,943 \div 533.8 ≒ 3.6$(배) 이상이다.

④ 5인 이상 가구의 수도 사용량은 1인 가구의 수도 사용량의 $\frac{219}{95} ≒ 2.3$(배), 5인 이상 가구의 지역난방 사용량은 1인 가구의 지역난방 사용량의 $\frac{1,523}{515} ≒ 3.0$(배)이다.

22 기초연산능력 비용 계산하기

|정답| ②

|해설| A 렌탈업체를 이용한다면 비용은 $\{70,000 + (5,000 \times 3)\} \times 6 = 510,000$(원)이다.

|오답풀이|

① 기계를 구입한다면 비용은 $800,000 + (13,000 \times 3 \times 6) = 1,034,000$(원)이다.

③ B 렌탈업체를 이용한다면 원두는 무료로 제공되므로 비용은 $90,000 \times 6 = 540,000$(원)이다.

④ B 렌탈업체를 이용하는 것(540,000원)이 기계를 구입하는 것(1,034,000원)보다 저렴하다.

⑤ A 렌탈업체를 이용하는 것(510,000원)이 B 렌탈업체를 이용하는 것(540,000원)보다 30,000원 더 저렴하다.

23 기초연산능력 비용 계산하기

|정답| ②

|해설| 3개월 동안 사용할 때의 비용은 다음과 같다.

• A 렌탈업체 : $\{70,000 + (5,000 \times 3)\} \times 3 = 255,000$(원)

• B 렌탈업체 : $90,000 \times 3 = 270,000$(원)

따라서 비용이 같지 않다.

|오답풀이|

① 1개월 동안 사용할 때의 비용은 다음과 같다.

• 구입 : $800,000 + (13,000 \times 3) = 839,000$(원)

• A 렌탈업체 : $70,000 + (5,000 \times 3) = 85,000$(원)

• B 렌탈업체 : 90,000원

따라서 A 렌탈업체를 이용하는 것이 가장 저렴하다.

③ 3개월 동안 사용할 때의 비용은 다음과 같다.

• 구입 : $800,000 + (13,000 \times 3 \times 3) = 917,000$(원)

• A 렌탈업체 : $\{70,000 + (5,000 \times 3)\} \times 3 = 255,000$(원)

• B 렌탈업체 : $90,000 \times 3 = 270,000$(원)

따라서 기계를 구입하는 것보다 렌탈하는 것이 더 저렴하다.

④ 1년 동안 사용할 때의 비용은 다음과 같다.

• 구입 : $800,000 + (13,000 \times 3 \times 12) = 1,268,000$(원)

• A 렌탈업체 : $\{70,000 + (5,000 \times 3)\} \times 12 = 1,020,000$(원)

• B 렌탈업체 : $90,000 \times 12 = 1,080,000$(원)

따라서 기계를 구입하는 것보다 렌탈하는 것이 더 저렴하다.

⑤ 매달 5kg 이상의 원두를 소모하면서 3개월 동안 사용할 때의 비용은 다음과 같다.

• A 렌탈업체 : $\{70,000 + (5,000 \times 5)\} \times 3 = 285,000$(원) 이상

• B 렌탈업체 : $90,000 \times 3 = 270,000$(원)

따라서 B 렌탈업체를 이용하는 것이 더 저렴하다.

24 기초연산능력 개월 수 계산하기

|정답| ③

|해설| 기계를 x개월 사용한다고 할 때, 기계를 구입하는 것이 A 렌탈업체를 이용하는 것보다 더 낮은 비용이 되기 위해서는 다음과 같은 부등식이 성립한다.

$800,000 + (13,000 \times 3 \times x) < \{70,000 + (5,000 \times 3)\} \times x$

$800,000 + 39,000x < 85,000x$

$46,000x > 800,000$

$x > 17.39\cdots$

따라서 기계를 최소 18개월 사용해야 한다.

25 사고력 분석적 사고 이해하기

|정답| ④

|해설| 제시된 내용은 가설 지향적 사고에 대한 설명이다. 가설 지향적 사고는 경험과 직관을 중시한다는 점에서 제로 중심적 사고와 사실 중심적 사고에 상반된다. 이러한 가설 지향적 사고가 유용한 경우는 다음과 같다.

• 문제 해결을 위한 시간적 제약으로 빠르게 해결방안을 수립해야 하는 경우

• 일반적으로 나타나는 정형적인 문제의 원인 분석이 필요한 경우

• 난해한 문제로 '진흙 헤쳐 나가기' 전략을 채택할 경우

• 여러 사안 및 그룹들이 감정적으로 대립하고 있는 경우

• 실험, 시행착오, 실패가 비교적 자유롭게 허용되는 경우

따라서 ④는 적절하지 않다.

26 사고력 명제 추론하기

|정답| ①

|해설| 두 번째 결과와 첫 번째 결과에 따라 제품 원가를 따지지 않는 사람은 평균수익에 관심이 없고 평균수익에 관심이 없는 사람은 인지도에도 관심 없다가 성립한다.

27 사고력 논리적 오류 판단하기

|정답| ⑤

|해설| 제시된 글은 경상북도 김천에 살지 않는다고 하여

경상북도에 살지 않는다고 단정짓는 흑백 논리의 오류를 범하고 있다. 이와 유사한 오류를 범하고 있는 것은 흰색을 좋아하지 않는다고 하여 검정색을 좋아한다고 여기는 ⑤이다.

| 오답풀이 |

① 전건 부정의 오류를 범하고 있다.

② 성급한 일반화의 오류를 범하고 있다.

③ 정황적 논증의 오류(피장파장의 오류)를 범하고 있다.

④ 순환 논증의 오류를 범하고 있다.

28 사고력 항상 참인 추론 파악하기

| 정답 | ③

| 해설 | 물결무늬 넥타이를 한 면접관이 맨 오른쪽에 앉아 있고, 마 면접관은 물방울무늬 넥타이를 하고 있으므로 마 면접관은 맨 오른쪽에 앉지 못한다. 구 면접관은 고 면접관 옆에 앉는데 좌, 우를 알 수 없으나 연이어 있다는 것을 알 수 있다. 따라서 마-구-고 또는 마-고-구 순으로 앉는다는 것을 알 수 있어 항상 참인 것은 마 면접관이 맨 왼쪽에 앉아 있다는 것이다.

29 문제처리능력 SWOT 분석 이해하기

| 정답 | ③

| 해설 | 각각의 전략에 따른 예시는 다음과 같다.

내부환경＼외부환경	강점(Strengths)	약점(Weaknesses)
기회 (Opportunities)	SO • 강점활용에 의한 기회 획대방안 • 채널확대, 세계화 • 사업다각화	WO • 기회에 대응하기 위한 약점 보완 전략 • 틈새시장, 기술개발 • 사업다변화
위협 (Threats)	ST • 강점활용에 의한 위협 최소화 • 전략적 제휴, 정보화 • 품질 및 서비스 차별화	WT • 생존전략(매각, 철수, 우회, 회피 등) • 유연조직 구축, 인재육성 • 생산성 향상

따라서 WO 전략에 해당하는 것은 사업다변화와 기술개발이다.

30 문제처리능력 SWOT 분석 이해하기

| 정답 | ④

| 해설 | SWOT 분석에는 여러 가지 상황이 펼쳐질 수 있는 시나리오가 들어가서는 안 된다. 이렇게 여러 가능성을 반영하지 못한다는 점이 SWOT 분석의 가장 큰 약점이기도 하다.

31 문제처리능력 3C 분석 이해하기

| 정답 | ①

| 해설 | 3C 분석(Company, Competitor, Customer)은 경쟁하고 있는 자사와 경쟁사를 비교하고 분석해 자사를 어떻게 차별화하여 경쟁에서 이길 것인가를 분석하는 분석 기법이다. 각각의 구성은 다음과 같다.

분석요소	상세 기준
고객 (Customer)	• 해당 서비스·상품 시장규모가 충분히 큰가? • 성장가능성이 높은 시장인가? • 시장의 성숙도는 어떠한가?
경쟁사 (Competitor)	• 시장에서 경쟁이 치열한가? • 경쟁사의 시장점유율과 재무현황, 핵심경쟁력은 무엇인가? • 새로운 경쟁자들이 진입할 가능성은 큰가?
자사 (Company)	• 기업이 윤리규범 및 비전에 부합하는 서비스·상품인가? • 기업 내 인적, 물적, 기술적 자원수준은 어느 정도인가? • 기업 내 기존 서비스·상품들과 시너지 효과는 어느 정도인가?

따라서 ⓒ에 들어갈 것은 자사 분석이다.

32 문제처리능력 자료를 바탕으로 추론하기

| 정답 | ③

| 해설 | 복지를 현 수준으로 유지해야 한다는 응답이 8.2%에 그쳤으므로 대다수의 응답자가 현재의 복지 수준을 높게 평가하고 있다는 추론은 적절하지 않다.

www.gosinet.co.kr gosinet

1회 기출예상문제

2회 기출예상문제

3회 기출예상문제

4회 기출예상문제

5회 기출예상문제

6회 기출예상문제

33 문제해결능력 문제해결 시 기본사고 이해하기

|정답| ⑤

|해설| ㉠ O사는 전략적 사고가 부족하였다.

㉡ P사는 내·외부 자원의 활용을 미흡하게 하였다.

㉢ Q사는 분석적 사고가 부족하였다.

보충 플러스+

문제해결에 필요한 기본사고
- 전략적 사고 : 당면한 문제와 해결책이 상위시스템 또는 다른 문제와 어떻게 연결되어 있는지 생각하는 것
- 분석적 사고 : 전체를 각각의 요소로 나누어 그 의미를 도출한 다음 우선순위를 부여하여 구체적인 문제해결방법을 실행하는 것
- 발상의 전환 : 기존의 인식들을 전환하여 새로운 관점에서 바라보는 것
- 내·외부 자원의 활용 : 문제해결 시 기술, 재료, 방법, 사람 등 필요한 자원 확보 계획을 수립하고 효과적으로 활용하는 것

34 문제처리능력 중심 내용 찾기

|정답| ④

|해설| 이 글은 스트레스가 나쁘기만 한 것이 아니라 '잽'과 같이 약한 스트레스의 경우 그 효과가 DNA에 각인되어 강한 스트레스에 대한 저항성을 키우고 더 나아가 선충 연구 사례를 통해 생명까지 연장시킨다는 사실을 전달하고 있다.

35 문제처리능력 사례 파악하기

|정답| ①

|해설| ㉠과 그래프는 해롭지 않은 수준의 적당량의 스트레스가 오히려 긍정적 효과를 준다는 사실을 보여준다. 따라서 이와 같은 원리가 적용되지 않은 사례는 폭식과 같은 극단성을 보이고 있는 ①이다.

36 사고력 영화 시간 추론하기

|정답| ①

|해설| 〈유진이의 일정〉에 따라 불가능한 선택지를 소거하면 답을 찾을 수 있다.

두 번째 일정에 따르면 화, 목, 토요일은 오후 7시 ~ 9시에 독일어 수업을 들으므로 영화를 볼 수 없어 ②, ⑤는 제외된다. 세 번째 일정에 따르면 금요일 퇴근 후에는 다양한 행사에 참여하여 다른 일정을 잡기 어려우므로 ③이 제외된다. 마지막으로 일요일은 오후 5시 이후에 집에서 휴식을 취하므로 ④도 제외된다. 따라서 유진이가 선택할 수 있는 영화 시작 시각은 수요일 오후 8시 40분이다.

37 물적자원관리능력 사업의 타당성 분석요소 이해하기

|정답| ①

|해설| 문제의 기사는 사업 타당성 분석 중 시장성 분석에 해당한다. 시장성 분석은 시장 동향 파악, 수요 예측, 그리고 제품 환경 및 강점과 약점 등을 파악하는 단계로, 기사에선 시장 동향을 살피고 프랜차이즈 시장이 가진 강점과 수요층의 특징을 언급하고 있다.

38 자원관리능력 자원관리의 과정 이해하기

|정답| ②

|해설| 효과적인 자원관리의 과정은 어떤 자원이 얼마나 필요한지 그 자원의 종류와 양 확인하기 → 이용 가능한 자원 수집(확보)하기 → 자원 활용 계획 세우기 → 계획에 따라 수행하기의 4단계 과정을 거친다.

39 인적자원관리능력 효과적인 명함관리 방법 이해하기

|정답| ③

|해설| 명함에는 명함을 교환받은 상대에 대한 정보를 메모하는 것이 좋다. 다만 명함에 메모하는 것은 상대방과의 만남이 끝난 이후에 하는 것이 좋으며, 상대방이 보는 앞에서 메모하는 것은 바람직하지 않다.

40 물적자원관리능력 효과적인 물적자원관리 과정 이해하기

|정답| ②

|해설| 효과적인 물적자원관리의 과정은 사용품과 보관품의 구분 → 동일 및 유사 물품의 분류 → 물품의 특성에 맞는 보관 장소 선정의 순서로 나타낼 수 있다.

41 물적자원관리능력 **물품 보관의 원칙 이해하기**

|정답| ①

|해설| 회전대응 보관의 원칙이란 물품의 활용빈도가 상대적으로 높은 것은 쓰기 쉬운 위치에 보관해야 한다는 원칙으로, 입·출하의 빈도가 높은 품목은 출입구 가까운 곳에, 반대로 빈도가 낮은 물품은 먼 곳에 보관하여 반출 과정에서의 동선을 절약하고 이동 과정에서의 물품의 손상을 방지하는 것을 의미한다.

|오답풀이|

② 명료성의 원칙은 보관 중인 제품을 용이하게 인식할 수 있도록 보관해야 한다는 원칙을 의미한다.

③ 후입선출의 원칙은 가장 나중에 입고된 물품을 가장 먼저 반출하는 원칙으로, 주로 재고회전률이 높아 물품보관의 시간이 짧은 물품에 대하여 적용한다.

④ 위치 표시의 원칙은 보관품의 장소와 선반 번호를 명시하는 원칙이다. 위치 표시를 하면 격납, 추출작업이 단순화되어 작업원의 실수가 적어진다.

⑤ 통로대면 보관의 원칙은 창고 내 입출고를 용이하게 하고 창고 내 원활한 화물의 흐름을 위해 통로에 직각으로 면하여 보관하는 원칙이다.

42 시간관리능력 **일 중독자들의 경향 이해하기**

|정답| ③

|해설| 시간 관리에 실패한 일 중독자들은 생산성이 낮은 일을 가장 오래하고, 최우선 업무보다는 가시적인 업무에 전력을 다하고, 자신이 할 수 있는 일을 다른 사람에게 맡기지 않고, 위기 상황에 과잉 대처하여 일을 침소봉대하는 경향이 있다. 시간 관리를 통해 일과 가정 또는 자신의 여가를 동시에 즐기는 것은 올바른 시간 관리의 사례에 해당한다.

43 인적자원관리능력 **인맥관리의 중요성 이해하기**

|정답| ③

|해설| 〈보기〉의 사례는 N사의 코스닥 상장 과정에서 N사의 회장이 개인의 인맥을 통해 도움을 받아 문제를 해결한 내용이다. 이처럼 개인적인 차원의 인적자원관리인 인맥관리를 통해 형성한 관계는 유사시 필요한 도움을 받을 수 있는 데 결정적인 역할을 수행할 수 있다.

44 시간관리능력 **휴가 일정 설정하기**

|정답| ⑤

|해설| 사장님 업무 일정이 있는 날에는 모든 팀이 근무하는 것이 원칙이지만 사장님의 국내지사 방문 일정은 휴가 신청 가능 기간이 아니므로 고려할 필요가 없다.

45 시간관리능력 **휴가 일정 설정하기**

|정답| ③

|해설| 휴가 신청 가능 기간인 1월 8일부터 28일까지 중 주말을 포함하여 5일을 신청해야 하므로 19일부터 23일까지 휴가를 신청하면 비서실장과의 휴가 일정과 사장님의 업무 일정, 총무팀 휴가 일정과 겹치지 않는 휴가 일정이 될 수 있다.

|오답풀이|

① 8일 ~ 10일 사장님 업무 일정과 겹치게 된다.

② 13일 ~ 15일에 비서실장 휴가 일정과 겹치게 된다.

④ 24일 ~ 27일에 총무팀 휴가와 일정이 겹치게 된다.

⑤ 휴가 신청 가능 기간인 1월 28일을 초과하고, 30일에 사장님 업무 일정과 겹치게 된다.

46 예산관리능력 **금액 계산하기**

|정답| ②

|해설| 소형과 중형을 각각 소문자와 대문자로 표시했을 때, 13일과 14일의 합산금액을 더한 값(㉠)에서 16일의 합산금액(㉡)을 빼주면 다음과 같다.

$a+b+A+C=28,000$(원) $\cdots\cdots$ ㉠

$A+C=19,000$(원) $\cdots\cdots$ ㉡

㉠-㉡$=a+b=9,000$(원) $\cdots\cdots$ ㉢

다음으로 12일과 15일의 합산금액을 더해주면 $a+b+2B=30,000$(원) 이 되고, ㉢과 연립하면 B의 값은 $10,500$(원)이 된다. 따라서 12일의 합산금액을 통해 a의 2시간 기준 충전금액이 3,500원이란 사실을 알 수 있고, 1시간 기준 가격은 $1,750$원이 된다.

47 예산관리능력 예산의 구성요소 이해하기

|정답| ④

|해설| 예산의 구성요소는 일반적으로 비목과 세목으로 구분할 수 있으며, 이 중 비목은 대분류 원가항목으로 이는 다시 직접비용과 간접비용으로 분류할 수 있다. 여기서 직접비용(Direct Cost)은 제품의 생산 또는 서비스를 창출하기 위해 직접 소비되는 비용이며, 간접비용(Indirect Cost)은 직접비용이 아닌 것, 즉 제품 생산이나 서비스 창출에 직접 관련되지 않은 비용을 말한다.

48 인적자원관리능력 직무설계의 목적 이해하기

|정답| ③

|해설| 직무설계란 조직목표 달성 및 개인욕구 충족을 위하여 주어진 직무를 수행하는 데 필요한 과업들과 과업수행 방식을 정의하는 과정이다. 조직과 개인은 상충되는 목표가 아니기 때문에 하나의 목표 아래 조직의 경제적, 사회적 효율성을 동시에 향상시킬 수 있으며 직무설계를 통해 직원의 동기 부여와 조직의 생산성 향상이라는 효과를 거둘 수 있다. 보도 내용에 나온 기업은 정기 공채를 없애고 상시 공채로 바꿔 직원 채용 시스템에 변화를 줌으로써 인재확보 기회를 넓히고 직무에 맞는 이들에게 성장과 안정을 위한 기회를 제공하려는 목적을 가지고 있음을 알 수 있다. 따라서 옳은 것은 ㄷ, ㄹ이다.

49 자기개발능력 자기개발능력의 요소 이해하기

|정답| ⑤

|해설| 자기개발능력을 이루는 능력으로는 자신의 흥미나 적성 등을 이해할 줄 아는 자아인식능력, 그 이해를 바탕으로 자신의 업무에 필요한 능력을 지니게 스스로를 관리하는 자기관리능력, 동기를 가지고 경력을 개발하기 위해 자신만의 목표와 전략을 세우고 실행에 옮기는 경력개발능력이 있다.

50 자기관리능력 휴식을 통해 컨디션 조절하기

|정답| ②

|해설| 제시된 글에서는 휴식시간을 다른 사람들과 똑같이 보내기보다 자신에게 집중해서 주체적으로 쉬어야 함을 강조한다.

51 자아인식능력 직업윤리 이해하기

|정답| ②

|해설| 사람을 살려야한다는 책임감 하나만으로 자신의 목숨이 위협받는 상황도 감수해야하는 소방관의 책임의식을 강조하고 있다.

52 경력개발능력 경력개발계획 수립하기

|정답| ③

|해설| 김 부장은 이미 경력 10년 차인 직원으로 자신의 전공에 대해 탐구할 연차가 아니다. 전공에 대해 탐구하는 것은 주로 대학생과 사회초년생들이 고민하는 내용이다.

53 경력개발능력 직장 내 역할 행동 이해하기

|정답| ③

|해설| 윤 과장은 영업3팀의 평사원들을 책임지는 과장임과 동시에 □□기업의 영업이익을 위해 일해야 하는 직원이다. 따라서 영업부 내부와 타 부서와의 협력을 위해 힘써야 하며 영업이익의 증대를 위해 일해야 한다.

|오답풀이|

ㄹ, ㅁ. 동호회 활동이나 대학 동창회 등 사모임에 참여하는 것은 윤 과장의 역할인 영업팀 과장에 따라 부여되는 행위가 아니다.

54 자기인식능력 조하리의 창 이해하기

|정답| ②

|해설| 조하리의 창은 개인의 여러 모습들을 타인이 안다/모른다 와 자신이 안다/모른다의 4가지 구역으로 나눠서 분석한다. 이중 타인은 알지만 자신은 모르는 면을 Blind area, 즉 보이지 않는 창 또는 눈먼 자아(영역)라고 한다.

55 경력개발능력 자기관리 이해하기

|정답| ④

|해설| 천부적인 재능이 있다고 여겨지는 사람들도 1만 시간 이상의 연습량을 꾸준히 쏟아야만 장인의 경지에 오를 수 있다고 제시문은 주장하고 있다.

|오답풀이|

① 제시문은 세계최고의 전문가가 되려면 1만 시간 이상의 연습량이 필요하다고 주장했지만 이는 필요조건이지 충분조건이 아니다. 즉 1만 시간 이상을 연습한다고 무조건 최고가 될 수 있는 것은 아니며 제시문의 핵심 내용도 아니다.

② 많은 세월 동안 재능이 발휘되기를 기다리는 것이 아니라 재능을 발휘하기 위해서 연습을 거듭해야 한다고 주장한다.

56 자기관리능력 매슬로우 욕구단계 이해하기

|정답| ③

|해설| 욕구가 충족되어도 동기유발 요인으로서의 의미는 상실되지 않는다. 또한, 욕구는 특정 시기에 강하게 나타나는 것이 있기도 하지만 모든 욕구는 동시에 존재한다고 본다.

57 자아인식능력 자아인식과 자기관리 이해하기

|정답| ②

|해설| 충동통제력을 설명하는 네 번째 문단에서 충동통제력은 단순한 인내력과 참을성과는 다르다고 명시하고 있다.

58 자아인식능력 회복탄력성 이해하기

|정답| ①

|해설| ㄴ, ㄷ. 두 번째 문단에서 다른 모든 지능이 효율적으로 발휘될 수 있도록 돕는 지능임을 명시하고 있다.

|오답풀이|

ㄱ. 자기이해지능은 특정 분야나 직업에 관계된 것이 아니라 다른 지능이 효율적으로 발휘되도록 돕는 능력이라고 제시되어 있다.

ㄹ. 자기이해지능은 감정을 숨기는 것이 아니라 통제하는 능력이다.

59 자아인식능력 4가지 감정 이해하기

|정답| ⑤

|해설| 윗글에서는 자신의 4가지 강점으로 학습욕구, 통찰력, 심미안 그리고 열정에 대해서 언급했다.

60 자아인식능력 자아인식 적용하기

|정답| ④

|해설| 친목이 목적인 교우관계에 열정을 쏟는 행위는 자신의 강점을 발휘해 업무적인 발전을 꾀하는 행동이라고 볼 수 없다.

6회 기출예상모의고사

문제 212쪽

01	②	02	②	03	②	04	⑤	05	①
06	④	07	③	08	④	09	⑤	10	⑤
11	④	12	②	13	④	14	②	15	①
16	②	17	①	18	④	19	④	20	⑤
21	④	22	④	23	④	24	④	25	④
26	④	27	④	28	⑤	29	①	30	④
31	⑤	32	④	33	④	34	①	35	②
36	③	37	④	38	③	39	③	40	④
41	⑤	42	②	43	①	44	④	45	⑤
46	②	47	①	48	④	49	⑤	50	①
51	③	52	②	53	①	54	⑤	55	⑤
56	⑤	57	③	58	①	59	①	60	④

01　문제처리능력　자료 해석하기

| 정답 | ②

| 해설 | 〈2021 시즌 팀별 상대전적〉의 빈칸을 채워 완성하면 다음과 같다.

상대 팀	A	B	C	D	E
A	–	9-0-7	10-1-5	4-3-9	8-0-8
B	7-0-9	–	(가) 7-0-9	9-1-6	6-1-9
C	5-1-10	9-0-7	–	7-0-9	8-0-8
D	9-3-4	6-1-9	9-0-7	–	6-0-10
E	8-0-8	9-1-6	8-0-8	10-0-6	–

이를 바탕으로 각 팀의 시즌 총 전적과 승률을 구하면 다음과 같다.

구분	A	B	C	D	E
총 전적	31승 4무 29패	29승 2무 36패	29승 1무 34패	30승 4무 30패	35승 1무 28패
승률	$\frac{31}{60} \times 100$ ≒51.7 (%)	$\frac{29}{62} \times 100$ ≒46.8 (%)	$\frac{29}{63} \times 100$ ≒46.0 (%)	$\frac{30}{60} \times 100$ =50(%)	$\frac{35}{63} \times 100$ ≒55.6 (%)

따라서 시즌 승률이 50% 이상인 팀은 A, D, E로 세 팀이다.

| 오답풀이 |

④ E팀의 D팀 상대 성적은 10승 0무 6패이므로 E팀이 D팀을 상대로 승리한 경기가 더 많다.

02　사고력　진위 추론하기

| 정답 | ②

| 해설 | 주어진 명제만으로 추론할 수 없다.

| 오답풀이 |

① 첫 번째 명제의 대우에 해당하므로 참이다.

③ 두 번째 명제의 대우에 해당하므로 참이다.

④ 두 번째 명제–세 번째 명제–첫 번째 명제로 이어지므로 참이다.

⑤ 세 번째 명제–첫 번째 명제로 이어지므로 참이다.

03　문제처리능력　수치 계산하기

| 정답 | ②

| 해설 | 수심과 시간이 비례하므로 가장 긴 시간이 걸린 지점을 찾으면 된다. 각 관측지점의 수심을 구하면 다음과 같다.

관측지점	수심(m)
갑	3,900
을	7,125
병	5,775
정	6,750
무	5,100

따라서 수심이 가장 깊은 관측지점은 을이다.

04　사고력　진위 추론하기

| 정답 | ⑤

| 해설 | 진술 두 개 중 하나는 진실, 하나는 거짓이므로 하나를 진실이나 거짓인 경우로 하여 결과를 도출한다.

1) 유정이가 보를 낸 경우

유정이가 보를 낸 경우 수연이는 가위는 내지 않았고, 수연이가 가위를 내지 않았다면 세이는 보를 냈다. 그런데 세이의 진술에서 세이가 가위를 냈다는 진술이 거짓이 되어 수연이도 가위를 냈다는 진술이 참이 되어야 하므로 옳지 않다.

2) 유정이가 보를 내지 않은 경우

수연이는 가위, 세이는 보도 가위도 내지 않아 바위를 내게 된다. 도연과 루아는 유정이에 따라 두 가지 경우로 나타나므로 이를 정리하면 다음과 같다.

유정	바위
수연	가위
세이	바위
루아	보 또는 가위 바위 중 하나
도연	바위 또는 보

유정	가위
수연	가위
세이	바위
루아	보
도연	가위

따라서 반드시 진실인 것은 ⑤이다.

05 사고력 정보를 바탕으로 추론하기

|정답| ①

|해설| 세 명의 나이가 모두 다르며 해안보다 미르의 나이가 더 많다. 나래는 사진작가보다 수입이 많은데, 프로그래머는 수입이 가장 적으므로 나래는 프로그래머가 아니고 가장 나이가 어리지도 않다. 따라서 나래는 프로그래머와 사진작가가 아니므로 엔지니어이다. 이를 바탕으로 정리하면 해안이 가장 나이가 어리며 직업은 프로그래머이고 가장 나이가 많은 미르의 직업은 사진작가가 된다.

06 문제처리능력 합성 정전용량 산출하기

|정답| ④

|해설| 먼저 병렬의 정전용량을 구하면 $24[F]+16[F]$이므로 $40[F]$이다. C_1와 앞서 구한 $40[F]$의 합성 정전용량은 $\frac{1}{40}+\frac{1}{40}-\frac{2}{40}$이므로 합성 정전용량$(C)$는 $20[F]$이다.

07 사고력 진술을 바탕으로 추론하기

|정답| ③

|해설| 들찬이는 아름이보다 크고 윤슬이는 들찬이 보다 크므로 아름<들찬<윤슬 순이 된다. 도담이 제일 작고 윤슬이 제일 큰 사람은 아니므로 작은 순서대로 나열하면 도담<아름<들찬<윤슬<벼리가 된다.

08 문제처리능력 자료의 질문 추론하기

|정답| ④

|해설| 질문 중 출시하자마자 대박이 났다는 답변이 없으므로 적절하지 않다. Q4에는 '출시 과정에도 우여곡절이 많았다는데'와 같은 질문이 적절하다.

|오답풀이|

① 국내뿐 아니라 중국, 베트남 등 글로벌 시장에서도 사랑받는 과자를 만들어내고자 하므로 Q5에 적절하다.

② 영업이익이 나타나 있는 Q2에 적절하다.

③ 개발 과정에서의 실패와 시도를 얘기하고 있는 Q1에 적절하다.

⑤ 인도 소비자들의 마음을 사로잡아 유력 매체에서 보도된 내용이 있는 Q3에 적절하다.

09 문제처리능력 그래프 분석하기

|정답| ⑤

|해설| 상품별 매출액$=\frac{\text{상품군 매출액 비중}\times\text{총 매출액}}{100}$이므로 연도별 상품별 매출액을 구하면 다음과 같다.

구분	2020년	2021년
의류	$\frac{25\times77}{100}=19.25$(억 원)	$\frac{23\times94}{100}=21.62$(억 원)
식품	$\frac{22\times77}{100}=16.94$(억 원)	$\frac{27\times94}{100}=25.38$(억 원)
가전	$\frac{24\times77}{100}=18.48$(억 원)	$\frac{23\times94}{100}=21.62$(억 원)
여행	$\frac{26\times77}{100}=20.02$(억 원)	$\frac{23\times94}{100}=21.62$(억 원)
기타	$\frac{3\times77}{100}=2.31$(억 원)	$\frac{4\times94}{100}=3.76$(억 원)

따라서 2020년 대비 2021년 매출액 변화가 $25.38-16.94=8.44$(억 원)인 식품의 변화 폭이 가장 크다.

|오답풀이|

① 기타의 매출액 차이는 $3.76-2.31=1.45$(억 원)으로 $21.62-18.48=3.14$(억 원)인 가전의 차이보다 작다.

② 2020년 여행과 의류 매출액의 합은 $20.02+19.25=39.27$(억 원)으로 $21.62+21.62=43.24$(억 원)인 2021년보다 작다.

③ 2020년 대비 2021년 가전의 매출액 차이는 3.14억 원이다.

1회 기출예상문제 2회 기출예상문제 3회 기출예상문제 4회 기출예상문제 5회 기출예상문제 6회 기출예상문제

④ 2021년과 2020년 매출액을 비교했을 때 세 번째로 크게 변화한 분야는 의류이다.

10 문제처리능력 글의 흐름에 맞게 빈칸 채우기

| 정답 | ⑤

| 해설 | 환경 문제가 에너지 사용에서 비롯됐다고 보면서 이 문제를 해결하기 위해서는 새로운 에너지(재생 가능한 에너지)를 도입해야 하지만 이것만으로도 한계가 있으며, 이 한계를 극복하기 위해서는 새로운 생활 방식과 산업 체제를 수립해야 한다고 말하고 있다. 따라서 빈칸에는 현 산업 체제의 에너지 수요는 감당하기 어렵다는 내용이 들어가야 한다.

11 문제처리능력 승진 대상자 선택하기

| 정답 | ④

| 해설 | 우선 과락점수가 75점이므로 외국어 성적이 70점인 C는 승진대상에서 제외된다. 승진자는 승진탈락자보다 평균점수가 높거나 같다고 하였으므로 대상자의 평균 점수를 구하여 상위 두 명을 선정한다.

- A : $\dfrac{90+80+80}{3}≒83.3$

- B : $\dfrac{85+80+90}{3}=85$

- D : $\dfrac{80+90+80}{3}≒83.3$

- E : $\dfrac{75+80+95}{3}≒83.3$

- F : $\dfrac{95+85+80}{3}≒86.7$

따라서 이 중 평균 점수가 가장 높은 F와 B가 승진 대상이 된다. 개인성과점수가 90점 이상인 사람 중 최소 한 명은 무조건 승진해야 한다는 조건 역시 F의 개인성과점수가 90점이므로 충족된다.

12 사고력 dpi 이해하기

| 정답 | ②

| 해설 | 1,200dpi로 인쇄할 때 점의 개수는 300dpi로 인쇄할 때 점의 개수의 16배인 1,440,000개이다.

| 오답풀이 |

① 500dpi로 인쇄하면 300dpi로 인쇄할 때보다 160,000개 더 많은 점을 넣을 수 있다.

③ 600dpi로 인쇄할 때 점의 개수는 360,000개이고, 200dpi로 인쇄할 때 점의 개수는 40,000개이므로 9배이다.

④ 1,400dpi로 인쇄할 때 점의 개수는 700dpi로 인쇄할 때 점의 개수의 4배이다.

⑤ 1,200dpi로 인쇄하면 600dpi로 인쇄할 때보다 1,080,000개 더 많은 점을 찍어 넣을 수 있다.

13 기초연산능력 수식의 빈칸 구하기

| 정답 | ④

| 해설 | 분모를 통일하면 $\dfrac{13A}{169}+\dfrac{B}{169}=\dfrac{31}{169}$이므로 13A +B=31이다. A, B는 한 자리 자연수이므로 A=2, B=5가 되어 A+B=7이다.

14 기초연산능력 연산기호의 규칙 찾기

| 정답 | ②

| 해설 | 제시된 계산식들을 통해 ▷와 ◁의 규칙을 정리하면 다음과 같다.

- A▷B=(A+1)×(B+1)
- A◁B=(A−1)×(B−1)

따라서 (4▷4)◁(3◁8)=(5×5)◁(2×7)=25◁14 =24×13=312이다.

15 기초통계능력 확률 계산하기

| 정답 | ①

| 해설 | A～E가 월요일부터 금요일까지 하루에 한 명씩 식사당번을 할 경우의 수는 5!이며, 이 중 E가 수요일에 식사당번을 할 경우의 수는 나머지 4명이 수요일을 제외한 다른 날에 하루에 한 명씩 식사당번을 할 경우의 수, 즉 4!이다. 따라서 E가 수요일에 식사당번을 하지 않을 확률은 $\dfrac{5!-4!}{5!}=\dfrac{4!(5-1)}{4!×5}=\dfrac{4}{5}$이다.

16 기초통계능력 확률 계산하기

|정답| ②

|해설| (승호가 꺼낸 숫자, 정민이 꺼낸 숫자, 선우가 꺼낸 숫자)로 나열할 때 선우가 가장 큰 숫자를 꺼낸 경우는 (1, 2, 3), (1, 2, 4), (1, 2, 6), (5, 2, 6)의 4가지이다. 총 경우의 수는 $3 \times 3 \times 3 = 27$(가지)이므로 확률은 $\frac{4}{27}$이 된다.

17 기초통계능력 평균 계산하기

|정답| ①

|해설| 최빈값이 7이라는 조건을 통해 여러 경우를 따져본다. 7이 네 번 들어가게 되면 중앙값이 맞지 않으므로 7이 두 번 들어갈 때와 세 번 들어갈 때로 나눠서 생각해본다.

• 7이 세 번 들어간다면 경우의 수는 (6, 7, 7, 7, ○, 11)와 (6, 6, 7, 7, 7, 11) 두 가지다. 그러나 이 경우 둘 다 중앙값이 8이 아니므로 옳지 않다.

• 7이 두 번 들어간다면 (6, 7, 7, ○, ○, 11)가 될 수 있다. 이 경우 중앙값이 8이 되도록 네 번째 숫자를 9로 맞춰주면 나머지 숫자는 자연스레 10이 되면서 모든 조건에 맞는 값이 완성된다. 따라서 나열된 숫자의 평균값은 $\frac{6+7+7+9+10+11}{6} = \frac{50}{6} = \frac{25}{3}$ 이다.

18 기초연산능력 학생 요금을 지불한 인원 구하기

|정답| ④

|해설| 해당 월의 첫째 주 수요일이 k일이면 수요일의 날짜를 모두 더한 값은 $k+(k+7)+(k+14)+(k+21)=4k+42=58$이고 $k=4$이므로 수요일은 4, 11, 18, 25일이다. 따라서 19일은 목요일이다. 성인 요금 낸 사람을 x명, 학생 요금 낸 사람을 y명으로 두면 다음과 같이 정리할 수 있다.

$x+y=7$ ················· ㉠

$5,000x+4,000y=30,000$

$5x+4y=30$ ················· ㉡

㉠$\times 5 -$㉡을 하면

$x=2,\ y=5$

따라서 학생 요금을 지불하고 입장한 사람은 5명이다.

19 기초연산능력 휘발유의 양 구하기

|정답| ④

|해설| 최 사원의 승용차는 12m 이동 시 $8cm^3$의 휘발유를 소비하며, 이동 거리는 90km=90,000m이므로 총 $90,000 \div 12 \times 8 = 60,000(cm^3)$를 소비한다. 제시된 단위환산표를 보면 $1cm^3 = 0.001\ell$이므로 $60,000cm^3 = 60\ell$이다.

20 기초연산능력 환율 계산하기

|정답| ⑤

|해설| 2021년 1월의 환율은 $1,000 \times (1+0.05) = 1,050$(원)이다. 2022년 1월 환율이 전년 대비 $x\%$ 상승했다면 식은 다음과 같다.

$$1,050 \times \left(1 + \frac{x}{100}\right) = 1,100$$

$$1 + \frac{x}{100} ≒ 1.048 \qquad \therefore x ≒ 4.8(\%)$$

따라서 2022년 1월에는 전년 대비 약 4.8% 상승했다.

21 기초연산능력 최소 비용 계산하기

|정답| ④

|해설| 칼슘과 마그네슘의 최소 섭취량을 충족하기 위해 필요한 A, B 영양제의 성분별 필요량을 구하면 다음과 같다.

구분	칼슘	마그네슘
A 영양제	0.3÷0.05=6(g)	0.54÷0.06=9(g)
B 영양제	0.3÷0.03=10(g)	0.54÷0.09=6(g)

두 영양분의 필요량을 충족하기 위해 A 영양제는 $9 \times 2,000 = 18,000$(원), B 영양제는 $10 \times 3,000 = 30,000$(원)이 소요된다. 따라서 최소 비용은 18,000원이다.

22 기초연산능력 비율 계산하기

|정답| ④

|해설| S 기업의 전체 직원 수를 100명이라고 하면 여자 직원은 55명, 남자 직원은 45명이다. 연수에는 남자 직원은 70% 여자 직원은 30% 참여했으므로 연수에 참여한 총 직원 수는 $45 \times 0.7 + 55 \times 0.3 = 31.5 + 16.5 = 48$(명)이다. 따라서 연수에 참여한 직원과 연수에 참여하지 않은 직원의 비는 48 : 52=12 : 13이다.

23 도표분석능력 자료의 수치 분석하기

| 정답 | ④

| 해설 | A, B 기업의 2021년 2～3분기 매출액을 구하면 다음과 같다.

구분	2021년 2분기	2021년 3분기
A 기업	200×1.15 =230(억 원)	230×0.85 =195.5(억 원)
B 기업	150×1.25 =187.5(억 원)	187.5×1.1 =206.25(억 원)

④ A 기업의 2021년 매출액이 800억 원을 초과하려면 4분기 매출액이 $800 - 200 - 230 - 195.5 = 174.5$(억 원)을 초과해야 한다. 따라서 3분기 대비 매출액이 감소해도 된다.

| 오답풀이 |

③ 두 기업의 3분기 매출액 합계는 $195.5 + 206.25 = 401.75$(억 원)으로 2분기 매출액 합계인 $230 + 187.5 = 417.5$(억 원)보다 작다.

⑤ 2021년 1～3분기 총 매출액은 A 기업이 625.5(억 원)으로 543.75(억 원)인 B 기업보다 크다.

24 도표분석능력 자료의 수치 분석하기

| 정답 | ④

| 해설 | 2020년의 전년 대비 5개 지역 고구마 총생산량 증감률은 $\dfrac{294,963 - 313,195}{313,195} \times 100 ≒ -5.8(\%)$이다.

| 오답풀이 |

① 고구마 생산량이 증가한 지역은 A 와 E 지역이다.

② 2020년 대비 2021년 감자, 고구마의 E 지역 총 생산량은 37,498톤에서 39,184톤으로 증가하였다.

③ 지역별 2020년 대비 2021년 감자 생산량 증감률을 구하면 다음과 같다.

- A 지역 : $\dfrac{48,411 - 71,743}{71,743} \times 100 ≒ 32.5(\%)$

- B 지역 : $\dfrac{63,391 - 89,617}{89,617} \times 100 ≒ -29.3(\%)$

- C 지역 : $\dfrac{5,049 - 5,219}{5,219} \times 100 ≒ -3.2(\%)$

- D 지역 : $\dfrac{14,807 - 18,503}{18,503} \times 100 ≒ -20(\%)$

- E 지역 : $\dfrac{7,893 - 9,007}{9,007} \times 100 ≒ -12.4(\%)$

따라서 A 지역 증감률의 절댓값이 가장 크다.

⑤ 지역별 2020년 대비 2021년 고구마 생산량 증감률을 구하면 다음과 같다.

- A 지역 : $\dfrac{12,704 - 12,406}{12,406} \times 100 ≒ 2.4(\%)$

- B 지역 : $\dfrac{70,437 - 73,674}{73,674} \times 100 ≒ -4.4(\%)$

- C 지역 : $\dfrac{83,020 - 100,699}{100,699} \times 100 ≒ -17.6(\%)$

- D 지역 : $\dfrac{97,511 - 97,925}{97,925} \times 100 ≒ -0.4(\%)$

- E 지역 : $\dfrac{31,291 - 28,491}{28,491} \times 100 ≒ 9.8(\%)$

따라서 D 지역 증감률의 절댓값이 가장 작다.

25 조직이해능력 조직의 정의 이해하기

| 정답 | ④

| 해설 | 재화나 서비스의 생산은 조직의 경제적 기능과 연관된 것이다. 조직은 조직구성원들이 만족감을 느끼게 하고 협동을 지속하게 함으로써 사회적 기능을 갖게 된다.

26 체제이해능력 조직문화의 특징 이해하기

| 정답 | ④

| 해설 | 빈칸에는 '조직문화'가 들어간다. 조직문화는 조직구성원의 인사평가 검증기준이 되어 조직원이 조직문화에 수렴하는 정도를 평가할 수 있는 역할을 한다.

27 체제이해능력 갈등의 원인 이해하기

| 정답 | ③

| 해설 | 복직을 한 윤경영 과장은 기존 자신의 부서에서 인사업무를 하다가 갑자기 홍보업무를 담당하는 부서로 배치되었다. 그리고 자신보다 입사연차가 늦은 이홍보 대리에게 오히려 업무 지시를 받게 되었다. 이는 윤경영 과장과 이홍보 대리 사이에 발생한 공식적인 지위와 실제로 행사되는 권위의 차이로 인해 갈등상황이 유발된 것이다. 이러한 갈등의 원인을 지위부조화라고 한다.

리터러(Litterer)가 주장하는 갈등의 원인

1. 상충되는 목표의 존재 : 둘 이상의 당사자가 서로 상충되는 목표를 추구할 경우
2. 상충되는 수단 / 자원의 배분 : 공동의 목표를 추구하는 둘 이상이 목표달성을 위하여 어떤 자원을 동원할 것인가, 한정된 자원을 누가 얼마나 차지할 것인가에 대한 의견이 일치하지 않을 경우
3. 지위전도 / 지위부조화 : 상호작용을 하는 둘 이상의 행동 주체 사이에 공식적인 지위와 실제로 사용되는 권위에 차이가 있을 경우
4. 인지상의 차이 : 동일한 현상이나 사물을 사람에 따라 서로 다르게 볼 수가 있는데, 이러한 사람들 사이에서 상호작용을 통해 가치관, 경험, 지위, 역할 등의 차이가 생기는 경우

필리 등(Filley, House & Kerr)이 주장하는 갈등의 원인

1. 불명확한 역할 규정 : 자신 또는 상대방의 역할에 대한 기대가 명확하게 규정되지 않았을 경우에 발생기는 갈등
2. 희소자원에 대한 치열한 경쟁 : 희소자원을 두고 집단들이 서로의 몫을 증가시키거나 보호하려는 경향이 강하면 생기는 갈등
3. 선명한 메커니즘 : 둘 또는 그 이상의 집단을 구분하는데 쓰이는 격리가 너무 선명하고 경직적이면 생길 수 있는 갈등
4. 통합 메커니즘 : 유사성을 강조하는 통합 메커니즘보다 차이점을 강조하는 통합 메커니즘이 우선하여 작동함으로 인해서 생기는 갈등

28 업무이해능력 애자일 조직의 특징 파악하기

|정답| ⑤

|해설| 빈칸에는 '애자일 조직'이 들어간다. 조직 내부에서 시작하는 소규모 사내 벤처는 사내독립기업(CIC)의 대표적인 특징이다. CIC는 본사와 구분되는 독립된 조직으로 조직의 혁신 주도와 사업의 효율성 제고를 위해 설립되었다.

애자일(Agile) 조직

• '민첩한'이란 뜻으로 프로젝트를 진행하면서 수정과 보완 반복
• 부서 간의 경계를 허물고 변화에 신속하게 대응하는 조직의 형태
• 빠른 성과 도출을 목표로 피드백을 적극적으로 반영하여 업무의 높은 완성도 추구

• 구성원의 주인의식 향상을 위해 소규모 조직으로 구성
• 전문가형 리더가 업무를 추진하면서 동시에 조직을 조율하고 지원하는 역할

29 체제이해능력 변환 관리 모델 이해하기

|정답| ①

|해설| ㉠은 내면의 본질적인 변화를 위해서는 기존 방식을 수정하고 보완해가는 수준이 아니라 전혀 다른 방식으로 갈아타야 한다는 의미에서 "Endings"이다. (가)는 기존의 사업 성과에 안주하지 않고 기존 방식과 성과들을 그대로 두고, 또 하나의 새로운 출발을 하기 위한 새로운 가치가 선포되었으므로 ㉠에 해당한다.

㉡ 단계에서 변화는 필연적으로 저항을 불러일으킨다. 새로운 방식으로의 전환은 스스로가 일시적으로 무능하게 느껴지거나 유능한 집단에서 제외되고 극단적으로 자신의 기득권을 잃게 만들 수 있다는 불안감을 갖게 하기 때문이다. (나)의 인트라넷에서 직원들의 날카로운 비판은 "과거 정체성과 현재 모습과의 혼돈과 불확실성이 강한 시기"에 나타나는 현상으로서 ㉡에 해당한다.

30 경영이해능력 잘못된 의사결정의 유형 이해하기

|정답| ⑤

|해설| 장기간 어느 한 분야에만 몸 담았던 사람들은 새로운 것을 찾기 보다는 늘 자기가 하던 대로 자기에게 편한 방식을 고수한다. 다양한 주장이나 관점을 흡수하기보다는 자신의 생각의 틀에서 정보를 선별하여 받아들인다. 시장의 추세나 변화를 읽지 못하고 늘 해온 R&D에 투자에 대한 결정은 조직을 위축되게 만드는 원인이 되었다.

31 체제이해능력 조직 내의 갈등 유형 파악하기

|정답| ⑤

|해설| 이내근 과장과 같은 유형의 사람은 자신에 대한 자부심이 높고 자기애가 강하다. 이 유형에 속한 사람들은 자기가 아는 것이 맞는 것이고 이를 주변 사람들에게 알려

주는 것을 일종의 의무로 생각한다. 이 때문에 이들과 일할 때 이러한 간섭에 대해 거부감이나 무관심을 보일 경우 갈등이 발생할 수 있다.

32 경영이해능력 팔로워십 이해하기

|정답| ④

|해설| 아돌프 아이히만은 이스라엘의 재판장에서 자신은 오직 국가의 명령을 따랐다고 주장하고 있다. 그는 자신을 독립적이고 비판적인 사고는 부족하지만 주어진 자신의 역할을 수행하는 '순응형 팔로워'로 볼 것이다.

보충 플러스+

켈리(Kelly)의 팔로워십 모델
가로(X)축은 팔로워의 자세로 세로(Y)축은 추종자의 사고방식으로 나누어 교차시킴으로써 다섯 가지 유형으로 구분하였다.
- 소외형 팔로워 : 독집적이고 비판적인 사고는 하지만 역할 수행에 있어 적극적이지 않은 유형으로, 리더를 비판하면서도 스스로는 노력하지 않으며 불만스런 침묵으로 일관하는 모습을 보인다. 어떤 계기로 인해 부당한 대우를 받는다거나 희생을 한다고 느끼는 경향이 있다. 이런 팔로워는 부당한 대우를 받는다는 인식에 대응해 긍정적 인식을 회복하게 되면 적극적인 참여와 기여가 가능해진다.
- 순응형 팔로워 : 생각은 모자라지만 착하고 열심히 참여하는 스타일이다. 독립적 사고가 부족하여 리더에게 지나치게 의존하는 성향이 있다. 권력욕이 있는 리더들은 예스맨 스타일의 추종자를 장려한다. 이런 팔로워에게 독립적이고 비판적인 사고를 기르게 해주면 주어진 과제에 모범적으로 참여하고 기여하게 한다.
- 실무형 팔로워 : 크게 비판적이지 않고 리더의 결정에 의문을 품기는 하지만 자주 그렇지는 않다. 시키는 일은 잘 수행하지만 모험을 하지 않는 스타일이라고 할 수 있다. 대립은 가급적 억제하고 실패에 대해 해명자료를 준비해 준다. 이런 스타일은 우선 목표를 정하고 다른 사람들의 신뢰를 회복할 수 있도록 했을 때 조직 내 성과에 모범적으로 참여하고 기여하게 된다.
- 수동형 팔로워 : 생각도 하지 않고 열심히 참여도 하지 않는 스타일이다. 책임감이 결여되어 있고 솔선하지 않으며 지시 없이는 움직이려 하지 않는다. 이런 경우 스포츠 게임의 관중보다는 선수로 참여하려는 자세가 필요하다.
- 모범형 팔로워 : 스스로 생각하고 알아서 할 줄 아는 스타일이다. 혁신적이고 독창적이며 건설적 비판을 내놓을 줄 아는 유형이다. 이들은 자신의 맡은 일뿐만 아니라 모든 면에서 적극적 자세를 갖는다.

33 체제이해능력 조직구조도 파악하기

|정답| ②

|해설| Cell 조직은 소수의 인원으로 구성되어 성과를 내기 위해 기존의 팀 제도에서 필요한 역량보다 더 많은 의사결정 능력, 모험심과 그에 따른 책임감을 더욱 중요하게 여긴다. 또한 셀의 리더의 역량과 권한이 강화되어 기획 운영에서 인사와 예산의 권한까지 부여되었다. 이러한 조직의 구조를 보여주는 것은 ②이다.

34 기술능력 위험요인 구분하기

|정답| ①

|해설| 개인적(비업무적) 위험요인으로는 유전, 성, 연령, 성격, 식습관, 흡연, 운동습관 등이 있다. 가 직원은 본인이 기존에 가지고 있는 병으로 인해 뇌심혈관 질환의 발병 위험이 있는 것으로 나타났다.

|오답풀이|

②는 사회심리적 요인, ③은 정신적 요인, ④는 화학적 요인, ⑤는 물리적 요인으로 모두 업무적 위험 요인에 해당한다.

35 기술능력 산업재해의 예방대책 단계 이해하기

|정답| ②

|해설| 문제의 산업재해 예방대책의 빈칸에 들어갈 단계의 내용은 '시정책 적용 및 뒤처리'이다. 이 단계에서는 안전에 대한 교육 및 훈련을 실시하고, 안전시설의 장비의 결함 개선, 안전 감독 실시 등의 시정책을 적용하는 단계이다. 컨테이너 조작법 교육은 산업재해의 방지를 위한 시정책 적용 단계에 적용할 안전교육의 내용으로 적절하지 않다.

36 기술선택능력 기술선택의 우선순위 결정하기

|정답| ③

|해설| 제품의 성능이나 원가에 미치는 영향이 큰 기술을 우선적으로 선택해야 한다.

37 기술능력 저탄소 계획기법 이해하기

| 정답 | ④

| 해설 | 저탄소 녹색도시로 탈바꿈하기 위한 계획 중 하나인 녹색교통정책은 도로상의 에너지 절감과 도시환경 개선을 위해 매우 중요하다. 대표적인 녹색교통수단으로는 보행, 자전거, 대중교통 등이 있다.

38 기술능력 4차 산업혁명 이해하기

| 정답 | ③

| 해설 | (A)에 해당하는 유형은 산업구조의 변화가 없는 경우로서 기존 기업이 그대로 주도하는 존속적인 성격을 가진다. 여기에 해당하는 사례로는 스마트공장과 산업인터넷 등이 있다.

(B)와 (C)는 산업구조의 변화를 일으키는 경우로서 각각 기존 기업이 쇠퇴하고 가치사슬의 변화를 불러일으키는 파괴적 유형과 기존 조직이 유지되고 보완적 가치사슬이 발달한 보완적 유형에 해당한다. 파괴적 유형의 사례로는 자율주행차, O2O, 핀테크 등이 있고 보완적 유형은 디지털 헬스케어, 스마트 에너지, 리걸테크 등이 있다.

구분	유형 Ⅰ	유형 Ⅱ
혁신의 성격	존속성	파괴적 혹은 보완적
혁신의 주도	기존 업체(제조업체)	외부의 ICT 기업과 스타트업
주요 사례	산업인터넷, 스마트공장	• 파괴적 : 자율주행차, O2O, 핀테크 • 보완적 : 디지털 헬스케어, 스마트 에너지, 리걸테크
혁신의 주안점	하드웨어 장비 제조역량과 소프트웨어의 결합	주로 소프트웨어적 혁신

39 기술선택능력 매뉴얼 이해하기

| 정답 | ③

| 해설 | 프레젠터에는 AA 건전지가 아닌 AAA 건전지 2개를 사용한다. 또한 ID 설정에서 수신기의 적색 LED가 점등된 상태에서 송신기의 Mode와 Link 버튼을 연달아 2초 이상 누르는 것이 아닌, 두 버튼을 동시에 2초 이상 눌러야 한다.

40 기술선택능력 매뉴얼 이해하기

| 정답 | ④

| 해설 | 프레젠터 GQ-8700의 절전 모드는 멀티미디어 모드와 마우스 모드에서는 30분 이상 미사용 시 프레젠테이션 모드에서는 미사용 시 바로 절전 모드로 전환된다.

41 기술능력 산업재해의 원인 이해하기

| 정답 | ⑤

| 해설 | 사례에는 A 공장 폭발사고와 B 공장 폭발사고의 유사점이 제시되어 있는데, 특히 마지막 문단에서 배관 설치 용접 작업자인 하청업체 노동자들의 취급 전 안전교육의 부재를 폭발사고의 근본적 원인으로 지적하고 있다.

42 기술선택능력 기술선택절차 이해하기

| 정답 | ②

| 해설 | 사업전략 수립은 사업영역을 결정하고 경쟁사와의 경쟁에서 우위를 확보하는 방안을 수립하는 과정을 의미하는 것으로, 〈기술선택절차〉에서는 제시되어 있지 않다. (나)는 기술선택절차 중 기업의 매출목표와 이익목표를 설정하는 중장기 사업목표 설정 과정에 해당한다.

| 오답풀이 |
① 외부환경 분석은 수요 변화 및 경쟁자의 변화, 기술 변화 등을 분석하는 과정으로, (가)에 해당한다.
③ 기술전략 수립은 핵심기술을 선택하고 기술을 획득하는 방법을 결정하는 과정으로, (다)에 해당한다.
④ 내부역량 분석은 현재 보유하고 있는 기술능력, 생산능력 등을 분석하는 과정으로, (라)에 해당한다.
⑤ 요구기술 분석은 제품 설계 및 디자인 기술, 생산 공정, 원재료 및 부품 제조기술을 분석하는 과정으로, (마)에 해당한다.

43 갈등관리능력 부정적 성격의 원인 파악하기

| 정답 | ①

| 해설 | 김출세 씨는 전형적인 자기애성 성격장애 유형에 해당한다. 자기애성 성격장애는 이익, 출세, 지위 등에 대한

1회 기출예상문제

2회 기출예상문제

3회 기출예상문제

4회 기출예상문제

5회 기출예상문제

6회 기출예상문제

욕망이 지나치게 높아 그것을 성취하기 위하여 주변 사람들을 이용하고 착취하지만 죄책감을 느끼지 못한다. 또한 자신이 우수하고 특별하기 때문에 타인이 인정해 주기를 기대하는 반면에 타인의 요구나 필요에 대한 세심한 공감은 결여되어 있다. 이들은 오직 자신의 성공과 명성을 얻고 주목받기 위하여 살아간다.

| 오답풀이 |

② 반사회성(Antisocial) 인격장애 : 타인의 권리를 침해하고 반복적인 범법행위나 거짓말, 사기성, 공격성, 무책임함을 보인다.

③ 강박성(Obsessive Compulsive) 인격장애 : 세부사항이나 규칙에 집착, 완벽주의, 지나친 고지식함, 자신의 방식을 고수하는 등의 완고한 성격이 특징이다.

④ 편집성(Paranoid) 인격장애 : 다른 사람의 행동을 계획적인 요구나 위협으로 인식하여 의심과 불신을 갖는다.

⑤ 의존성(Dependent) 성격장애 : 타인에 대한 과도한 의존과 분리 상황에서의 불안, 자신감의 결여를 보인다.

44 갈등관리능력 나-전달법(I-message) 이해하기

| 정답 | ④

| 해설 | 먼저 ⓐ는 약속 시간이 지나도 나타나지 않은 행동을 관찰하여 안 사실을 말한 것이고 ⓑ는 무시하는 것 같아 화가 났다는 느낌을 표현하는 것이며 ⓒ는 연락이라도 해주길 바란다는 자신의 욕구를, 그리고 ⓓ는 다음에는 연락 없이 늦지 않겠다고 말해달라고 부탁하는 것이다.

45 대인관계능력 심리적 방어기제 이해하기

| 정답 | ⑤

| 해설 | Displacement Activity란 치환(置換) 또는 전위(轉位)라고 한다. 특정 대상에 대한 자신의 감정을 다른 대상에게 돌리는 것이다. 공 대리는 자신보다 강한 대상(박 과장)으로부터 혼이 나서 그것에 대한 분풀이를 약한 대상(진 사원)에게 표출하는 치환의 방어기제를 사용하고 있다.

| 오답풀이 |

① Sublimation(승화) : 욕구불만으로 인해 생겨나는 충동과 갈등을 사회적으로 인정되는 형태와 방법을 통해 발산하는 것이다.

② Forgiveness(용서) : 상대방의 허물이나 과실을 눈감아 주며 그 책임을 면제해 주거나 관계를 회복시켜 주는 것이다.

③ Introjection(내적 투사) : 다른 사람의 태도, 가치, 혹은 행동을 마치 자기 자신의 것처럼 동화시키는 무의식적 과정이다.

④ Passive Aggression(수동 공격) : 상대를 방해하거나 기분을 거슬리게 하는 등의 방식으로 분노를 표현하는 것이다.

46 협상능력 설득 전략 이해하기

| 정답 | ②

| 해설 | 설득은 상대방의 인지, 정서, 행동 등을 자신이 의도하는 방향으로 움직이게 하는 것이다. 설득은 이성적인 요인도 있지만 감정적인 요인도 작용하기 때문에 여러 가지 방법으로 사용할 수 있다. 따라서 목적과 상황적 요인에 따라 설득(협상) 전략을 다양하게 구사할 필요가 있다.

47 협상능력 적절한 협상안 찾기

| 정답 | ①

| 해설 | 문장수업에서 높은 점수를 받을 정도로 평소 학교에서 문장력을 인정받는 윤 씨는 자신이 생각하는 공사 금액에 맞추기 위해 도배 실력은 있지만 법률문장론 수업에서 어려움을 겪는 같은 팀 학생에게 개인교습을 해주는 조건으로 공사금액을 낮추어 모두가 만족할 만한 협상을 이끌었다.

48 리더십능력 임파워먼트 이해하기

| 정답 | ③

| 해설 | 임파워먼트란 조직 현장의 구성원에게 업무 재량을 위임함으로써 자주적이고 주체적인 체제 속에서 사람이나 조직의 의욕과 성과를 이끌어 내기 위한 권한부여 방식이다. ㉠은 지도자가 권력을 행사하거나 칭송받는 것이 아니라 백성들이 지도자의 존재만 인식하고 있다는 내용이므로 리더가 구성원들에게 권한을 부여하였다고 해석할 수 있다.

49 대인관계능력 대인관계 향상방법 이해하기

|정답| ⑤

|해설| 거의 모든 대인관계에서 나타나는 어려움은 역할과 목표에 대한 갈등과 애매한 기대 때문에 발생한다. 상대방에 대한 기대가 분명치 않고 서로 공유되지 않는다면 사람들은 감정적으로 변하기 쉽다.

50 팀워크능력 올바른 협력정신 이해하기

|정답| ①

|해설| 제시된 글에서는 협력과 화합의 중요성을 강조하고 있다. 동시에 다른 이들과의 경쟁과 투쟁에 대해서는 비판적인 태도를 보이고 있으므로 주변 사람들과의 평화를 주장하는 ㉠과 ㉡이 적절하다.

|오답풀이|

㉣ 필자는 경쟁 자체를 부정적으로 바라보고 있다.

51 직업윤리 직업인의 기본자세 이해하기

|정답| ③

|해설| 직분의식은 자신이 하고 있는 일이 사회나 기업을 위해 중요한 역할이라고 믿으며 업무를 수행하는 태도로, 직장인이 갖춰야 할 기본자세 중 하나이다.

|오답풀이|

① 전문가의식은 자신의 일이 누구나 할 수 있는 것이 아니라 해당 분야의 지식과 교육을 밑바탕으로 수행해야만 가능한 것이라 믿고 수행하는 태도이다.

② 소명의식은 자신이 맡은 일이 하늘에 의해 내려진 것이라 생각하는 태도이다.

④ 천직의식은 자신이 현재 하고 있는 일이 본인의 타고난 능력 혹은 적성과 일치한다고 여기는 태도이다.

⑤ 준법이란 법률이나 규칙을 지키는 것으로, 준법의식은 민주 시민으로서 지켜야 하는 기본 의무이며 생활 태도이다.

52 공동체윤리 CSR의 여러 가지 영역 이해하기

|정답| ②

|해설| ○○카페는 커피 판매 및 이익 추구뿐만 아니라 커피원두를 구매하는 과정에서 윤리적인 책임을 지며, △△마트는 탄소감축 등 에너지자원에 대한 사회적 책임을 다하기 위해 경영방식을 실천한 것으로 사회책임경영 실천 영역과 가장 관련이 깊다.

53 직업윤리 직업관의 유형 파악하기

|정답| ①

|해설| 일 본위의 직업윤리는 자기, 직장, 국가 본위의 3가지 유형과는 다른 것으로 어떠한 목적도 없이 일 자체만을 위해 헌신하며 노력하는 직업관이다.

|오답풀이|

② 자기 본위의 직업윤리는 직업에 종사하는 각 개인은 자기의 가족이나 자기 자신을 위하여 일을 열심히 해야 한다는 직업관이다.

③ 직장 본위의 직업윤리라는 것은 그 개인이 소속하고 있는 직장이나 그 직장에서의 사회적 지위 향상을 위하여 맡은 직무나 관련활동을 충실히 수행하고, 이를 통해 직장이나 집단 전체의 유지 및 번영을 위해 공헌해야 한다는 직업관이다.

④ 국가 본위의 직업윤리는 개인들이 국가와 같은 전체 사회의 발전과 그 사회를 구성하는 전체 구성원의 공공복지 향상을 위해 전념해야 한다는 직업관이다.

54 근로윤리 정직하게 행동하기

|정답| ⑤

|해설| 기사의 주인공은 아무에게 말하지 않았다면 자신이 받은 우승컵을 계속 가질 수 있었음에도 불구하고 경기에 착오가 있었다는 사실을 정직하게 밝히면서 사람들에게 찬사를 받았다. 자신이 입을 손해보다 정직함으로 우선시했으므로 ⑤의 반응이 적절하다.

55 갈등관리능력 갈등관리 유형 이해하기

| 정답 | ⑤

| 해설 | 토마스와 킬만의 갈등관리 유형 중 타협형은 주고받는 방식으로 어느 정도의 이익을 공유하는 중간 지점에서 타협하여 해결점을 찾는 방식이다. 양측의 목표가 다를 때, 힘이 비슷할 때, 목표 달성이 중요하지만 시간이 없을 때 적합하다.

| 오답풀이 |

① 경쟁형 : 다수의 구성원들이 선호하지 않는 조치이거나 비상 상황일 때, 조직의 성장에 매우 중요한 문제일 때 적합하다.

② 통합형 : 문제가 양측에게 중요하거나 복잡할 때 장기적 관계일 때 적합하다.

③ 회피형 : 문제가 사소할 때, 해결로 인한 이익보다 회피로 절약되는 비용이 더 클 때, 시간과 정보가 더 필요할 때 적합하다.

④ 수용형 : 신뢰를 구축해야 할 때, 양보하는 것보다 갈등을 지속하는 것이 더 손해일 때 적합하다.

보충 플러스+

토마스와 킬만(Thomas & Kilman)의 갈등관리 유형

56 근로윤리 직장에서의 전화예절 이해하기

| 정답 | ⑤

| 해설 | 직장에서 전화통화를 할 때에는 빨리 말하는 것보다 상대방의 말을 끊지 않고 대답을 기다리며 차분하게 소통하는 것이 적절하다.

57 직업윤리 직업윤리의 요소 파악하기

| 정답 | ③

| 해설 | 제시된 글에서 기업이 소비자 등 회사 외부의 이해관계자들을 속인 행위를 비판하고 있다. 누군가를 속이는 행위는 부정직한 행위이므로 〈보기〉에서 강조하는 직업윤리의 요소는 정직이다.

58 공동체윤리 고객접점서비스 이해하기

| 정답 | ①

| 해설 | SERVICE의 의미는 다음과 같다.

• S(Smile&Speed) : 서비스는 미소와 함께 신속하게 제공하는 것

• E(Emotion) : 서비스는 고객에게 감동을 주는 것

• R(Respect) : 서비스는 고객을 존중하는 것

• V(Value) : 서비스는 고객에게 가치를 제공하는 것

• I(Image) : 서비스는 고객에게 좋은 이미지를 심는 것

• C(Courtesy) : 서비스는 예의를 갖추고 정중하게 고객을 대하는 것

• E(Excellence) : 서비스는 고객에게 탁월하게 제공되어져야 하는 것

59 공동체윤리 낮은 정직성의 원인 파악하기

| 정답 | ①

| 해설 | 한국사회의 정직성이 낮은 이유 중 하나는 사적 신뢰가 공적 신뢰에 앞서는 경우가 많기 때문이며 사적 신뢰보다 공적 신뢰가 더 중요시된다면 정직성이 낮을 가능성이 보다 적어진다.

60 공동체윤리 직장 내 괴롭힘 사건 파악하기

| 정답 | ④

| 해설 | 승진을 위해 상사의 배려를 간절히 바라던 윤 씨가 인사평가에서 원하는 등급을 받지 못한 것은 사실이나, 높은 실적을 내지 못했다는 것은 객관적인 사실이므로 이는 고의로 괴롭힌 행위로 볼 수 없다.

사람인형 NCS

기출예상모의고사

고시넷
공기업 통합전공
최신기출문제집

■ 836쪽　　■ 정가_30,000원